چه کسی باور می‌کند

رُستم

روح‌انگیز شریفیان

انتشارات مُروارید

شریفیان، روح‌انگیز،
چه کسی باور می‌کند، رستم/ روح‌انگیز شریفیان. ـ تهران: مروارید، ۱۳۸۲.
ISBN 964-5881-62-5

فهرستنویسی بر اساس اطلاعات فیپا.
۱. داستانهای فارسی - - قرآن ۱۴. الف. عنوان.

۹ چ ۹۹۳ ر / PIR ۸۱۲۳	۳/۶۳ فا ۸
۱۳۸۲	چ ۴۶۹ ش
	۱۳۸۲

کتابخانه ملی ایران — م ۸۲-۲۹۶۹۸

انتشارات مروارید

تهران، خیابان انقلاب، روبروی دانشگاه تهران، پلاک ۱۳۱۲
تلفن: ۶۶۴۰۰۸۶۶- ۶۶۴۱۴۰۴۶ / صندوق پستی ۱۶۵۴-۱۳۱۴۵
پست الکترونیک: Email: morvarid _pub@yahoo.com

◆

چه کسی باور می‌کند، رستم
روح‌انگیز شریفیان
چاپ اول اسفند ۱۳۸۲
چاپخانهٔ گلشن
صحافی آزاده
تیراژ ۲۲۰۰ جلد
شا
شابک ISI

تقدیم

[illegible]

اصلاً ممکن نیست باور کنم. مثل این است به آدم بگویند: تو که رفته بودی سفر، مملکتت را آب برد.

قطار آهسته به‌راه می‌افتد. از جلو دکه روزنامه‌فروشی می‌گذریم، زن فروشنده بی‌آن که ما را ببیند نگاهمان می‌کند. میانسال است و هیکل درشت و چاقی دارد. جلو دکه‌اش انبوهی روزنامه و شکلات چیده شده است. جهان روزنامه‌هایش را از او خرید. انبوه روزنامه، دیوارهایی که ما را از هم جدا می‌کند.

تو می‌گفتی: تنهایی انسان به میل خود او بستگی دارد.

می‌گفتی: تحمل تنهایی وقتی سخت است که جز این
باشد...

از کنار قطاری که در سکوی روبرو ایستاده می‌گذریم. به پنجره قطار که پنجره نیست شیشه‌ای یک‌تکه و بزرگ است که باز و بسته نمی‌شود، نگاه می‌کنم و فکر می‌کنم قطارهای در حال حرکت مانند زندانند و ایستگاه‌های وسط راه ساعت‌های ملاقات. آدم اگر شجاع باشد می‌تواند از آنها برای فرار استفاده کند. اما باید شجاعت داشت حتی شده یک جو.

می‌گفتی که تنهایی انتخابی، فضایی است که هیچ کس
نمی‌تواند آن را از ما بگیرد...

دلم می‌خواست سوار قطاری با کوپه‌های مستقل می‌شدیم. اما حالا دیگر قطارهای کوپه‌دار کم‌اند یا اصلاً پیدا نمی‌شوند، به‌صورت واگن‌های سالن‌مانندی درآمده‌اند با ردیف صندلی‌های روبه‌روی هم. جهان گفت: می‌توانیم شب مسافرت کنیم و برای خواب کوپه بگیریم. امروزه فقط برای خواب کوپه‌های خصوصی وجود دارد، اما من دوست دارم روز مسافرت کنم و از پنجره بیرون را تماشا کنم. خانه‌هایی که به سرعت از جلومان می‌گذرند با پنجره‌های روشن، یا آنها که پرده‌هاشان کشیده شده است و سکوت از پشت آن به بیرون هم نفوذ می‌کند.

حیاط‌های رها شده و باغچه‌های از شکل افتاده. خانه‌هایی که چمنهاشان زده شده، اسباب‌بازیهای این طرف و آن طرف ریخته. بند رختی که پر از رخت‌های شسته شده است و زندگی رویشان موج می‌زند.

جهان روزنامه‌ای را بر می‌دارد، از بالای عینکش نگاهی به بیرون می‌اندازد، آهسته و بی‌صدا خمیازه‌ای می‌کشد که به من هم سرایت می‌کند. لبهایم را به هم فشار می‌دهم و خمیازه‌ام را فرو می‌دهم. این روزها چیزهای خیلی جزیی و بی‌اهمیت می‌تواند افسرده‌ام کند، مانند یک دهان دره.

ساعت از ده گذشته است، کاش قهوه‌چی زودتر بیاید. اگر بیاید، قهوه‌ای از او خواهم خرید. زمانی رسم بود که در قطارهای مسافری قهوه‌چی با چرخ قهوه و چایش می‌آمد. این روزها را نمی‌دانم. مدتها است سوار این قطارها نشده‌ام. آن وقت‌ها چای و قهوه‌شان خیلی بی‌مزه بود، اما همیشه مشتریشان بودم. صدای چرخ آن می‌تواند از افسردگی

نابه‌هنگام بیرونم بیاورد. جهان احتمالاً قهوه‌ای نخواهد خورد. می‌گوید قهوه برایش سردرد می‌آورد.

می‌گویم: قهوه برای رفع سردرد خوب است.

اما او به حرف خودش پای‌بند است و می‌گوید: ما در دنیایی زندگی می‌کنیم که می‌توانیم به آنچه دوست نداریم به راحتی نه بگوییم بدون این‌که احساس گناه کنیم.

تو می‌گفتی که قهوه مانند بوی واکس و دارو حالت را به هم
می‌زند با این‌که طعم آن را دوست داری اما نمی‌توانی آن را
بنوشی. تنها شیشه قهوه‌ای را که برایت آورده‌ام در گنجه
اتاقت نگه داشته‌ای و درش همچنان بسته است...

رسم قهوه خوردن را پس از آمدن از ایران شروع کردم. پیش از آن قهوه را فقط به نیت فال گرفتن می‌نوشیدم. فال‌هایی که هیچ یک به یادم نمانده و چیزی از آینده‌ام را نگفتند، در عوض هزار خاطره برایم به‌جا گذاشته‌اند.

برای گرفتن فال قهوه، با فاخته می‌رفتم. هنگام رفتن، آینده من و خودش را پیش‌بینی و در راه بازگشت آنچه را شنیده بودیم تجزیه و تحلیل می‌کرد. به او می‌گفتم از این پس پیش هیچ فالگیری نخواهم رفت و اگر هم خدای‌نکرده هوس فال گرفتن کردم، با او نخواهم رفت.

می‌خندید و می‌گفت: بی‌خیال، نه تو سر قولت می‌مانی، نه من.

ـ حالا خواهی دید.

ـ فکر می‌کنی می‌توانیم بدون فال سر کنیم؟ همین که عاشق شدیم دوباره گذرمان به این فالگیرها می‌افتد و دست به دامن آنها خواهیم شد.

ـ مگر قرار است عاشق بشویم؟

ـ نه، قرار است تارک دنیا شویم.

جهان از قهوه خوردن من حوصله‌اش سر می‌رود. تازه که ازدواج کرده بودیم حاضر بود به هر چه قهوه در دنیا است مهمانم کند. تقریباً در همه کافه‌های اروپا با هم قهوه خورده‌ایم. سال‌ها از آن زمان گذشته، اما هنوز هم مثل بچه‌ها دلم هوس چیزهای کوچک را می‌کند. گرچه دیگر نمی‌توانم آخرین باری را که چنین هوسی کردم به یاد بیاورم. جهان جدی‌تر از آن است که از این هوس‌ها بکند. او در دنیایی واقعی و منطقی، آن‌طور که خودش تفسیر می‌کند، بدون بالا و پایین، بدون حاشیه رفتن و احساساتی شدن، زندگی می‌کند. جهان قوانین نانوشته و ناگفته، اما گذشت‌ناپذیری دارد که مطابق آن رفتار می‌کند. اگر اعتراضی بکنم می‌گوید این رفتار با درسی که خوانده در ارتباط است.

جهان حسابدار قسم خورده است و مانند من که دور دنیا داروسازی خوانده‌ام، این‌جا و آن‌جا حسابداری خوانده است تا سرانجام در این‌جا ساکن شده و به تصور خودش مرا هم به مستقر بودن عادت داده است.

قطار هنوز سرعت نگرفته و از فضای شهر بیرون نرفته است. به جهان نگاه می‌کنم، نمی‌توانم صورتش را ببینم. روزنامه چون دیواری او را از من جدا کرده است. گاهی که آن را پایین می‌آورد و ورق می‌زند قسمتی از موهایش را می‌بینم که روز به روز رو به سفیدی می‌رود.

اولین بار که دیدمش سی و چند سال پیش بود، دم در خانه فاخته، اصلاً به حسابدارهای قسم خورده نمی‌مانست. جوان اروپا دیده‌ای بود که انگار همه دنیا را در مشت داشت.

پیش از این‌که از خانه درآییم، فاخته تلفن کرد. هنوز طنین صدای زیبایش در گوشم است. جهان که گوشی را برداشته بود به‌من اشاره کرد و

گفت: ملودی است.

جهان به فاخته می‌گوید ملودی.

هنوز هم از این‌که عاشق او نشده بود تعجب می‌کنم. فاخته زیباترین دختری است که می‌شناسم.

اولین‌بار که دیدمش سال چهارم دبیرستان بود. دبیرمان تازه وارد شده بود که در کلاس آهسته باز شد فاخته سرش را از لای در آورد تو، لبخندی زد و گفت: اجازه خانم، من دفتر بودم دیر کردنم تقصیر خودم نیست. خانم ناظم کارم داشت.

دبیرمان اشاره کرد که بیاید تو. قد بلند و خوشگل بود. موهایش را پشت سرش جمع کرده بود. روپوشش تمیز و اتو کرده، انگار به تنش می‌رقصید. بچه‌ها تماشایش می‌کردند حتی دبیرمان با لبخندی تحسین‌آمیز نگاهش کرد. فاخته نگاهی به نیمکت‌ها انداخت. کنار من یک جای خالی بود، دبیرمان اشاره کرد آن‌جا بنشیند. تند آمد و نشست. کنار رفتم و زیرچشمی نگاهش کردم. بدون این‌که توجهی به من کند کتابهایش را روی میز گذاشت. زنگ که خورد تا سرم را برگرداندم مثل برق از جا پریده و غیبش زده بود. در حیاط دیدم با دسته‌ای از دخترهای سال بالا حرف می‌زند. انگار با همه مدرسه دوست بود. قهرمان تیم والیبال مدرسه بود. ساعت بعد سر صف که مدیر و ناظم، اخبار و برنامه‌های مدرسه را برای بچه‌ها می‌گفتند، دیدم عقب‌تر از آنها کناری ایستاده است. از بچه‌ها می‌پرسم او آن‌جا چه کار می‌کند؟

می‌گویند: از پارسال برنامه‌های روز را سر صف می‌گوید. مگر نمی‌دانی در رادیو گوینده است برای همین هم خانم مدیر انتخابش کرده. خوشحالم از این‌که کنار من می‌نشیند، البته مطمئن نیستم همان‌جا

بماند. این بار که می‌آید، ننشسته به‌طرف من برمی‌گردد، می‌پرسد: اسمت چیست؟

جواب می‌دهم: مداد و کاغذ داری؟

ـ مگر می‌خواهی مثنوی بگویی؟

ـ یک چیزی هم وزن مثنوی.

دبیر ریاضی‌مان وارد می‌شود و حرفمان نیمه‌کاره می‌ماند.

بعدازظهر در راه خانه می‌بینم که جلوتر از من می‌رود. تردید دارم خودم را به او برسانم. سرپیچ یک کوچه برمی‌گردد مرا که می‌بیند منتظرم می‌ایستد. با خوشحالی قدم‌هایم را تند می‌کنم. به اندازه یک وجب کامل از من بلندتر است. از این‌که این قدر خوشگل است حسودیم می‌شود. اسمهایم را تکرار می‌کند و می‌گوید: نکند تو هم گرفتاری مرا داری؟

ـ گرفتاری؟

ـ که مجبور باشی برای اسمت دلیل بیاوری.

ـ آره، آرزو به دلم مانده که اسمم را به کسی بگویم و نپرسد کدام یک؟

ـ تازه این گرفتاری یکی دو روزه هم نیست که آدم دلش خوش باشد که تمام می‌شود.

ـ گرفتاری تو چیست؟

ـ مجبورم برای اسمم دلیل بیاورم. بعضی وقت‌ها دلم می‌خواهد به آنها که می‌پرسند فاخته اسم دختر است یا پسر. بگویم: اسم مرا فاخته گذاشته‌اند تا آدمهای باهوش و کم‌هوش مشخص شوند.

ـ من کسی را می‌شناسم که اسم دخترش را طراوت گذاشته و دختره آن قدر زشت است که نمی‌شود نگاهش کرد.

شانه بالا می‌اندازد: منهم ماریاکالاس نیستم. وضع تو باز بهتر است.

کسی نمی‌تواند تو را بچشد تا ببیند شور هستی یا شیرین.

بعد می‌گوید: مادر بزرگم صدای قشنگی داشته و گاهی در دوره‌های زنانه‌شان آوازی می‌خوانده. به این امید که من هم مثل او بشوم اسمم را فاخته گذاشته‌اند، دلشان خوش بوده.

-بچه‌ها می‌گفتند گوینده رادیو هستی.

-غلط به عرضتان رسانده‌اند، چه گوینده‌ای. یکی دو روز در هفته اگر کاری باشد خبرم می‌کنند. شعری دکلمه می‌کنم. چیزی می‌خوانم.

می‌پرسم: آواز هم می‌خوانی؟

برمی‌گردد و با تعجب نگاه می‌کند: چطور فکر کردی آواز می‌خوانم، مگر من آوازخوان هستم؟

-مگر خودت نگفتی مادر بزرگت آواز می‌خوانده.

با تأکید می‌گوید: آوازی، نه آواز. آن هم برای دوستانش.

-پس تو هم باید برایمان آواز بخوانی.

-می‌گویند وقتی مادر بزرگم برای بچه‌هایش لالایی می‌خوانده آن‌قدر صدایش قشنگ بوده که پرنده‌ها را هم سحر می‌کرده حالا چقدرش درست است خدا می‌داند. پدربزرگم به او می‌گفته فاخته. آن‌وقت اسم مرا فاخته می‌گذارند.

-خب بد که نیست.

-اگر صدایم مثل او بود شاید می‌توانستم کار و کاسبی خوبی برای خودم دست و پا کنم. حیف این چیزها را نمی‌شود سفارش داد.

از آن روز با هم به مدرسه می‌رویم و برمی‌گردیم. یک روز که زنگ درشان را زده‌ام و به انتظار ایستاده‌ام صدای پایی از پشت سر می‌شنوم، برمی‌گردم. مردی جوان، خوش‌قیافه و شیک‌پوش که عینکی آفتابی به

چشم زده به طرفم می‌آید. دلم از جا کنده می‌شود. جلو در می‌ایستد. سری به علامت سلام به طرف من تکان می‌دهد و زنگ را فشار می‌دهد. زیر لب سلامی می‌کنم و فکر می‌کنم حتماً از دوستان مهران برادر فاخته است. با پسرهای جوانی که تا به حال دیده‌ام فرق دارد. نمی‌دانم چه تفاوتی، اما حسش می‌کنم. در طرز ایستادنش است، یا لباس پوشیدنش؟ آن حالتی که به من سلام کرد، یا حرکت دستش که زنگ را فشار داد و کمی عقب ایستاد؟ دلم نمی‌خواهد نگاهم را از او بردارم. بوی ادکلنش را حس می‌کنم و نفس عمیق می‌کشم...

فاخته از پشت در داد می‌زند: آمدم، آمدم، مامان، من رفتم، خداحافظ.

در را باز می‌کند و در حالی که دستش به در است تا آن را ببندد می‌گوید: چه خبره؟. آمدم، دیر که نشده که دوباره هولی؟

ما را که می‌بیند حرفش ناتمام می‌ماند. هر سه به هم نگاه می‌کنیم. مرد جوان لبخندزنان سلامی می‌دهد و می‌پرسد: مهران خانه است؟

و رو به من می‌گوید: حواسم نبود که شما زنگ زده‌اید.

حتی حرف زدنش هم متفاوت است، متفاوت با حرف زدن برادرهای من یا پسرهای دیگر. کلمات را کامل و سلیس ادا می‌کند و سر و ته هیچ کلمه‌ای را نمی‌خورد. وقتی حرف زد مستقیم به صورتم نگاه کرد.

فاخته برمی‌گردد توی راهرو و فریاد می‌زند: مهران، آقای جهانبخش.

از در بیرون می‌پرد و می‌گوید: بفرمائید تو.

مهران از طبقه پنجره بالا سرش را بیرون می‌آورد: بیا بالا جهان، الان حاضر می‌شوم.

گیج و ساکت راه می‌افتم. حال خودم را نمی‌فهمم.

فاخته از زیر چشم نگاهم می‌کند. به بازویم می‌زند: چرا امروز این‌قدر ساکتی، حواست کجاست؟ کشتی‌هایت غرق شده؟

سعی می‌کنم خونسرد باشم و صدایم عادی باشد می‌پرسم: این کی بود؟

ـ دوست مهران. یکی از سه تفنگدارها.

ـ سه تفنگدار؟

ـ آره دیگر، جهان، امیر و مهران.

ـ سه تفنگدارها که چهار نفر بودند.

ـ خب، اینها سه تفنگدارهای ایرانی هستند. جهان بعد از این‌که دیپلم گرفت رفت فرانسه. امیر را هم دیده‌ای.

ـ خب؟

ـ حالا دو سال است که فرانسه است.

ـ پس این‌جا چه کار می‌کرد؟

ـ این که تو دیدی روحش بود. خب برای عروسی خواهرش آمده. رفته پاریس درس بخواند، تبعیدی که نرفته.

سرم را تکان می‌دهم.

ـ مهران از بس پز جهان را داده خفه‌مان کرده. می‌گوید برنامه‌هایش را به ترتیب و بی‌پس و پیش اجرا می‌کند. پاریس رفتنش هم از قضا همین‌طور بوده. قبل از این‌که امتحانات دیپلمشان را تمام کنند تصمیم داشته برود خارج. مهران می‌گفت: هنوز امتحاناتمان تمام نشده بود که می‌گفت: وقتی شما سر کنکور نشسته‌اید و عرق می‌ریزید من پاسپورتم را گرفته و دم مرز ایستاده‌ام.

صورتم داغ شده. قلبم تند تند می‌زند، همه هوش و حواسم به فاخته

است که مشغول تعریف از او است.

متوجه می‌شود. خنده‌ای شیطنت‌آمیز می‌کند، روبه‌رویم می‌ایستد، بازویم را می‌گیرد، در حالی که به چشمهایم خیره شده می‌گوید: ببینم، ببینم...؟

این‌طوری که روبه‌رویم می‌ایستد تفاوت قدمان را بیشتر حس می‌کنم، رشته‌هایی از موهایش که باز است روی صورت و پیشانی‌اش ریخته و مانند کلاف ابریشم روی گردنش را پوشانده است، رنگ قهوه‌ای آن که همرنگ چشمهایش است توی نور برق می‌زند. نگاهم را از او برمی‌گردانم، سعی می‌کنم به راهم ادامه بدهم، اما او ول کن نیست. صورتش را نزدیک صورتم می‌آورد و مجبورم می‌کند به چشمهایش نگاه کنم. آهسته کنارش می‌زنم و می‌گویم: چی را ببینی، خب یک آدم غریبه بود می‌خواستم ببینم کی بود. همین دیگر.

ادایم را در می‌آورد: همین دیگر، همین دیگر. به همین سادگی،ها؟ •

ـ آره به خدا.

دوباره راهم را می‌بندد، دستهایش را روی شانه‌ام می‌گذارد و می‌گوید: از سر کوچه با هم آمدید؟

ـ نه به خدا. دم خانه شما ایستاده بودم که رسید.

ـ بگو به جون مامانم.

ـ به جون مامانم.

ـ نه نه، بگو به جون رستم.

می‌گویم: این وسط رستم چکاره است که او را قاتی می‌کنی.

به ساعتم نگاه می‌کنم و آن را نشانش می‌دهم: می‌دانی ساعت چند

ـ عیبی ندارد. تا حرف نزنی ولت نمی‌کنم.

با تغیّیر دستش را کنار می‌زنم و می‌گویم: ولم کن. وسط خیابان نگهمان داشته‌ای که چی؟

با اندکی دلخوری سرش را تکان می‌دهد و جلو جلو راه می‌افتد.

نمی‌دانم به او که صمیمی‌ترین و نزدیک‌ترین دوستم است چه می‌توانم بگویم؟ از این جوان، این جهان که دم در خانه آنها کنار من ایستاده بود و یک لحظه، فقط یک لحظه نگاهم کرد، راستی چه می‌توانستم بگویم؟

نگاه زن روزنامه‌فروش هنوز با من است. نمی‌دانم آیا می‌توانم به نگاهی که نگاه می‌کند اما نمی‌بیند خو کنم. زن اما آسوده به نظر می‌رسید. به مشتریهایش نگاهی می‌انداخت، روزنامه یا شکلاتی را که برداشته بودند حساب می‌کرد و پول را می‌گرفت و به مشتری بعدی می‌پرداخت.

اولین‌بار که پدرم دکه‌های روزنامه‌فروشی را این‌جا دید گفت: اگر کنار این دکه‌ها یک دکه کوچک داروفروشی هم باز کنند می‌گیرد.

پدرم از داروسازهای قدیم است، داروخانه‌اش را بیش از هر چیزی در این جهان دوست دارد. از همان اول جز آن فکر و ذکر دیگری نداشت. داروخانه‌اش نزدیک منزلمان است. به‌خاطر این داروخانه است که هنوز پس از سالیان سال در همان محله قدیم مانده‌ایم. همسایه‌ها یکی پس از دیگری از آن‌جا رفته‌اند اما حتی پس از مرگ مادربزرگ و پدربزرگم و این‌که محله ما دیگر آن موقعیت سابق را ندارد. هنوز همگی یعنی پدر و مادر و خاله‌هایم در آن‌جا زندگی می‌کنند. مادرم خوب می‌داند که اگر پدرم و داروخانه‌اش را از هم جدا کند، نه پدرم دوام می‌آورد نه داروخانه‌اش.

داروخانه پدرم قسمتی از خانه و خانواده‌اش است. مشتری‌ها را به‌نام می‌شناسد و برای بعضی از آنها نظر او، از نسخه متخصص‌ها هم با ارزش‌تر است. از وقتی که مسن‌تر شده دیگر خودش کمتر جلو مغازه می‌آید. اتاقکی پشت مغازه دارد که از ساعت چهار به بعد پاتوق دوستان همسن و هم‌دوره‌اش است که به یاد دوران جوانی به وراجی و خنده می‌پردازند. در این بین چند تا مریض هم می‌بیند بیشتر آنها بچه‌ها یا مسن‌ترهایی هستند که حوصله و همت دکتر رفتن را ندارند و به نظر و تجربه پدرم بیشتر از دکترهای جوان و تازه کار اعتقاد دارند.

داروخانه همه ما را آلوده خود کرده است. برادر بزرگم داروسازی خواند و بعد از تمام شدن درسش به پدرم پیشنهاد کرد آن‌جا را بزرگتر کنند. پدرم قبول نکرد. داروساز جوانی هم داشت که نسخه‌ها را می‌پیچید. دکتری که با خواهرم ازدواج کرد. مادرم می‌گوید: عاشق هم شدند. اما من می‌دانم که خواهرم عاشق او شد.

طرح داروخانه شبانه‌روزی اولین‌بار به فکر پدرم رسید. مادرم بدون این‌که آگاه باشد پایه‌گذار این فکر شد. یک‌بار گفت: اگر کسی حرفی نزند، دکتر شب‌ها هم داروخانه‌اش را نمی‌بندد و بدش نمی‌آید آنجا بخوابد.

پدرم بدون این‌که جوابی بدهد آن فکر را پسندیده بود.

برادرم هم دست کمی از او ندارد. همه فکر و ذکرش داروخانه‌اش است. از دوست و آشنا رویش را نمی‌بیند. زن برادرم این بی‌توجهی را تاب نمی‌آورد و نمی‌تواند مانند مادرم بگوید: همان بهتر که سرش گرم است و در خانه نیست تا به دست و پای من بپیچد.

موقعیت مادرم البته فرق می‌کند. خانواده ما دائماً در حال رفت و آمد به خانه یکدیگرند. به قول پدرم اگر کسی ما را نشناسد نمی‌فهمد که کی

کجا زندگی می‌کند و کی بچه کی است؟

خاله پری عقیده دارد که آنها اولین ساکنان آن محله هستند و آن‌جا حق آب و گل دارند. و اصلاً آبادی محله و حتی آسفالت خیابان‌ها به‌خاطر آنها و نفوذ پاپا یعنی پدربزرگم بوده است.

یک خانواده بالای کوچه زندگی می‌کند یکی سر کوچه. خاله ماهم و غلام‌خان که فقط یک خیابان آن طرفتر زندگی می‌کنند، سرزنش می‌شنوند که خودشان را از بقیه جدا کرده‌اند و تقصیر آن را هم به گردن غلام‌خان می‌اندازند.

شاید امروز کمتر بشود محله‌هایی به آن یک دستی پیدا کرد. بعضی‌ها به آن مساوات یا دموکراسی می‌گویند. اما من آن را یک جور بی‌قوارگی می‌دانم و شکل سابق را بیشتر می‌پسندم. اگر این را به ستاره بگویم به سنتی بودن متهمم خوهد کرد. با این‌که گفته‌اش دلگیرم می‌کند اما فکر می‌کنم حق با اوست، مگر خود من با پدر و مادرم جز این کرده‌ام، کیست که قضاوت کند؟

آن روزها خانواده‌ها خیلی با هم تفاوت نداشتند، همیشه یک پدربزرگ بود و یک مادربزرگ. بچه‌ها اغلب خاله داشتند و عمه و دایی و عمو. نوکر و کلفتهایی که می‌آمدند و می‌رفتند. مثل ننه بزرگه و ننه ددری که در خانه پاپا و خانم خانم زندگی می‌کردند و جزیی از خانواده بودند.

خانه پاپا و خانم خانم بهترین خانه دنیا بود. مخصوصاً روزهایی که پاپا مسافرت بود. پاپا با آن قدکوتاه و موهای سیاه و پرپشت و عینکی که وقتی می‌خواست چیزی بخواند می‌زد، مثل غول بود، غولهای توی قصه. هر بار در قصه‌ای سر و کله غولها پیدا می‌شد، خودم را زیر چادر ننه ددری پنهان می‌کردم و از زیر چشم به رستم نگاهی می‌انداختم. او انگشتهایش

را به هم قفل می‌کرد و سرش را پایین می‌انداخت.

پاپا وقتی بلند و تند حرف می‌زد به موجود ترسناکی مبدل می‌شد که بهتر بود کسی دم دستش نباشد. من از او نمی‌ترسیدم اما ترس را با او شناختم. دست بزن داشت و با این‌که هرگز مرا نزده بود اما کتک زدنش را دیده بودم. مطمئن نبودم وقتی در حضور او هستم چه چیزی انتظارم را می‌کشد. یک روز عکس مردی را در روزنامه دیدم که می‌گفتند آدم کشته است. از آن روز برایم مسلم شد که پاپا هر بار به ده می‌رود چند نفر را می‌کشد، اما چون صاحب ده است کسی نمی‌تواند حرفی بزند. به رستم که گفتم از ترس تکان خورد. خودم هم ترسیدم. هر بار بغلم می‌کرد دستهایش را می‌گرفتم و به دقت نگاه می‌کردم تا شاید لکه خونی روی آنها پیدا کنم. وقتی متوجه می‌شد می‌خندید و می‌گفت: باز داری کف‌بینی می‌کنی، بگو ببینم چه می‌بینی؟

سعی می‌کردم از بغلش در بیایم و زیر چادر خانم خانم پنهان شوم.

این‌که ما پاپا صدایش می‌کردیم، از اختراعات خاله پری بود که گویا اسم پاپا را در فیلمی شنیده یا در کتابی خوانده بود و آن‌وقت گفته بود که بچه‌ها آقابزرگ را پاپا صدا کنند و خانم بزرگ را هم مامی. خانم بزرگ گفته بود: لازم نکرده.

خاله پری گفته بود که بالاخره باید یک چیزی صدایتان کنند مگر نه؟

-خب همین خانم مگر چه عیبی دارد؟

خاله پری شانه‌هایش را با بی‌قیدی تکان داده، پشت چشمهایش را نازک کرده و گفته بود: خانم، خانم.

ناهید که نوه اول بود و تازه زبان باز کرده بود به تقلید از او می‌گوید: خانم خانم.

خاله پری هم دنبال گفته بچه را می‌گیرد و اسم مادربزرگم می‌شود خانم خانم. مادربزرگم می‌گوید: این طفل معصوم یک خانم را نمی‌تواند بگوید، امان از دست این پری.

اما لقب خانم خانم تغییر نمی‌کند.

قطار وارد فضای بیرون از ایستگاه می‌شود. به بیرون نگاه می‌کنم خورشید زیر ابر پنهان و هوا سرد و سربی است. می‌ترسم سرانجام یاد گرمای دلچسب آفتاب در این روزهای ابری و تاریک از یادم برود.

سرمای باد را که وقت آمدن توی صورتم می‌خورد، هنوز حس می‌کنم. ژاکتم را به خودم می‌پیچم. به حرکت ابرهای پراکنده که هر یک به شکلی و به سویی در حرکت هستند نگاه می‌کنم... سعی می‌کنم شباهتشان را با چیزهای دور و برم پیدا کنم و مانند زمان کودکی‌ام برایشان قصه بگویم....

کودکی‌ام را از آن زمان به یاد دارم. از روزی که تو به خانه خانم خانم آمدی. از آن روزها که قصه‌ها را با هم اختراع می‌کردیم، من می‌گفتم تو درستشان می‌کردی. تو می‌گفتی من تمامشان می‌کردم.

شب‌های تابستان که با هم روی تخت توی حیاط دراز می‌کشیدیم و قصه ابرها را می‌گفتیم.

بدون تو هیچ خاطره‌ای از آن دوران ندارم و اگر تو نبودی کودکیم را گم می‌کردم. کودکی‌ام که هزار سال از آن گذشته. گویی در زمانی و دنیایی دیگر اتفاق افتاده است گاه ترس برم می‌دارد که مبادا آنها را در خواب دیده باشم...

هر شب که چند لکه ابر در آسمان می‌دیدم، فوراً بهانه‌ای پیدا می‌کردم

و به منزل خانم خانم می‌رفتم تا با رستم قصه ابرها را بگوییم. رستم آنها را به شکل خانه و دهشان تشبیه می‌کرد و برایشان اسم می‌گذاشت. یک‌بار یک تکه ابر بزرگ مستطیل را نشانم داد و گفت: آنجا مادر من خوابیده.

پرسیدم: چرا آنجا خوابیده؟

دستش را روی سرش کشید. این کاری بود که به آن عادت داشت. انگار موهایش نقطه اتکایی برایش بودند. وقتی بزرگ‌ترها آن را کوتاه می‌کردند خجالتی و بی‌دفاع می‌شد. مویش که بلندتر می‌شد انگار شجاعتش بیشتر می‌شد، از سکوتی که در آن فرو می‌رفت بیرون می‌آمد. بزرگ‌ترها هیچ‌گاه نمی‌دانند چه چیزی برای بچه‌ها مهم و حیاتی است، مخصوصاً بچه‌هایی که نه پدر داشته باشند نه مادر.

گفت: عزیزم می‌گوید رفته آسمان و از آن بالا ما را نگاه می‌کند.

پرسیدم: چرا پایین نمی‌آید؟

گفت : برای این‌که مرده. وقتی کسی می‌میرد، می‌رود و دیگر برنمی‌گردد.

پرسیدم: پس عزیزت کیست.

فکری کرد و گفت: عزیزم مادربزرگم است.

ـ مادر مادرت یا مادر پدرت؟

دوباره دستش را روی سرش کشید و گفت: نمی‌دانم.

آن چه از تو و آمدنت به خانه‌مان به یاد دارم خاطره‌هایی است که با شنیده‌ها و گفته‌های دیگران به هم آمیخته. آنها را که روی هم می‌گذارم، می‌توانم بگویم که اولین روز آمدنت را به یاد می‌آورم...

در کنار چادر خانم خانم تازه از خواب بعد از ظهر بیدار شده‌ام و به

پسر بچه تنهایی که وسط پله ایستاده است، نگاه می‌کنم.

هیچ چیزت برای من غیرعادی نبود. نه اسمت، نه اصل و
نَسَبت، نه موهای ژولیده‌ات، نه لباس‌های غیرعادی و بزرگتر
از تنت. فقط نگاهت گیجم می‌کرد...

پاپا او را از ده آورده بود، همان‌طور که صندوق‌های میوه را می‌آورد. دست بچه را می‌کشد. و به میان پله می‌آورد. بعد رو به خانم خانم می‌گوید: بیا یک نان خور برایت آورده‌ام.

ـ این را دیگر از کجا آورده‌ای، این دیگر چیست؟

پاپا می‌گوید: این رستم پسر محمد است. آوردم کار یادش بدهی. دم دست ننه‌ها باشد. مادرش مریض است، نمی‌تواند بهش برسد.

ـ اسمش چیست؟

ـ گفتم که رستم.

ـ وا، این همان رستم است؟

خانم خانم رویش را برگرداند و گفت پناه بر خدا، طوری که فقط من شنیدم.

سرم را بلند می‌کنم که ببینم نان خور یعنی چه.

کوچک، لاغر، کثیف و ژولیده است. سرش را پایین انداخته، به زحمت می‌توانم صورتش را از میان موهای انبوه سیاهش تشخیص دهم. از من کوچکتر است.

پاپا آورده بودش که به قول آنها جانی بگیرد و بتواند کار کند. اما دو هفته نگذشته بود که خانم خانم دستش را گرفت و برش گرداند ده.

گفت: طفل بی‌گناه، بی‌پدر و مادر دق می‌کند حالا همینم مانده که مسئول جان بچه مردم شوم.

چند ماه بعد دوباره پاپا او را آورد. این بار خاله ماهم برش گرداند و یک‌سال بعد باز به شهر آوردندش. این‌بار بزرگتر شده بود. پاپا تا وسط حیاط هلش داد. داد زد: دوباره این را برنگردان. مگر می‌خواهی زن باباش بکشدش؟ باباش که عرضه ندارد جلو آن سلیطه را بگیرد.

به‌طرز رقت‌انگیزی وسط حیاط مچاله شده بود.

پاپا رو به آشپزخانه فریاد زد: فاطمه، ددری، کدام گوری هستید؟ بیایید یک کدامتان این را ببرید.

ننه بزرگه هراسان از حیاط عقبی بیرون آمد و در حالی که چادرش را روی سرش می‌کشید سلامی کرد و به‌طرف بچه رفت.

خانم خانم به بچه که سرگردان وسط حیاط ایستاده نگاهی می‌اندازد، ناگهان از جا بلند می‌شود. چادرش را که زیر پای من است و روی آن لم داده‌ام و غرق تماشا هستم با حرص پس می‌کشد. سرم را بلند می‌کنم و با تعجب نگاهش می‌کنم. نمی‌فهمم چرا عصبانی است. به پاپاکه به درگاه پنجره تکیه داده غرغری می‌کند. همین وقت خاله ماهم وارد می‌شود. نگاهی به پاپا و خانم خانم که چادرش را به کمرش زده و بچه که ننه بزرگه دستش را گرفته می‌اندازد. اخم می‌کند پاپا با دیدن او به ته اتاق می‌رود.

خاله ماهم دختر بزرگ خانواده است و برای خودش کسی است. قد بلند و لاغر است. موهای بلند و صافی دارد که پشت سرش جمع می‌کند و می‌برد زیر روسری. یک بار که موهایش را باز کرده و دورش ریخته بود، از رنگ روشن و شفاف و حالت قشنگی که داشت تعجب کردم و پرسیدم: چرا موهای به این قشنگی را قایم می‌کنی؟

گفت: این طوری راحت‌ترم. حوصله ور رفتن به موهایم را ندارم.

خاله ماهم در ظاهر ترکیبی از پاپا و خانم خانم است. اما اخلاق و

رفتارش به‌قول خودش مثل هیچ کس نیست. پاپا گفته بوده: باید پسر می‌شد، دختر شد.

خاله ماه برخلاف میل پاپا به مدرسه رفته و دیپلمش را گرفته بود، بعد خلاف میل پدر معلم مدرسه شده بود. از این که خاله ماه اهمیتی به حرفش نداده بود، نمی‌توانست او را ببخشد. سر همین موضوع با دخترهای دیگرش یعنی مادر من و خاله پری سختگیری کرده بود. پاپا خودش را روشنفکر می‌داند و می‌گوید که خوب فرق زن و مرد را درک می‌کند. جای زن در خانه و جای مرد بیرون از خانه است. خاله پری به خاله ماه ایراد می‌گیرد: ما چوب تو را خوردیم.

خاله ماه می‌گوید: چوب خودتان را خوردید. اگر من هم به حرف او رفته بودم در وضع شماها فرقی نمی‌کرد وضع من فرق می‌کرد.

خاله پری شکلکی در می‌آورد: دارد طعنه می‌زند.

خانم خانم می‌گوید: باز شروع نکن پری.

مادرم فقط تا کلاس ششم درس خواند و خاله پری تا کلاس نه. این تصمیم‌گیری قبیله‌ای تا خواهر من ناهید نیز مؤثر بوده. او دیپلمش را توانست بگیرد. همین که دکتر داروسازی که زیر دست پدرم کار می‌کرد از او خواستگاری کرد، دور دانشگاه را خط کشید. پسرها اما باید درس می‌خواندند، بهر مکافاتی که شده.

خاله ماهم از همان ابتدا حساب خود را با پاپا روشن کرد. به‌رغم فکر و خواست او و معلم مدرسه شد ـ پاپا کار کردن دختری از خانواده متمول و سرشناس را که دستشان به دهانشان می‌رسید، کسر شأن می‌دانست ـ و خلاف میل او شوهر کرد. ازدواجش مورد موافقت پاپا نبود اما مجبور به قبول آن شده بود. غلام خان شوهری نبود که آنها انتخاب کرده باشند. پاپا

گفته بود: بیشتر از این قابلیت ندارد، بده برود و از شرش راحت شو. این دختر برایت دختر نمی‌شود. زن مردم است.

غلام‌خان قد متوسطی داشت. نه چاق بود نه لاغر. کنار خاله ماهم که می‌ایستاد به‌نظر چاق می‌آمد. صدای بم و گرمی داشت. مهربانترین صدایی که تا به‌حال شنیده‌ام.

می‌توانستم ساعت‌ها در آرامش آن صدا رها شوم. آنچه می‌گفت برایم آنقدر مهم نبود که گوش سپردن به صدایش مهم بود. خودش هم به اندازه صدایش مهربان بود. او تنها کسی بود که برایمان، برای من و رستم قصه خوانده بود. در روزنامه‌هایی که می‌خرید اگر قصه‌ای چاپ شده بود برایمان می‌خواند. ما روزها در افسون آن غرق می‌شدیم و خودمان را به جای قهرمان‌های آن می‌گذاشتیم.

خاله ماه و غلام‌خان بچه ندارند بچه‌دار نمی‌شوند. هیچ کس نمی‌داند تقصیر از کدام است.

غلام‌خان ناظم مدرسه‌ای است که خاله ماهم در آن درس می‌دهد و از وقتی غلام‌خان برادرزاده پاپا را از مدرسه بیرون کرده، دیگر دشمنی پاپا با او علنی شده. خاله ماهم می‌گوید: هنوز یک هفته سر کلاس نرفته بود که بچه مردم را به باد کتک گرفت.

پاپا می‌گوید: از کی تا بحال غلام وکیل وصی بچه‌های مردم شده؟

ـ از همان وقتی که معلمی را قبول کرده. این پسر عموی ما فکر می‌کند می‌تواند درس را با کتک توی کله بچه‌ها کند. غلام هم با کسی رودرواسی ندارد.

ـ اشتباه جناب غلام‌خان شما همین است. از قدیم و ندیم گفته‌اند: چوب معلم گله هر کی نخوره خله.

ـ غلام اگر از این معلم‌ها می‌خواست زیاد بود، احتیاجی به مرتضی نبود که شما هم سفارشش را بکنید.

ـ حالا خیر سرش چقدر هم به سفارش ما احترام گذاشته. اگر خیلی زرنگ است برای خودش یک توله دست و پا کند.

خاله ماهم بدون این‌که جواب او را بدهد بلند می‌شود و می‌رود.

در همین وقت سر و کله لوسی از توی راهرو پیدا شد.

گربه حنایی و زیبای خانم خانم که دست هیچ‌کس بهش نخورده جز خانم خانم. گربه‌ای که لوس و مغرور است و برای همین هم پاپا اسمش را لوسی گذاشته. خانم خانم به‌همین دلیل خیلی دوستش دارد چون جز او کسی را نمی‌شناسد و از احدی حرف‌شنوی ندارد. ما بچه‌ها اگر خودمان را بکشیم ممکن نیست اهمیتی به حرفمان بدهد. رفتار بی‌اعتنای او دشمنی نهفته‌ای در ما به‌وجود آورده که از ترس خانم خانم بروز نمی‌دهیم. این دشمنی در برادرها و پسرخاله‌هایم به حد اعلا است. لوسی با هزار ناز و عشوه می‌آید کنار خانم خانم روی چادر نماز او دراز می‌کشد خانم خانم نازش می‌کند و قربان صدقه‌اش می‌رود گاهی با احتیاط نزدیکش می‌شویم. دستمان را می‌گیرد و می‌گذارد پشت گربه که آهسته نازش کنیم. اما لوسی حتی در این‌طور وقت‌ها هم گوشهایش را تیز می‌کند، اگر محکم‌تر از معمول نازش کنیم، کمرش را از زیر دستمان خالی می‌کند، بلند می‌شود و از اتاق بیرون می‌رود اجازه هم نداریم دنبالش کنیم. تا ما به در اتاق برسیم او پریده روی پشت‌بام و ناپدید شده.

لوسی با قدم‌های سنگین و آرام از راهرو می‌آید، نگاهی به دور و برش می‌اندازد و یکراست به طرف رستم می‌رود، لحظه‌ای به او نگاه می‌کند، کفش و پاچه شلوارش را بو می‌کشد. رستم خم می‌شود و پشت

او را ناز می‌کند. لوسی سرش را بالا می‌برد و پوزه‌اش را به آستین او می‌مالد.

خانم خانم چادر به دست با تعجب و دقت به آنها خیره شده است، پاپا که از ته اتاق به بیرون نگاه می‌کرد ابروهایش را بالا می‌کشد.

تو سرت را بلند کردی، فقط به من نگاه کردی. انگار
جرأت نداشتی به صورت بزرگترها نگاه کنی. نگاه متعجب
من و نگاه سرگردان تو به هم دوخته شد. لوسی پایین پای تو
روی زمین دراز کشید اما تو خم نشدی نازش کنی...

پدر من بهترین داماد پاپا و خانم خانم است که به همه آرزوهای آنها جامه عمل پوشانده.

پدرم دکتر داروساز است و صاحب یک داروخانه بزرگ و معتبره خواهرم شش سال و دو برادرم یکی چهار سال و دیگری دو سال از من بزرگتر هستند.

مادرم یک پاپای دوم است. انگار قسمتی از روح پاپا را در بدن او کار گذاشته‌اند. برای همین پاپا او را بسیار دوست دارد. چنان محبوبه‌ای می‌گوید که آدم دلش می‌خواهد برگردد و ببیند این محبوبه کدام زن زیبایی است که این‌طور با احساس اسمش را بر زبان می‌آورند.

مادرم میانه‌بالا و لاغر و سبزه‌رو است. مانند پاپا موهای فرفری سیاهی دارد که همیشه پشت سرش مهارشان می‌کند. مثل پاپا کم‌حرف و اخمو است و زبان تیزی دارد. لباسش هم تا آنجا که به یاد دارم همیشه یک بلوز و یک دامن بود. انگار صد دست بلوز و دامن رنگ و وارنگ داشت که به وقتش عوض می‌کرد و چندین جفت سرپایی که از پایش در نمی‌آمد مگر وقت خواب. خسته که بود آنها را لخ لخ به زمین می‌کشید خانم خانم که

صدای پای مادرم را می‌شنید می‌گفت: دوباره محبوب و لخ لخ سرپایی‌هایش می‌آید. ننه، زود، تا غرغرش شروع نشده، یک چای برایش بریز.

رفتار و طرز فکر مادرم مانند پاپا است. این را از روزی که رستم به خانه پاپا آمد حس کردم. یک دشمنی تمام نشدنی و بی‌دلیل با او دارد. غری هم که به من می‌زند به‌خاطر اوست.

خاله پری اما داستانی جدا دارد. در خانه خاله پری همه چیز رنگی از شادی داشت و از این‌که پاپا همیشه غرغر می‌کرد و پایش را آنجا نمی‌گذاشت تعجب می‌کردم. پاپا پشت سر شوهر خاله پری، او را فکلی و قرتی می‌نامید. برای این‌که هر وقت دور هم جمع می‌شدیم، پرویزخان ویلونش را می‌آورد و آهنگ‌های قشنگی می‌زد که با آن می‌رقصیدیم. خاله پری اول از همه بلند می‌شد. وسط اتاق دست‌هایش را بالای سرش به هم جفت می‌کرد و قر می‌داد و ما را یکی یکی بلند می‌کرد. همه ما رقص را از او یاد گرفته‌ایم.

خانم خانم نگاهش می‌کرد و می‌گفت: نمی‌دانم این رقاصی‌ها را از کی یادگرفته. طوری می‌گفت و نگاهش می‌کرد که معلوم بود خودش بیشتر از همه از رقص او لذت می‌برد.

خاله پری کوچک‌ترین و خوشگل‌ترین دختر خانم‌خانم و پاپا است یعنی که شکل خانم خانم است. خانم خانم این را همه‌جا می‌گوید و خاله پری هم می‌خندد و حرفش را تصدیق می‌کند.

خاله پری قد متوسطی دارد که به پاپا رفته و بدن پرش به خانم خانم. چشمهایش عسلی رنگ است، بینی کوچک و لب‌های قلوه‌ای هوس‌انگیزی دارد. موهایش را همیشه به مد روز کوتاه یا بلند می‌کند و

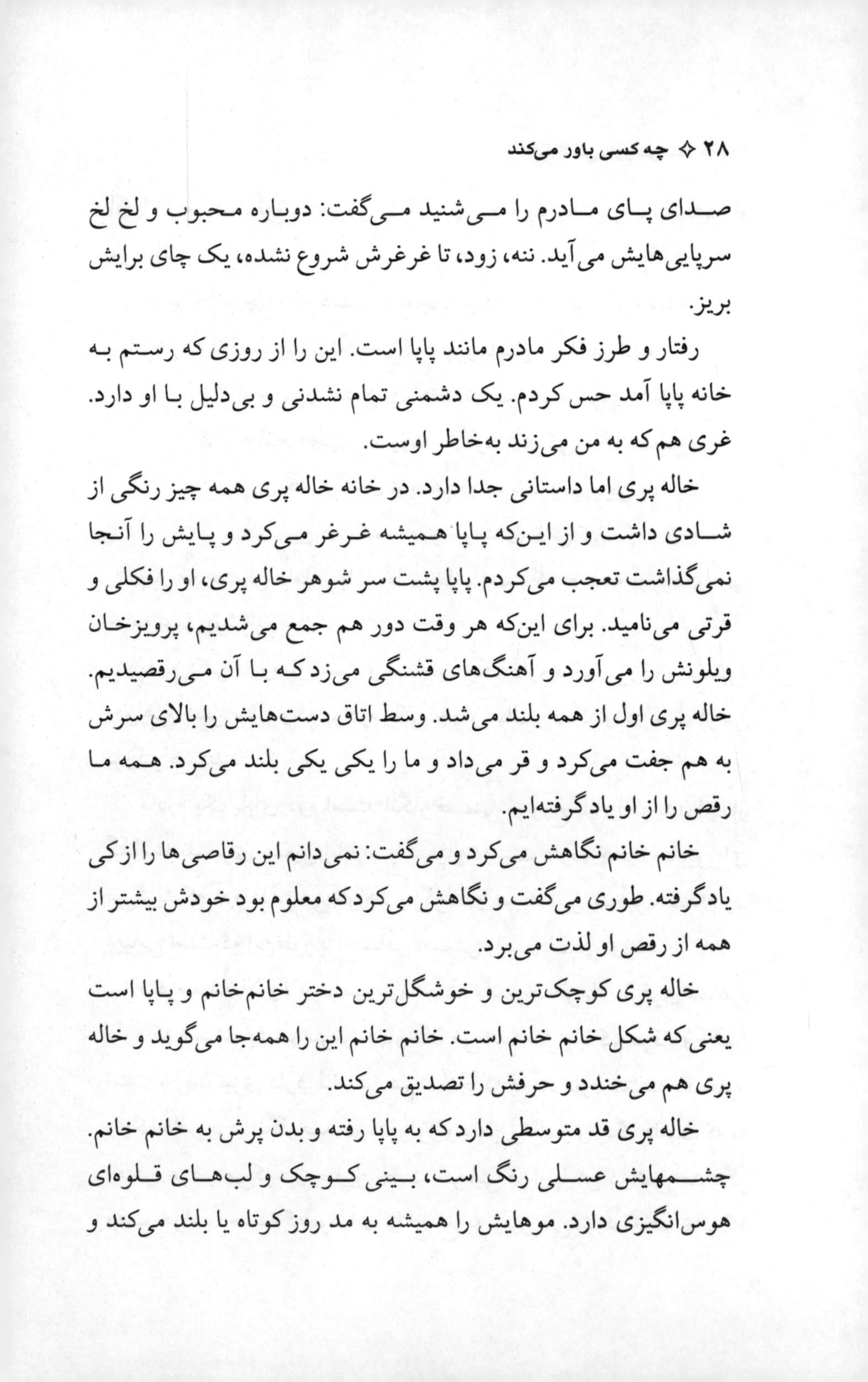

آرایشگاه رفتنش ترک نمی‌شود.

خاله پری و پرویزخان دو تا پسر هم‌سن برادرهای من دارند. پاپا می‌گوید: این مرد که حیثیت خانواده ما را به باد می‌دهد.

حاضر است اگر موقعیت جور شود طلاق خاله پری را از او بگیرد. اما خانم خانم می‌گوید ما نمی‌توانیم برای آنها تکلیف روشن کنیم. حالا فرض کن طلاقش را گرفتی با دو تا بچه می‌خواهد چکار کند. پری شوهرش را دوست دارد والسلام. نمی‌توانی به حال خود بگذاریشان؟

پاپا اخم می‌کند و می‌گوید: تو انگار با هر چه من بگویم مخالفی.

خانم خانم می‌گوید: بگذار دو نفر هم توی این خانه لبخند به لب داشته باشند، عیبی دارد؟

وقتی که خاله پری دخترش را حامله شد پاپا جنجالی به پا کرد که شوهر خاله پری رفت آن طرف شهر، خیلی دور از محله ما خانه‌ای گرفت و خاله پری و بچه‌ها را برد آنجا. خاله پری البته باز هم هر روز ماشین می‌گرفت و به خانه ما می‌آمد و همیشه هم گریه‌کنان بر می‌گشت. بعداً هم که بچه‌اش به‌دنیا آمد ـ همان دختری که من می‌خواستم اسمش را ستاره بگذارم ـ به بهانه این که از پس بچه‌داری برنمی‌آید یا باید یکی از ننه‌ها پهلوی او برود یا او برگردد، به خانه خودش برگشت. اما پرویز خان خانه آن طرف شهر را پس نداد و بیشتر وقت‌ها آنجا می‌ماند. پاپا راضی بود و خرج خاله پری را هم می‌داد که چشمش به پرویزخان و ویلونش نیفتد. اما خاله پری می‌گفت: آقا زندگی مرا بهم زده، شوهرم را از من گرفته.

خانم خانم لبخندی می‌زد و می‌گفت: خیلی هم شوهرت را نگرفته. دیگر نک و نال را بس کن.

رستم به من گفت که شب‌ها پرویزخان به خانه خاله پری می‌آید و صبح

زود از آنجا می‌رود.

چند سال بعد خاله پری متوجه شد که پرویزخان رفته و یک زن دیگر گرفته. از آن پس خانه خاله پری از آن شادی‌ها خالی شد و خالی پری یک چشمش اشک بود و یک چشمش خون. پاپا به خانم خانم گفت: حالا معلوم شد که حرف من درست بود؟ این مردکه وصله ناجور بود.

خانم خانم دستش را تکان داد که: دختره را بدبخت کردی، حالا فکر می‌کنی حق هم با تو بوده.

تا این که پرویز خان یک روز رفت و غیبش زد. شاید هم پاپا واقعاً به دست یکی از رعیتهایش او را کشته بود. از پاپا این کارها بعید نیست.

خاله پری نفرینشان می‌کرد هم پاپا را هم پرویز خان را. اما روز به روز خوشگلتر می‌شد. خانم خانم می‌گفت: بچه‌ام حرام شد. با همه غصه‌ای که می‌خورد آدم حظّ می‌کند به صورتش نگاه کند. اگر این بچه‌ها را نداشت همین الان هزارتا خواستگار داشت.

خانه پاپا و خانم خانم با خانه‌های دیگر متفاوت است به‌خاطر بودن ننه بزرگه و ننه ددری. وحشت غول بودن پاپا را غش غش خنده‌های ننه ددری جبران می‌کند. ننه ددری بهترین زن چاقی است که دیده‌ام. غذا که می‌خورد دستهایش را روی سینه‌اش به هم جفت می‌کند آرنجش را به طرف بیرون حرکت می‌دهد یعنی دارم از این طرفی اضافه می‌شوم. شانه‌هایش را بالا می‌اندازد و می‌خندد و می‌گوید: خانم جان، من اگر آب خالی هم بخورم روز به روز گنده‌تر می‌شوم.

ننه بزرگه زیر لب می‌گوید: آب خالی هم نمی‌خوری آخر.

خانم خانم می‌گوید: همچنین آب خالی هم نمی‌خوری. آدم سیر جلو تو بنشیند گرسنه می‌شود. والله هر کس این طوری نان خالی سق بزند، به

بدنش گوشت می‌شود.

ننه‌بزرگه می‌گوید: خانم، حرف نان و آب نیست. از بسکه بی‌خیال است. مثل بچه‌ها است. مگر نمی‌بینید چطوری با این بچه‌ها قاتی می‌شود. خب ننگ کار که ندارد، زن گنده، گرگم به هوا و طناب‌بازی می‌کند. من که سر در نمی‌آورم. برای همین بچه‌ها خوب است واللّٰه.

ننه بزرگه و ننه ددری دو خواهرند که انگار از اول عالم در خانه خانم خانم کار می‌کرده‌اند و فکر می‌کردیم تا آخر عالم هم خواهند بود. ننه‌بزرگه قدبلند و درشت هیکل بود. صدای بلند و محکمی داشت. بیشترین کار را در خانه انجام می‌داد. ننه ددری هیچ‌وقت توی خانه بند نمی‌شد به هر دلیل و بهانه‌ای از خانه بیرون می‌رفت و به مرور زمان خرده خریدهای خانه را به عهده گرفته بود و اسمش را ننه ددری گذاشته بودند.

اسم ننه بزرگه فاطمه خانم و اسم ننه ددری خاور بود، اما ندیده بودم کسی بجز غریبه‌ها آنها را با اسمشان صدا کند. یک چند به ما بچه‌ها گوشزد کردند که آنها را فاطمه خانم و خاور خانم صدا کنیم اما قضیه چنان مضحک شد که از خیر آن گذشتند. ننه بزرگه بدش نمی‌آمد اما ننه ددری به خانم خانم گفت: خانم، وقتی بچه‌ها فاطمه خانم یا خاورخانم صدا می‌کنند می‌خواهم بروم در کوچه را باز کنم به خیال این که مهمان آمده است.

بعضی‌ها انگار برای این به دنیا آمده‌اند که دور و بر خود را پر از تاریکی و غم کنند. ننه ددری هم برای این بود که همه‌جا را پر از شادی و خنده کند. با این که همه به او غر می‌زدند و سر به سرش می‌گذاشتند که بی‌خیال است و اگر دنیا را آب ببرد او را خواب می‌برد. اما در نهان همه به‌اهمیت وجود او در خانه آگاه بودند. خانه‌ای که پاپا آقای آن بود که‌در هوار

کشیدن و نعره زدن شهره آفاق بود و دست بزن داشت و پسرهای خانواده و نوکرها بارها از او سیلی و فحش خورده بودند. وجود ننه ددری موهبت بود.

با این که هزار زخم زبان از ننه بزرگه و خانم خانم می‌شنید ذره‌ای از خنده‌هایش کم نمی‌شد. یک پای بازی ما بچه‌ها بود. اگر غصه‌ای داشتیم سرمان را گرم می‌کرد و دلداری‌مان می‌داد. بزرگترین خوشحالیش این بود که چیزی از او بخواهند. انجام کاری، هوس غذایی. بالاترین مایه غرورش این بود که پاپا غذایی را نام ببرد و مثلاً بگوید: ددری امشب هوس آش کرده‌ام. ببینم چه می‌کنی. دیگر کسی جلودارش نبود فوراً دست به کار می‌شد.

زیر لب آهنگ‌هایی زمزمه می‌کرد که همه یاد گرفته بودیم. یک مشت ضرب‌المثل می‌دانست که در موقعیت‌های مناسب و نامناسب از آنها استفاده می‌کرد و مخصوص خودش بود. اگر کسی جایی آنها را بازگو می‌کرد همه می‌خندیدند و می‌گفتند: این که مال ننه ددری است.

گاهی در مقابل چیزی که از او می‌خواستیم سعی می‌کرد سختگیر و جدی باشد. با دقت به حرف‌هایمان گوش می‌داد و اخم‌هایش را درهم می‌کرد و می‌گفت: نه.

کمی که اصرار می‌کردیم، نرم می‌شد، می‌گفت: به‌شرطی که به کسی نگویید وگرنه آقابزرگ مرا می‌کشد.

راه که می‌رفت، حرف که می‌زد یکجور بی‌خیالی و آسودگی در آن نهفته بود که ننه بزرگه را از کوره به در می‌برد و ما بچه‌ها نمی‌فهمیدیم چرا. قدم‌هایش کوتاه، تند و مصمم بود. سرش را بالا می‌گرفت، دست‌هایش را صاف دو طرفش آویزان می‌کرد و آهسته تکان می‌داد. بدون این‌که به

اطرافش نگاه کند ادا در می‌آورد و ریز می‌خندید. پسرخاله‌ها و برادرهایم ادایش را در می‌آوردند و خودش بیشتر از همه غش و ریسه می‌رفت. کودکی خستگی‌ناپذیر و بزرگ‌نشدنی در وجودش بود.

یک روز همه گلدان‌های حیاط را جمع کرده و دور حوض چیده بود و گفته بود این‌طوری قشنگتر است. هر چه هم الله وردی ـ شوهرش که ما به او آقاوردی می‌گفتیم ـ گفته بود کاری به آنها نداشته باشد گفته بود: تو کارت نباشد.

ننه بزرگه بارها زده بود روی دستش که: خدا به داد برسد اگر آقابزرگ بیاید پوستت را غلفتی می‌کند. جون آقابزرگ است و این گلدان‌ها، به سرت زده مگر زن...

جابه‌جایی گلدان‌هایی که پاپا شماره و قد و اندازه و دانه دانه گلهایش را می‌دانست از دید ما هم فاجعه بود. خانم خانم هم دست روی دست می‌مالید و سرش را تکان می‌داد: اجلش را آورده، خودش می‌داند، چشمش کور.

پاپا که آمد ننه بزرگه آهی کشیده و فوراً به آشپزخانه رفت، اما از گوشه در مواظب بود. خانم خانم از توی اتاق حواسش به حیاط بود. من و رستم پشت درخت‌ها پنهان شده بودیم.

پاپا تا وارد شد، متوجه گلدان‌ها شد و داد زد: الله وردی، ددری.

ننه‌بزرگه از آشپزخانه درآمد و گفت: ددری رفته خبر مرگش نان بخرد، فرمایشی داشتید؟

پاپا نگاهی به گلدان‌ها انداخت و گفت: این گلدان‌ها را ددری دور حوض چیده؟

ننه بزرگه گفت: پس فکر می‌کنید کار کیست آقا. می‌گویم بگذارد

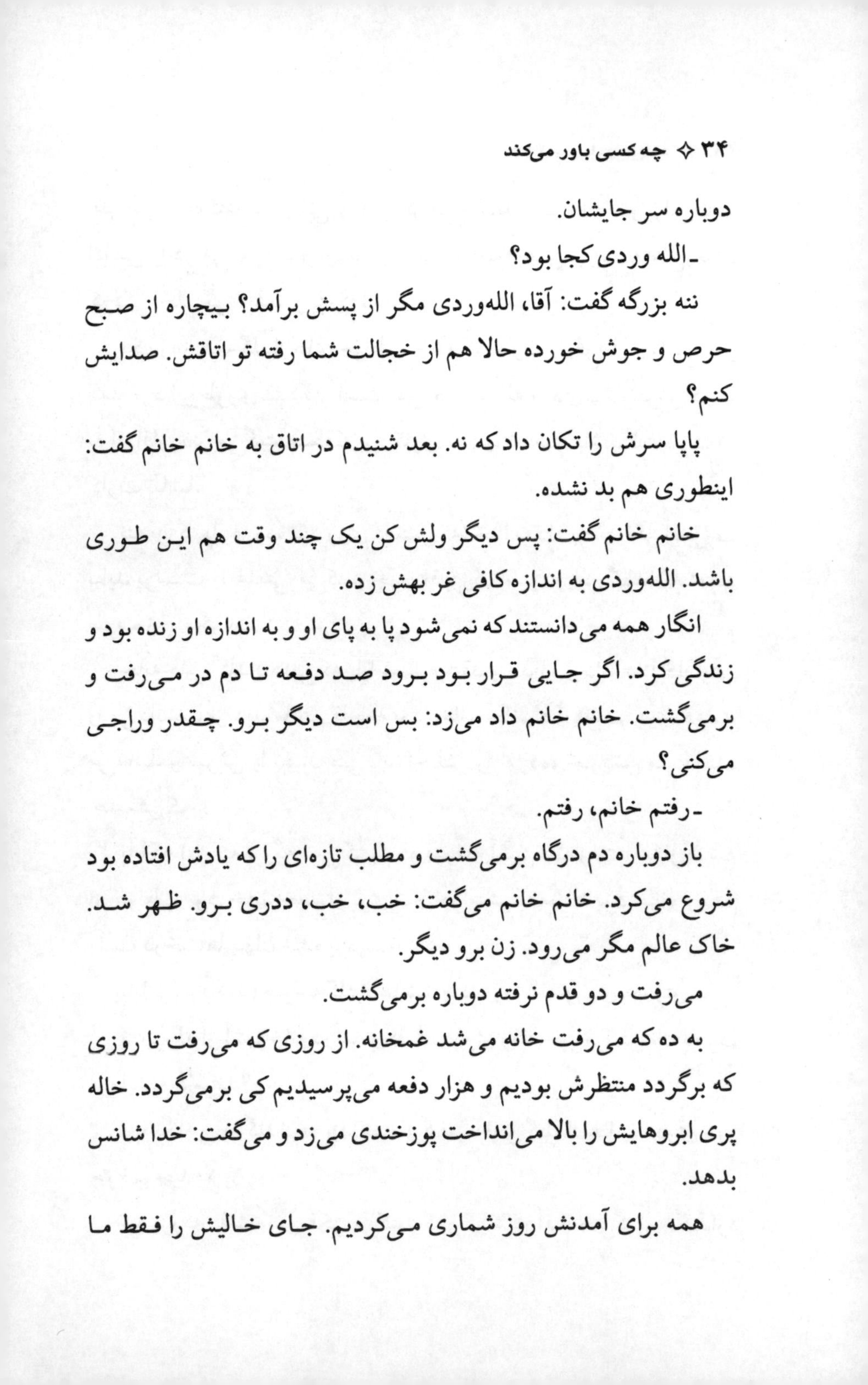

بچه‌ها حس نمی‌کردیم. بزرگترها هم دلبسته‌اش بودند. خانه با او بیدار می‌شد و با او به‌خواب می‌رفت.

به ستاره که فکر می‌کنم، از این‌که حتی گوشه کوچکی از آن چه ما داشته و از آن لذت برده‌ایم را نداشته و ندارد، دلم می‌گیرد.

از ایستگاه کوچکی، بی آن که در آن توقف کنیم رد می‌شویم. گروهی از بچه‌های مدرسه همراه یکی دو تا از معلمهاشان در انتظار قطار ایستاده‌اند و احتمالاً به یک گردش بیرون شهر می‌روند.

جهان از کنار روزنامه نگاهی به من می‌اندازد، نگاهی بیشتر از سر عادت تا توجه. او کاملاً با این گوشه از دنیای من بیگانه است. آدمی است درونگرا، ساکت و وابسته به عادت‌های روزانه‌اش. روزهایش مانند ساعت برنامه‌ریزی شده و منظم‌اند. هیچ فکری را نمی‌توانم در چشمهایش بخوانم. یکبار چشمهایش سرمه‌ای شد. سرمه‌ای سرمه‌ای. از آن روز با اطمینان می‌توانم بگویم که آدم‌های عاشق چشمهایشان سرمه‌ای است.

دلم می‌خواهد مدادی بردارم و چشمهایش را رنگ سرمه‌ای بزنم. چشمهای سرمه‌ای او مرا به یاد «سونات مهتاب» می‌اندازد. احتمالاً وقتی بتهوون سوناتش را می‌نوشته به رنگ سورمه‌ای فکر می‌کرده است.

اولین بار سونات مهتاب را از رادیو شنیدم. همان لحظه توانستم حسش کنم بی‌آنکه بدانم چیست. قبل از آن همه مان بتهوون را می‌شناختیم. در دفترچه‌های عقاید در برابر سؤال آهنگ‌ساز مورد علاقه می‌نوشتیم: بتهوون. و در برابر آهنگ مورد علاقه می‌نوشتیم: مرا ببوس.

به چهارچوب در اتاق تکیه داده و به رادیو گوش می‌دادم،

وقتی گوینده نام قطعه را اعلام کرد، فهمیدم چرا آن‌قدر

توجهم را جلب کرده بود. آهنگِ ما بود، آهنگِ من و تو. دنیایمان جهانی شده بود. برای مهتاب آهنگ‌های زیادی نوشته شده، اما سونات مهتاب بتهوون، خود مهتاب بود.

باید فوراً خبر را به تو می‌رساندم.

داستان ابرها را تو به من یاد دادی و بتهوون را من به تو شناساندم....

گفتم: یک آهنگ شنیده‌ام به اسم مهتاب. نمی‌دانی چقدر قشنگ است. اگر بشنوی می‌فهمی چه می‌گویم.

نگاهم کرد و لبخند زد. نمی‌دانست چه می‌گویم و منظورم چیست.

گفتم: باید صفحه یا نوار آهنگ را پیدا کنم و برایت بگذارم تا بدانی مقصودم چیست.

ـ خب نمی‌توانی آن را برایم بزنی؟

ـ بزنم؟

ـ همین‌طوری، با دهانت.

سرم را تکان دادم: از این آهنگ‌های همین طوری که نیست.

آن وقت‌ها در تهران مغازه صفحه و نوارفروشی انگشت‌شمار بود. مشتری‌هایشان هم بیشتر شاگردها یا معلم‌های مدرسه موسیقی بودند. شاگرد مدرسه‌هایی مانند من قدرت خرید صفحه را نداشتند. اما وسوسه‌ای که به جانم افتاده بود رهایم نمی‌کرد. سرانجام دل به دریا زدم و به یکی از مغازه‌های صفحه و نوارفروشی رفتم. با اندکی تردید و با تأکید خاص روی اسم آهنگ به خیال این که فروشنده را کاملاً متوجه منظورم کرده باشم، مهتاب اثر بتهوون را خواستم.

فروشنده با خوش‌رویی گفت، از این که دختر خانمی چنین با سلیقه به

سراغش آمده خوشحال است و از میان صفحه‌ها یکی دو تا را درآورد جلو من گذاشت و پرسید: کدام را ترجیح می‌دهید؟

با بلاتکلیفی پرسیدم: مگر چند تا آهنگ از مهتاب دارید؟

لبخندی زد: سونات مهتاب بتهوون یکی است، اما اجراهای متفاوت دارد.

یکی از صفحه‌ها را نشانم داد: این اجرای آرتور روبینشتن پیانیست روسی است. از بهترین اجراها است. صفحه دیگری را برداشت: این یکی را هم شوراچرکاسکی زده، او هم روسی است. کار او هم بی‌نقص است. البته این یکی هنوز خیلی جوان است و در قید حیات.

هیچ یک از اسم‌ها برایم آشنا نبود. فکری کردم و گفتم: راستش من این اسم‌ها را نمی‌شناسم اما دست کم آن را که هم اسم خودم است برمی‌دارم.

پرسید: اسم شما؟

گفتم: شورا.

بعد پرسیدم: نوارش را ندارید؟

فکری کرد و گفت که می‌تواند آهنگ را روی نوار برایم ضبط کند.

در منزلمان یک گرامافون قدیمی داشتیم که پدرم از آلمان آورده بود. برادرم هم به تازگی یک ضبط صوت برای خودش خریده بود که اجازه نداشتیم به آن دست بزنیم. بجز او، غلام‌خان یک ضبط صوت داشت و تنها کسی بود که ممکن بود اجازه بدهد نوارمان را در آن بگذاریم و گوش کنیم.

بعدازظهر گرم تابستان بود بیشتر اهل خانه در خواب بودند. نوار را در کیفم گذاشتم و به خانه خاله ماهم رفتم.

خانه خاله ماهم بهترین پناهگاه برای من و رستم بود. در آنجا می‌توانستیم آزاد باشیم. می‌توانستیم هر قدر دلمان می‌خواهد بازی کنیم. بعضی روزها آن قدر دور حوض می‌دویدیم که نفسمان می‌گرفت و از دردی که توی پهلویمان می‌پیچید خم می‌شدیم و زیر چشمی یکدیگر را نگاه می‌کردیم. یا غروب‌ها روی تخت توی حیاط کنار خاله ماه و غلام‌خان که همیشه سرشان گرم کتاب خواندن یا ورقه صحیح کردن بود دراز می‌کشیدیم و برای ابرها و شکل‌های عجیب و غریب‌شان اسم پیدا می‌کردیم. مسابقه‌ای که هیچ تمامی نداشت و هیچ کدام برنده یا بازنده‌اش نبودیم.

خاله ماه و غلام خان از خنده‌های بلند و تمام نشدنی و پچ پچ کردنهای ما ناراحت نمی‌شدند. غر نمی‌زدند و مانند کاراگاه‌ها مواظبمان نبودند. هیچ‌وقت نمی‌گفتند باید ساکت باشیم و شیطانی نکنیم.

یک‌بار غلام خان به خاله ماهم گفت: این بچه‌ها شیطان هستند، اما بی‌تربیت نیستند.

خاله ماهم گفت: برای بچه‌ها صدا جزیی از زندگی است، برای بزرگ‌ترها سکوت جزیی از زندگی می‌شود.

باید سالها می‌گذشت تا به مفهوم حرف او پی ببرم. امروز ساکت بودن و سکوت برایم شکل دیگری گرفته است. هیچ‌وقت از آن خوشحال نبوده‌ام. سکوت من انتخابی نبوده و برایم چندان جای سرافرازی ندارد.

سر راه به رستم که داروخانه پدرم را می‌بست گفتم که همراهم بیاید تا نوارمان را گوش کنیم. لبخندی زد و گفت: از حالا شده نوار ما.

ـ صبر کن تا گوش کنی و بفهمی منظورم چیست.

خاله ماهم و غلام خان تازه ناهارشان را تمام کرده بودند. غلام خان با

دیدن نوار، به ضبط صوت که روی طاقچه اتاق بود اشاره کرد و گفت: بلدی با آن کار کنی؟

گفتم: بله.

گفت: بسیار خوب.

روزنامه‌اش را برداشت و به اتاق دم دری رفت.

خاله ماهم در حالی که ظرف‌های ناهارشان را از روی میز برمی‌داشت به رستم که می‌خواست آنها را از دستش بگیرد و به آشپزخانه ببرد، گفت خودش می‌برد. بعد هم می‌رود کمی بخوابد.

نوار را در ضبط صوت گذاشتم. رستم کنار در ایستاده بود.

گفتم: بیا، بنشین.

با سر اشاره کرد که خوب است و همانجا ایستاد. یکی از ویژگی‌هایش همین یک‌دندگی بود. گاهی از آن دلخور می‌شدم گاهی از آن سر در نمی‌آوردم. بعد هم به آن عادت کردم. نوار را که گذاشتم، از زیر چشم به او نگاه کردم. با تمام وجود دلم می‌خواست او هم احساس مرا داشته باشد و آن را درک کند. سرش پایین بود و با دقت گوش می‌داد. نیمه‌های آهنگ آهسته کنار در شُر خورد و روی زمین نشست. تمام مدت سرش پایین بود، هیچ چیز نمی‌توانستم از قیافه‌اش بفهمم. قسمت اول آهنگ که تمام شد، نگاهش کردم. نفس بلندی کشید و آهسته گفت: یک دفعه دیگر بگذار.

گفتم: بیا نزدیکتر بنشین، نمی‌خواهم صدایش را زیاد بلند کنم.

گفت: می‌شنوم.

نوار را از اول گذاشتم. گاهی از پنجره به آسمان نگاه می‌کرد. آهنگ که تمام شد. گفت: این را باید شب گوش کرد. وقتی که ماه تقلا می‌کند

خودش را از زیر و گوشه کنار ابرها بیرون بکشد.

پرسیدم: پس دوست داشتی؟

ـ دوست داشتن چیزهای قشنگ خیلی راحت است.

ـ من از همان اول که آن را شنیدم یاد مهتاب افتادم.

گفت: مثل بستنی است.

گفتم: مثل رنگ سرمه‌ای است، مثل مهتاب است.

دستی روی سرش کشید: یک دفعه دیگر بگذار.

فروشنده مغازه صفحه‌فروشی مرد با ذوق و خوش‌اخلاقی است. دفعه بعد که به آن‌جا می‌روم و می‌پرسم که بتهوون آهنگ دیگری در مورد مهتاب ندارد، می‌گوید: آهنگ‌های زیبای دیگری دارد که اگر بشنوید حتماً به اندازه سونات مهتاب خوشتان می‌آید.

سکوت می‌کنم، نمی‌دانم چه بگویم. در خانه ما موسیقی فقط همان است که از رادیو می‌شنویم.

فروشنده از سنفونی‌های بتهوون می‌گوید و اضافه می‌کند: سنفونی شماره پنجش را روی صفحه دارم.

می‌گویم: ما فقط ضبط صوت داریم.

لبخندی می‌زند و می‌گوید: برای شما که دختر خانم با علاقه‌ای هستید می‌توانم روی نوار ضبط کنم.

برای گرفتن نوار که می‌روم، می‌گوید: چون نوار جا داشت یک قسمت از سنفونی شماره شش او را هم برایتان ضبط کردم.

و در فرصتی که پول می‌دهم می‌گوید: هر یک از کارهایش داستان و معنایی دارد.

می‌پرسم: مثل مهتابش ؟

ـ به سنفونی شماره پنجش می‌گویند: سرنوشت این طور به در می‌کوبد.

و در پاسخ نگاه پرسش‌آمیز من اضافه می‌کند: گوش که بدهید متوجه می‌شوید.

ـ و...؟

ـ اسم سنفونی شماره شش پاستورال است. یعنی سنفونی شبانی، پر از آوازهای جنگل، توفان و نغمه‌های نی چوپان و پرنده‌ها است. یکی از زیباترین کارهای موسیقی جهانی است.

علاقه و بی‌اطلاعی مرا که می‌بیند اضافه می‌کند: کتابی در تفسیر موسیقی هست. تا چند وقت پیش یکی دو نسخه داشتم. در آن کتاب کارهای معروف تفسیر و تحلیل شده. احتیاج نیست که آدم موسیقی‌دان باشد و از رمز و راز موسیقی سر در بیاورد تا بتواند بتهوون را دوست داشته باشد.

می‌گویم: دوست داشتن چیزهای زیبا خیلی راحت است.

می‌گوید: کاملاً حق با شما است. بتهوون مانند چشمه‌ای است زلال و جوشان. بتهوون برای هر شنونده چیزی دارد. برای همین هم بتهوون شده.

می‌گویم: خوش بحال شما که می‌توانید هر آهنگی دوست دارید گوش کنید.

لبخندی می‌زند و من تا بناگوش سرخ می‌شوم. فقط سالها بعد است که می‌توانم به ساده‌دلی خودم مانند آن فروشنده بخندم.

از آن پس با موسیقی بتهوون به دنیایی تازه راه پیدا می‌کنیم و قدم به قدم به دنبال آن کشیده می‌شویم. دنیایی کاملاً

نا‌آشنا با افسونی بی‌پایان.

می‌گویم چه زیباست.

می‌گویی چه آرامشی دارد.

می‌گویم: باورنکردنی است.

می‌گویی: من باور می‌کنم...

می‌گوید: چه خوب می‌شد به مریض‌هایی که برای پیچیدن نسخه می‌آیند، بگوییم به جای خوردن آن دواها بنشینند و به سنفونیهای بتهوون گوش دهند و ببینند چقدر حالشان بهتر می‌شود.

مـی‌خندم و مـی‌گویم: آن وقت بابام و داروخانه‌اش را ورشکست می‌کردی.

-اما قبل از این‌که ورشکست شود، اول مرا بیرون می‌کرد.

-چه بهتر، آن وقت دیگر دلت از دواها به هم نمی‌خورد.

-از یک چیز دیگر بهم می‌خورد.

-از چه چیز؟

-فرق نمی‌کند دوا یا غیردوا، بهر حال آدم همیشه از یک چیزی حالش بهم می‌خورد. بعدها نواری درست می‌کنیم که راز من و اوست. نوار با صدای سازهای زهی سنفونی شماره شش شروع می‌شود، نغمه‌هایی در جنگل می‌پیچد و میانشان در گوشه کنار پرنده‌ای می‌خواند بلبلی چهچه می‌زند هدهدی صدا می‌کند، باد میان درخت‌ها می‌پیچد اما پیش از آن که توفان شروع شود آن جاکه نغمه‌هاکوتاه و آهسته می‌شوند، ناگهان مهتاب بر درختان تاریک طالع می‌شود، ابرها در حرکت‌اند و سکوت همه جنگل را پوشانده است و در لحظه‌ای که مسحور زیبایی هستم سرنوشت با همه نیرویش به در می‌کوبد. از این نوار یکی من دارم یکی رستم. هیچ‌کس راز

آن را نمی‌داند. این نوار برایم مانند قرص‌های آرامش‌بخش است. رستم به‌خاطر این نوار یک ضبط صوت خرید. می‌خواست آن را به من بدهد.
گفتم: نه.

گفت: برایت یکی می‌خرم. از حقوقم.

گفتم: نمی‌خواهم.

پرسید: چرا؟

حالا از خودم می‌پرسم چرا و طنین آن چون فریادی در دلم می‌پیچد.

گفتم: نمی‌خواهم دیگر.

چیزی نگفت. دستش را توی موهایش فرو برد و آنها را به هم ریخت و صافشان کرد، به هم ریخت و صافشان کرد.

کاش می‌توانستیم در قطارهای در حال حرکت باشیم و جز یک بلیت دائمی نداشته باشیم. می‌توانستیم مردم را تماشا کنیم و برای زندگیشان داستان بیافیم. زندگی‌هایی که شبیه هم هستند و کوچک‌ترین شباهتی بهم ندارند، مانند ابرها...

او در سنی کار کردن را شروع کرد که بچه‌های دیگر مدرسه را شروع می‌کردند.

هر روز صبح که روپوش‌های مدرسه‌مان را می‌پوشیدیم و کیف و کتابمان را برمی‌داشتیم تا به مدرسه برویم، رستم به داروخانه پدرم می‌رفت. همه به او که مجبور نبود تمام روز روی نیمکت بنشیند و به درس گوش بدهد، مشق بنویسد و درس حاضر کند، حسادت می‌کردیم. بچه‌ها قدر خوشبختی‌هایی را که دارند نمی‌دانند.

ماندنش اما در داروخانه طولی نکشید. بوی دارو حالش را به هم می‌زد. به آن حساسیت داشت. برای حساسیتش کتک سختی از پاپا خورد. باور نمی‌کردند یک بچه دهاتی بتواند به چیزی آنهم به بوی دارو حساسیت داشته باشد. باور کردن این که تنبل است و نمی‌خواهد کار کند

برایشان راحت‌تر بود. اما کتک فایده‌ای نداشت. دست خودش نبود.

پدرم گفت: نمی‌شود آقا، این بچه نمی‌تواند این جا بماند.

در خانه به مادرم غُر می‌زد: پدرت که نمی‌تواند به همه زور بگوید. بعضی‌ها این طوری‌اند بوی دوا حالشان را به هم می‌زند. دست خودش نیست، حالش به هم می‌خورد. کار نمی‌تواند بکند. برای داروخانه من خوب نیست. مردم فکر می‌کنند معتاد است، مریض است. من ضامن بچه مردم نمی‌شوم. دست کم اگر بزرگتر بود...

آن وقت پاپا پس گردنش را گرفت و برد گذاشتش پهلوی جواد آقا که دو تا مغازه پایین‌تر از داروخانه پدرم پینه‌دوزی داشت.

خاله ماهم یک روز جواد آقا را می‌بیند و می‌گوید: این رستم چقدر برایت کار می‌کند؟

- خانم، کار که چه عرض کنم. این قدر کوچک است که کفش را نمی‌تواند در دست‌هایش بگیرد.

- خب پس لازم نیست هر روز نگهش داری. یکی دو روز در هفته بس است. روزهای دیگر بفرستش برود خانه.

- خانم، واللّهْ من حرفی ندارم. برای این که روی آقابزرگ را زمین نیندازم قبولش کردم. همین یک دکان بپایی بیشتر نیست.

- می‌دانی که بچه به این کوچکی را اگر ببینند ازش کار می‌کشی جریمه‌ات می‌کنند.

- خانم، ما که نمی‌توانستیم روی حرف آقا بزرگ حرف بزنیم. ما کوچک آقا بزرگ هستیم. این بچه هم کاری ازش برنمی‌آید حالش هم به هم می‌خورد نمی‌دانم چه دردی دارد.

- از من گفتن، می‌آیند و در دکانت را می‌بندند.

- خانم، تقصیر ما که نیست. بیایند ببندند. تازه خانم، این دکان ما چه قابلی دارد؟

- این حرفها چیست جواد آقا، خودت می‌دانی که زحمت همه کفشهای ما با شما است. بدون شما کار این محله نمی‌چرخد. فقط حواست باشد این بچه را نباید تمام روز ته دکان زندانی کنی. یکی دو ساعت که کار کرد بفرستش برود خانه.

- خانم به پیغمبر من حرفی ندارم فقط اگر آقابزرگ بفهمد...

- تو بچه را بفرست خانه. من به آقابزرگ می‌گویم. آن را بگذار به عهده من. از آن بابت نگران نباش.

جواد آقا هم که از ترس پاپا و گفته‌های خاله ماهم، گیج شده بود و دیگر تکلیف خودش را با بچه‌ای که کاری هم نمی‌توانست برایش بکند، نمی‌دانست و جرأت نمی‌کرد آن‌طور که رسمش بود و دلش می‌خواست از او کار بکشد، هر طور بود، به این بهانه که پسر خودش را سر مغازه آورده، عذرش را خواست.

پاپا بار دیگر پس گردنش را گرفت و به داروخانه پدرم برد و با افتخار اعلام کرد: که چنان گوشش را چرخاندم که حال به هم خوردن یادش برود.

زن و مردی میانسال با سر و وضعی مرتب دنبال جا می‌گردند. با دقت به صندلی‌ها نگاه می‌کنند تا دو جای خالی کنار هم پیدا کنند. از جلو ما که می‌گذرند، بوی عطر گران‌قیمت زن در مشام می‌پیچد. مرد چند روزنامه زیر بغل دارد و کیفش به دست دیگرش است و جلوتر از زن می‌رود و جاهای خالی را بررسی می‌کند. زن هم دو مجله پربرگ در دست دارد و کیفش را روی شانه انداخته است و بی‌خیال و آسوده او را دنبال می‌کند. با

نگاه دنبالشان می‌کنم. چند ردیف دورتر جایی کنار هم پیدا می‌کنند. از این که اصرار دارند پهلوی هم بنشینند تعجب می‌کنم. با آن روزنامه‌ها دیگر چه فرقی برایشان دارد که کجا بنشینند؟ با چنین دیواری تا مقصد، هیچ کدام یک دیگر را نخواهند دید.

هفته آخر اسفند ماه است. هوا بار دیگر بوی عید گرفته است. شهر غرق شکوفه است و همه جا در کار خانه تکانی‌اند. همه فکر و ذکرم امتحانات دیپلم و کنکور پس از آن است، اما ته دلم ترجیح می‌دهم کتاب داستان بخوانم و در رویا فرو روم. به رستم می‌گویم: فصل بهار مگر می‌شود درس خواند؟ و نگاهم در چشمهایش که ته آن خنده‌ای شیرین اما عذاب‌دهنده موج می‌زند، گم می‌شود. از گفته‌ام پشیمانم.

یک‌بار به داروخانه رفتم تا بسته دارویی را که مادرم سفارش داده بگیرم. بسته را آماده کرده بود آن را از روی پیشخوان که به دستم می‌داد دستش را روی دستم گذاشت. دلم لرزید، حتی نتوانستم نگاهش کنم.

گفت: اگر می‌دانستم خودم برایت می‌آوردم.

گفتم: مال من نیست. راهم هم که دور نیست. تو هم لازم نیست این‌قدر حاضر به خدمت باشی.

خندید، دوباره همان نگاه. بسته را برداشتم و به سرعت آنجا را ترک کردم.

فاخته گفت: همین‌طوری جوانی‌مان هدر می‌رود. روزهایی را که باید عشق کنیم و خوش باشیم با ترس و لرز امتحان از دست می‌دهیم.

می‌گویم: چاره‌ای نداریم؟ داریم؟ تو هم لازم نیست این‌قدر از عشق دم بزنی.

ـ چرا این روزها با همه دعوا داری؟ اگر دوا می‌خواهی برو دواخانه.

ـ دیروز هم نزدیک بود با رستم دعوا کنم. با من تعارف می‌کند، مثل غریبه‌ها. از نگاهش چیزی نمی‌گویم.

ادامه می‌دهم: حال خودم را نمی‌فهمم. نمی‌دانم چه‌ام شده.

شانه‌هایش را بالا می‌اندازد و می‌گوید: چاره‌اش یک جور بی‌خیالی است، که آن را هم نمی‌گذارند داشته باشیم. در خانه ما همه مثل ژاندارمها چهارچشمی مرا می‌پایند.

ـ تو را دیگر چرا. تو که مشکلی نداری. حالا اگر من یک چیزی بگویم...

ـ نه این که هر سال شاگرد اول نمی‌شوی. بمیرم برایت که خیلی جان غصه داری.

ـ ترس من از کنکور است.

ـ ترس که نگو. مشکل مادرجان من هم همین است. او هم اگر کاری نداشته باشد مهران کوکش می‌کند. چون او قبول شده، من اگر قبول نشوم واویلا. تازه این یک ساعت گویندگی تو رادیو انگار خار است و به چشمش می‌رود. نمی‌دانم چه ضدیتی با این یکی دارد.

ـ تقصیر خودت است. اگر می‌توانستی جلو زبانت را بگیری...

نگاه فاخته به زندگی هر چیزی را فریبنده‌تر از آن چه بود جلوه می‌داد. همان داستان غاز بودن مرغ همسایه بود. از رادیو داستان‌هایی تعریف می‌کرد مانند سریالهای تلویزیونی. برایمان از گوینده‌هایی می‌گفت که تنها از طریق صدا می‌شناختیم و تشنه دانستن جزئیات زندگی‌شان بودیم. از خراب شدن برنامه‌ها و هزار و یک چیز دیگر. چنان با آب و تاب تعریف می‌کرد که با دهان باز چشم به او می‌دوختیم و خودمان را در همان حال و هوا حس می‌کردیم. مکثی می‌کرد و می‌گفت: من نباید این چیزها را برای

شما بگویم. آنها همکارهایم هستند. شما بالاخره مرا از کارم بیکار می‌کنید.

بعد هم هر چه اصرار می‌کردیم فایده نداشت، راهش را می‌گرفت و می‌رفت و وعده می‌داد که در فرصت بعدی، آن هم شاید.

برادرش به او حسادت می‌کرد همان‌طور که ما به او حسادت می‌کردیم. دنیای او رنگی داشت متفاوت با دنیای ما. رنگ‌های دنیای او درخشان بود، پررنگتر بود شفافتر بود. به فکر هیچ کداممان نمی‌رسید اگر در موقعیت او بودیم آیا می‌توانستیم مانند او باشیم. بعضی استعداد شادی را دارند و این ظرفیت در فاخته به حد رشک‌انگیزی فراوان بود.

می‌گفت: از وقتی بابا مرده، مادرم چهارچشمی مواظبم است. مهران هم خودش را یک پا بابای من می‌داند. رادیو رفتن را هم با یک شرط قبول کرده که لطمه‌ای به درسم نخورد. گفته: اگر حتی نمره یکی از درس‌هایت خراب شود، باید دور کار رادیو را خط بکشی.

سرش را تکان می‌داد، چشمهایش را خمار می‌کرد و می‌گفت: مادر و برادرم فکر می‌کنند راستی راستی برای هر کاری همیشه وقت هست. نمی‌دانند که من با این کار خوشم. لیسانس می‌خواهم چکار؟

می‌گفتم: اگر کمی تمرین کنی و برای ما آواز بخوانی شاید مثل مادربزرگت بشوی.

ـ تو انگار فقط به فکر خودت هستی. دیگر همینم مانده که برای شما آواز بخوانم.

ـ مگر ما چه عیبی داریم؟

ـ اگر قرار بود آواز بخوانم درست و حسابی می‌خواندم نه فقط برای شما. آن‌وقت مجبور نبودم برای این درسهای صد تا یک غاز جان بکنم.

می‌دانستم در رادیو تشویقش می‌کردند که تمرین آواز کند.

می‌گفت: صدایش را در خانه در نیاورده‌ام. اگر این‌ها بفهمند نمی‌گذارند دیگر پایم را آن‌جا بگذارم.

یک‌بار یکی از رادیوچی‌ها، پیشنهاد کرده بود که اگر بخواهد تعلیم آواز ببیند به یکی از استادان معرفی‌اش می‌کند. به مادرش که گفته بود، مادرش هشدار داده بود: اگر مهران بفهمد می‌دانی چه جنجالی به راه می‌اندازد؟

می‌گفت: البته کسی که در این میانه مطرح نبود من بودم.

- تو، خودت هم که نمی‌خواستی.

- اگر هم می‌خواستم مگر فرقی می‌کرد؟ اصلاً آنها فرصت ندادند من هم اظهارنظری بکنم. خودشان بریدند و دوختند و تمام. دلیلشان هم این است که محیط هنری ما سالم نیست. انگار در آن محیط هنری کسی را داخل آدم می‌دانند.

گفتم: ابداً، فقط بعضی‌ها چند تا عاشق سینه‌چاک پیدا می‌کنند. اگر راست می‌گویی این‌ها را در خانه بگو.

- آره همینم مانده. تو هم خواهش می‌کنم مواظب حرف زدنت پیش مامان باش.

سال آخر دبیرستان مهران دوباره اشاره کرده بود که بهتر است کار رادیو را کنار بگذارد و به درسهایش برسد.

با حرص و دلخوری می‌گفت: معلوم نیست چه مرگش است. من که سر در نمی‌آورم. می‌دانم از چه حرص دارد از این که من پول در می‌آورم و او نه. اما کور خوانده. اگر شده درسم را ول کنم، کارم را ول نمی‌کنم. مادرم هم انگار زبانش را قورت داده. تازه کارگردان اصلی پشت پرده اوست. این

را می‌گویند شانس.

در ایستگاهی میان راه توقف کرده‌ایم. ده دقیقه از وقت حرکت قطار گذشته است. این قطارها معمولاً برنامه‌هایشان دقیق و سر وقت است. جهان روزنامه را کنار می‌زند و می‌پرسد: ام بیانس یعنی چه؟

می‌گویم: ام بیانس فرانسوی است، یعنی اتمسفر، جو، محیط.

مشکل جهان یاد گرفتن زبانهای جدید است، مشکل من هم یاد گرفتن زبانهای جدید، اما برعکس او. به این دلیل همراه او دور جهان گشته‌ام تا بتواند جایی مستقر شود.

او زبان فرانسه را دوست نداشت و می‌گفت: یاد گرفتن آن غیرممکن است. و ظاهراً همه آن را به فراموشی سپرده است.

اما من پس از شش ماه، آن قدر به آن تسلط پیدا کرده بودم که بتوانم در امتحان ورودی دانشگاه قبول شوم.

جهان می‌گفت: فرانسه زبان منطقی‌ای نیست و یاد گرفتنش به زحمتش نمی‌ارزد.

گفتم: باور نمی‌کنم این حرف را می‌زنی.

- چرا؟

- آخر تو و آن همه منطقی که پای بندش هستی.

- این چه ربطی به فرانسه دارد؟

- برای این که هر زبانی ارزش و منطق خودش را دارد. وقتی آن را یاد بگیری و بتوانی با آن حرف بزنی زیبایی‌اش را حس می‌کنی.

- هر زبانی بله، اما فرانسه نه.

- در این که فرانسه زبان مشکلی هست حرفی نیست، اما یکی از زیباترین زبان‌های دنیا است. این را که نمی‌شود نفی کرد، تازه اگر این‌طور

است چرا این جا را انتخاب کردی؟

چشمهایش را تنگ کرد، لبهایش را بهم فشرد راستش خودم هم نمی‌دانم. شاید برای این که نزدیک بود. نزدیک ایران و برای ما ایرانیها جذابیت خاصی داشت.

زبان بهانه‌ای بیش نبود. خواهر جهان که همراه شوهرش به امریکا رفته بود، پس از یک سال مادرش را هم برد. جهان تصور می‌کرد که با رفتن به امریکا همگی دور هم جمع خواهیم بود و آینده کاری‌اش در آنجا بهتر خواهد بود. من ترجیح می‌دادم در فرانسه بمانم و درسم را تمام کنم، اما به ناچار همراه او راهی امریکا شدم.

دلم را به این خوش کرده بودم که امریکا افق جدیدی برایمان خواهد بود. یاد گرفتن زبان هم مشکلی نبود. به هر حال همه ما انگلیسی‌ای در مدرسه خوانده و با آن آشنا بودیم. می‌توانستیم با گذراندن یک دوره کلاسهای فشرده زبان، گلیم مان را از آب بیرون بکشیم.

از پاریس یک دنیا خاطره، یک زبان زیبا و یکی دو دوست همه آن چیزی بود که همراه داشتم، نه حسرتی نه خیال بازگشتی. اما جهان امریکا را هم نپسندید. هنوز دو سال نگذشته بود زمزمه را شروع کرد که این جا دنیای آشفته‌ای است، دنیای ماشینی است و انسان در آن ارزشی ندارد. من حتی دلم نمی‌خواهد بچه‌هایم در این محیط بزرگ شوند.

گفتم: کدام بچه؟ هنوز که بچه‌ای در کار نیست. درس من چی؟

گفت: کار من مهمتر است. باید بتوانیم زندگی‌مان را بگذرانیم؟ تو هم می‌توانی درست را ادامه بدهی، هیچ چیز مانع از آن نیست.

دیگر نمی‌دانستم تا چه اندازه به حرفی که می‌زند اعتقاد دارد و من و درسم چه اهمیتی برایش داریم، اصلاً اهمیتی داریم؟

گفتم: آن وقت که درسم را شروع کردم یک قرن پیش بود. حالا سر کلاس خدا می‌داند بچه‌ها چقدر با من تفاوت سنی خواهند داشت. از این گذشته آن همه اشتیاق برای نزدیک بودن به خواهرت چه شد؟

- دنیا امروز کوچک شده. هر بار بخواهیم می‌توانیم با یک پرواز چند ساعته آنها را ببینیم. سرم را تکان دادم. احتیاجی نبود اشتباه بودن تصوراتش را به او گوشزد کنم. باهوش‌تر از آن بود که به آن آگاه نباشد.

گفتم: همراهت نمی‌آیم. می‌مانم تا درسم را تمام کنم.

نمی‌توانست گفته‌ام را باور کند. خودم هم باور نداشتم.

گفت: منظورت را نمی‌فهمم؟

– منظورم ساده است. می‌مانم تا درسم را تمام می‌کنم.

- چند سال به تمام شدن درست مانده، چند زمستر دیگر باید برداری؟

- مهم نیست.

- می‌خواهی کجا زندگی کنی؟ خرج زندگی را کی می‌دهد؟

- خودم، کاری پیدا می‌کنم.

- به همین آسانی؟

- اگر تهران مانده بودم الان دکتر شده بودم. هر کشوری یک سیستمی دارد، می‌فهمی این چیزها چقدر سخت است، چقدر می‌تواند کارم را عقب بیندازد؟

- دست کم انگلیسی زبان روز دنیا است و مجبور نیستی زبان دیگری یاد بگیری.

خندیدم و گفتم: زبان شب دنیا و روز جهان است. اصلاً مگر قرار نبود به ایران برگردیم؟

ـ اگر به ایران برگردم اول باید به سربازی بروم.

ـ خب؟

ـ ما که آن جا زندگی‌ای نداریم. سربازی رفتن من یعنی دو سال سرگردان بودن. با همه محدودیتهای زندگی آن طوری.

ـ خب؟

ـ باید صبر کنم، تا وقتی که از سن سربازی رفتنم بگذرد.

ـ منظورت این است که هر آدم تحصیل‌کرده‌ای برای این که به سربازی نرود از رفتن به مملکتش منصرف می‌شود؟

ـ تا وقتی قانون بر این قرار است، چاره‌ای نیست. حقوقی که سربازی به من می‌دهد خرج یک هفته‌مان هم نمی‌شود.

ـ سن سربازی نرفتن چه سنی است؟

ـ آن را هم درست نمی‌دانم.

ـ به این می‌گویند وعده سر خرمن. خودت می‌دانی که یک کلمه از حرفهایت را باور نمی‌کنم. اگر رک و راست بگویی از اول هم قصد برگشتن نداشتی، اقلاً دلم نمی‌سوزد.

بی آن‌که حرفم را نفی کند گفت: اگر چند سال بمانیم می‌توانیم برای آینده‌مان سرمایه‌گذاری کنیم. امریکا آینده‌ای برای ما به‌عنوان خارجی ندارد.

ـ نمی‌دانم در انگلستان چطور خارجی نخواهیم بود.

ـ انگلیس فرق می‌کند. دنیای متمدن و جدیدی است.

ـ جهان جدید نیست؟

خندید و در حالی که دستش را دور شانه‌هایم می‌انداخت، گفت: تو که مرا تنها نمی‌گذاری، تو که با من می‌آیی؟

آن وقت برای بار سوم درسم را نیم‌کاره رها کردم و همراه او رفتم. در حالی که حس بلاتکلیفی و پشیمانی بر ذهنم چون یک سؤال بی‌جواب و یک لبخند پرتمسخر فشار می‌آورد.

زمانی که سرانجام در لندن مستقر شدیم دیگر به راستی نمی‌دانستم با درس پاره پاره‌ام چه بکنم. در انگلیس کارها به قول معروف دیر و زود دارد اما سوخت و سوز ندارد. دنباله درسی را که در ایران و فرانسه و امریکا خوانده بودم توانستم در انگلیس به پایان برسانم، اما می‌دانستم که بازگشتمان به ایران خواب و خیالی بیش نخواهد بود. بنابراین دست کم باید به یکی از آرزوهایم جامه عمل می‌پوشاندم.

باید داروساز می‌شدم همان‌طور که به تو قول داده بودم...

به فاخته می‌گویم: یک مرد می‌تواند بی آن که عقیده‌ای در موردی ابراز کند، تو را از کاری که در پیش داری منصرف کند.

لبخند می‌زند و می‌گوید: منصرف کلمه ظریفی است. یک مرد می‌تواند از کاری که می‌خواهی انجام دهی بیزارت کند. فقط یک مرد عقیده‌اش را طوری بیان می‌کند که با مخالفت کردن تفاوتی نداشته باشد.

می‌گویم: سخت‌ترین نوع زندگی، زندگی در ظاهر چنان آراسته‌ای است که حتی خودت هم ندانی از چه چیز می‌توانی ناراضی باشی.

منتظرم بگوید، برو و قدر زندگیت را بدان.

سالها است تکیه کلامش این یک جمله است: برو، قدر زندگیت را بدان.

هر بار می‌خواهم برایش درد دلی بکنم سری تکان می‌دهد و می‌گوید: آه، قدر زندگیت را بدان. کار که می‌کنی، استقلال خودت را داری. در بهترین جای دنیا هم زندگی می‌کنی. یک بچه هم که بیشتر نداری.

غصه‌ای هم که برایش نداری. پس قدر زندگیت را بدان.

تو تنها کسی بودی که هیچ‌وقت به من نمی‌گفتی: برو قدر زندگیت را بدان...

جهان که روزنامه می‌خرید، از من پرسید آیا روزنامه یا مجله‌ای می‌خواهم؟ من چیزی نخریدم.

به زن و شوهرهایی فکر می‌کنم که روبه‌روی هم می‌نشینند و غذایشان را در سکوت می‌خورند. مانند دو زندانی که مجبور به هم صحبتی باشند. زندانی‌هایی که بجز غذایی که در بشقابشان است به چیز دیگری اهمیت نمی‌دهند. اوایل ازدواجم، دیدن این مناظر برایم عجیب و قبولش سخت بود. تصور می‌کردم آنها از سرزمین دیگری آمده‌اند. فکر می‌کردم می‌شود کاری برایشان کرد.

این را اولین بار «چک» به من گفت. وقتی با تعصب و غرور از ازدواجم صحبت می‌کردم، خندید و گفت: ازدواج مثل زندان است. وارد که می‌شوی کلیدش را گم می‌کنی و از آن به بعد هم به دنبال کلید گمشده می‌گردی.

گفتم: برای زنی که ممکن است روزی با تو ازدواج کند دلم می‌سوزد.

-روزی متوجه می‌شوی هیچ چیز در زندگی آن قدر که تو تصور می‌کنی جدی نیست. چک اهل چکسلواکی بود. اسمش هم چک نبود،

من چک صدایش می‌کردم. در کلاس فرانسه با او آشنا شدم با او ولیانا. لیانا دوست دخترش و اهل رومانی بود. آنها هم تازه وارد پاریس شده بودند.

لیانا همراه خانواده‌اش به فرانسه مهاجرت کرده بود. یک خواهر و برادر کوچکتر از خودش داشت. می‌گفت که دیگر به رومانی برنخواهند گشت. پدرش کار می‌کرد، وضع مالیشان خوب نبود و زندگیشان به زحمت می‌گذشت. می‌گفت حتماً باید در دانشگاه قبول شود. درس می‌خواند و کار هم می‌کرد.

می‌گفت: برای هزینه دانشگاه مجبورم کار کنم.

خیال داشت مترجمی بخواند. استعداد فوق‌العاده‌ای در زبان داشت و فرانسه را در همان مدت کوتاه خیلی بهتر از ما صحبت می‌کرد.

چک بعد از ماجرای بهار پراگ که به سرنگونی دوبچک و تسلط کمونیسم انجامیده بود، همراه برادر و پدر و مادرش از آن جا فرار کرده بودند. خانواده‌اش را ندیدم. فقط یک بار برادرش را در دانشگاه دیدم. مثل خودش خوش‌قیافه، قد بلند، بور و سفید بود. چک از دوری وطنش به شدت رنج می‌برد. تعصب عجیبی نسبت به مملکتش داشت. نمی‌توانست مهاجرتشان را قبول کند. عقیده داشت که انسان باید بماند و مبارزه کند.

می‌گفت: پدرم آن جا نماند برای این که ما بتوانیم آزاد بزرگ شویم. اما من سرانجام به آن جا بر خواهم گشت. آن جا کشور من است و مال من. این یک دوره گذرا است. به پدر و مادرم هم گفته‌ام. آنها هم از بودن در این جا خوشحال نیستند. از تصور روزهایی که مادرم می‌گذراند پشتم می‌لرزد. گاهی شب که به خانه می‌رسم به نظرم می‌آید او همان جا که

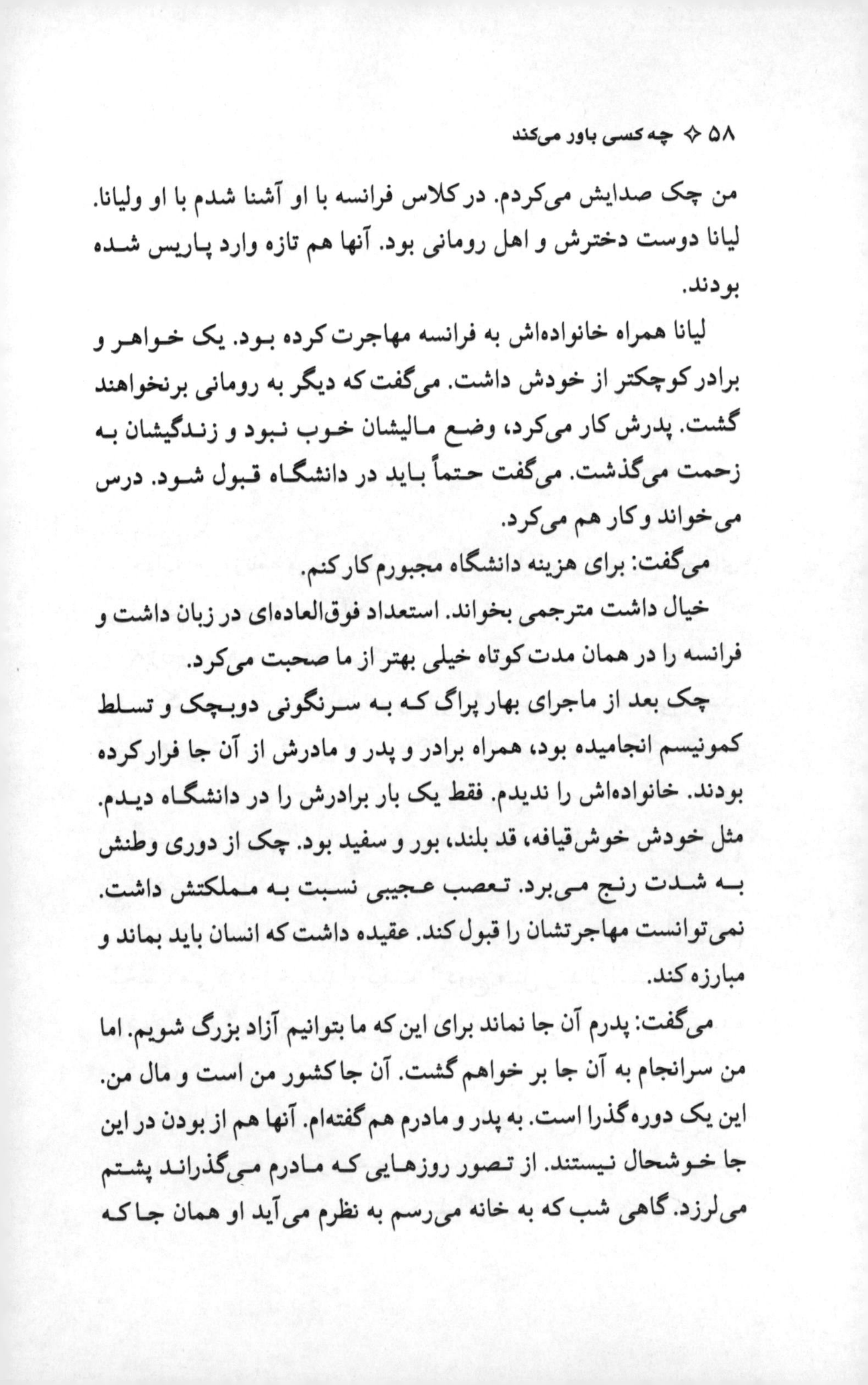

صبح وقت خداحافظی نشسته بود، به جا مانده است. حس می‌کنم روحش را گم کرده، اما برای این که پدرم را ناراحت نکند حرفی نمی‌زند.

چک همان غروری را که برای مملکتش داشت در مورد خود و خانواده‌اش هم ابراز می‌کرد. خودش را یک سر و گردن بالاتر از دیگران می‌دانست و می‌گفت: امکانات و پیشرفت اینجا برای من تا آن زمان خوب است که بعداً برای کشورم کارساز باشد. ما هر دو به هم نیاز داریم و بدون یک دیگر دوام نمی‌آوریم.

لیانا می‌خندید و می‌گفت: اینها همه خیالات واهی است. غرور ندانستن است. من که دیگر به آن جا برنمی‌گردم. آدم یک بار به دنیا می‌آید و یکبار زندگی می‌کند و در این فرصت باید خوش باشد. این حرفها که تو می‌زنی بچگانه است. پدر من توصیه کرده هرگز دور سیاست نگردیم و فکر بازگشت را نکنیم.

چک نمی‌توانست از بازگو کردن زیبایی‌ها و بی‌نظیر بودن کشورش خودداری کند.

لیانا می‌خندید و حرف او را قطع می‌کرد و رو به من می‌گفت: بگذار من برایت بگویم.

آنوقت به حالت نمایشی دستهایش را تکان می‌داد و می‌گفت: یادت نرود که چکسلواکی از دو بخش چک و اسلواکی تشکیل شده. جنگلهای فراوانی دارد. آب و هوایش در زمستان سرد و تابستان گرم است یعنی که بهترین است.

چک نگاهش می‌کرد و او ادامه می‌داد: معادن فراوانی دارد و صنعت پیشرفته. مردمش مخصوصاً در شمال به موسیقی علاقه فراوانی دارند و اپرای مهمی دارد.

از گوشه چشم نگاهی به چک می‌انداخت: اما الان در دست کمونیستها اسیر است و منتظر است ایشان بروند و آن جا را نجات دهند.

چک سعی می‌کرد ساکتش کند اما او اعتنایی نمی‌کرد و می‌گفت: ما اگر زرنگ باشیم باید به فکر خودمان باشیم و گلیم خودمان را از آب بکشیم. سیاست را به سیاست بازها واگذار.

چک اخم می‌کرد و می‌گفت: چیزی که من می‌گویم ربطی به سیاست ندارد.

من برای توصیف برتری‌ها و زیبایی‌های کشورمان با او همداستان می‌شدم. لیانا گوش می‌کرد سرش را تکان می‌داد و می‌گفت: همه اینها که شما می‌گوئید روی یک کره واحد قرار گرفته و شما خودخواه‌ترین فاشیست روی زمین هستید.

چک از شنیدن کلمه فاشیست صورتش برافروخته شد و فریاد زد: به من نگو فاشیست. تو دیگر باید بدانی که فاشیسم با ما چه کرده.

لیانا گفت: به نظر من وطن‌پرستی یعنی نژادپرستی. و نژادپرستی به هر شکلی غلط است.

چک پرخاش کرد: پس تو وطنت را به این‌ها می‌فروشی؟

ـ یعنی چه که وطنت را می‌فروشی؟ من دارم زندگی می‌کنم. حالا که پدر و مادرم مرا به این جا آورده‌اند بهترین راه این است که از فرصتی که دارم استفاده کنم. ممکن بود اگر در وطنم می‌ماندم آدم بیکاره‌ای می‌شدم. من به یک فرانسوی که نگاه می‌کنم هیچ تفاوتی در او با یک رومانیایی نمی‌بینم. و هیچ تعصبی حس نمی‌کنم. برای همین هم دلم می‌خواهد در بهترین جای ممکن زندگی کنم و بهترین استفاده را از زندگی‌ام ببرم. هر وقت هم از فرانسه حوصله‌ام سر رفت، و جای بهتری پیدا شد، می‌روم

آنجا. ما مهاجرها بهترین راه زندگی برایمان یک جا نماندن است. این جا زمین خدا است و ما هم بنده‌های خدا.

اما دلتنگی چک برای کشورش عمیق‌تر از آن بود که استدلال لیانا را بپذیرد، سرش را با تأسف تکان می‌داد و می‌گفت: اگر کشورم را پاره پاره نمی‌کردند اگر این قدر زور و بیداد نبود بی‌شک پدرم آن جا را رها نمی‌کرد. ما زندگی متفاوت و بهتری داشتیم. کاری که پدرم این جا می‌کند برای تأمین خانواده‌اش است، این کار برایش ارجی ندارد و می‌تواند یک مرد را از پا بیندازد. مادرم آن را حس می‌کنم. اگر عشق آنها به یکدیگر نبود دوام نمی‌آوردند. آنها خوب می‌دانند که چه گنجی را پشت سر گذاشته‌اند. ما در پراگ دارای یکی از بهترین دانشگاهها هستیم. چه نیازی است که این جا باشیم.

چک عاشق «دورژاک» بود و او را بزرگترین موسیقیدان اروپا می‌دانست.

می‌گفتم: مگر کارهای بتهوون را گوش نداده‌ای.

-بتهوون به جای خود اما اگر به کارهای دورژاک گوش کنی به کنسرت یا ویلون سل‌اش، به سنفونی‌هایش آن وقت می‌فهمی من چه می‌گویم.

آهی می‌کشید و ادامه می‌داد: حتی تو هم نمی‌توانی بفهمی من چه می‌گویم.

می‌گویم: حالا دیگر چرا فهم مرا زیر سؤال می‌بری؟

می‌گوید: برای این که تو با انتخاب خودت آمده‌ای و احتمالاً در اولین فرصت بر می‌گردی.

می‌گویم: احتمالاً ندارد. ما صد درصد برمی‌گردیم.

با تأسف سری تکان می‌دهد و می‌گوید: از هیچ چیز، صددرصد

مطمئن نباش.

لیانا دستش را دور شانه‌های او می‌اندازد و می‌گوید: خودش صد درصد برمی‌گردد، اما برگشتن تو را قبول ندارد.

راز دوستی و صمیمیت ما این بود که می‌توانستیم با دست و دلبازی تمامی افتخارات مملکتمان را برای هم بگوییم.

لیانا کنار ما می‌نشست، به حرف‌های ما گوش می‌داد، می‌خندید و می‌گفت: نمی‌توانم باور کنم که آدم این همه افتخار را ول کند و جای دیگری برود. اگر این‌قدر موهبت در کشورتان ریخته این‌جا چه می‌کنید؟

چک اعتراض می‌کرد: پدرم نمی‌توانست با حکومت دست‌نشانده شوروی کنار بیاید. تنها ما نبودیم، بسیاری آن‌جا را ترک کردند.

او خیلی چیزها را نمی‌توانست باور کند. می‌خواست روزنامه‌نگاری بخواند می‌گفت: در اولین فرصت برمی‌گردم. به محض اینکه درسم را تمام کنم به پراگ می‌روم. جای من آن جاست، این جا کاری ندارم.

می‌گفت: برمی‌گردم، حتی اگر شده به صورت یک خبرنگار جنگی.

این‌ها را که می‌گفت دستهایش را با هیجان تکان می‌داد و چشمهایش از غرور می‌درخشید.

کلاسمان که تمام می‌شد به کافه تریای دانشگاه می‌رفتیم. قهوه می‌خوردیم و بحث را ادامه می‌دادیم. لیانا خودش را به او می‌چسباند و به نقشه‌ها و آرزوهای او لبخند می‌زد. یک بار پرسیدم: شما کی ازدواج می‌کنید؟

لیانا با حسرت به او نگاه کرد. چک در حالی که از سؤال من تعجب کرده بود، دستش را دور شانه‌های لیانا انداخت و او را به خودش فشرد و گفت: ازدواج مانند زندان است. لحظه‌ای که وارد می‌شوی کلیدش را گم

می‌کنی.

لیانا با دلخوری خودش را از او کنار کشید و مشتی به شانه‌اش کوبید.
چک خندید و گفت: و هرگز آن کلید را پیدا نمی‌کنی.

لیانا دختر خوشگلی بود و من از این که آنها خیال ازدواج نداشتند تعجب می‌کردم.

یک بار که در رستورانی نزدیک کلاسمان ناهار می‌خوردیم چک به زن و شوهری که چند میز دورتر از ما نشسته و در سکوت غذا می‌خوردند اشاره کرد و گفت: ببین اینها زن و شوهر نمونه هستند. بعد از بیست سی سال زندگی، همه این طوری می‌شوند.

من و لیانا اعتراض کردیم. چک گفت: چند نوع ازدواج داریم. یک دسته آنهایی که نسبت به هم عشق واقعی دارند ارزش یکدیگر را می‌دانند و در هر شرایطی کنار هم می‌مانند. یک دسته هستند که نسبت به هم بی‌تفاوت‌اند و کاری به یک دیگر ندارند، زندگیشان از روی عادت است تا علاقه. دسته دیگر با خشم و نفرت کنار هم زندگی می‌کنند و کاری ندارند جز رنج دادن دیگری.

من و لیانا اعتراض‌کنان سعی می‌کردیم او را از سخنرانی‌اش باز داریم.
گفتم: تو این چیزها را از کجا می‌دانی مگر چند دفعه تا به حال ازدواج کرده‌ای؟

گفت: لازم نیست آدم ازدواج کند تا این چیزها را بفهمد. به هر طرف که نگاه کنی پر از این آدمها است.

بعد با خنده شیطنت‌آمیزی اضافه کرد: تازه من کمی به شما تخفیف دادم. چون آن دسته اول نادرند.

لیانا گفت: مانند پدر و مادر تو؟

ـ دقیقاً، پدر و مادر من از نوادرند. به نسل دیگری تعلق دارند که عمرش سرآمده است.

لیانا گفت: حالا چرا این‌قدر با ازدواج مخالفی، مگر کسی خواسته با تو ازدواج کند؟

گفتم: لیانا راست می‌گوید، مگر کسی خیال ازدواج با تو را دارد؟

خندید و گفت: منظور من لیانا نیست. منظورم تویی که این قدر مغرورانه از عشق و ازدواج حرف می‌زنی و آدم را عصبانی می‌کنی.

گفتم: مثل این‌که نمی‌توانی باور کنی که کسی در نسل ما در ازدواجش خوشبخت باشد.

ـ چرا، اما فقط اگر به اندازه تو خوشگل باشد.

از گفته‌اش چنان جا خوردم که تا چند لحظه نمی‌دانستم چه عکس‌العملی داشته باشم.

هیچ وقت هیچ کس به من نگفته بود که خوشگلم، حتی
تو...

تنها چیزی که از بچگی شنیده بودم خوشگل بودن ناهید بود و بعد هم که دختر خاله پری به دنیا آمد، شد دومین دختر خوشگل. در خانواده ما یک تقسیم‌بندی کلی وجود داشت که مو لای درزش نمی‌رفت. زن خوشگل خانواده خانم خانم بود و خاله پری که شبیه او شده بود و دخترهایی که شبیه به او بودند. بچه که بودم گاهی از خود می‌پرسیدم چرا کسی از من چیزی نمی‌گوید؟ دلم می‌خواست از مادرم می‌پرسیدم درباره من چه فکر می‌کند؟ منهم به‌نظرش خوشگل هستم؟ به ناهید می‌گفتند خانم خوشگله. به‌من می‌گفتند، سیاه سوخته نمکی.

با ناباوری به چک نگاه می‌کنم، قند توی دلم آب می‌شود. او همچنان

که به من خیره شده اضافه می‌کند: همه دخترهای ایرانی به خوشگلی تو هستند؟

نفس بلندی می‌کشم: نه، من یک استثنا هستم.

لیانا که ماتش برده، با دلخوری او را نگاه می‌کند می‌گوید: مگر نمی‌بینی او ازدواج کرده. تازه دخترهای چکسلواکی چی، آنها خوشگل نیستند؟

اخم کردم و گفتم: بس کن تو را به‌خدا. من نه از این شوخی‌ها خوشم می‌آید و نه توی خط این چیزها هستم.

چک خندید و دستش را دور شانه‌های لیانا انداخت و در حالی که گونه او را می‌بوسید به من نگاه کرد، نگاهی که آدم می‌تواند یک عمر در رؤیای آن غرق شود.

لیانا در حالی که خودش را توی بغل او فشار می‌داد به من گفت: ولش کن، عقلش را از دست داده است.

چند وقت پیش چمدانی را که لباس عروسی‌ام در آن بود، باز کردم. لباس سفیدی که سی سال پیش به تن کرده بودم، لباس پر از گرد و غبار بود، اگر به آن انگشت می‌کشیدم پاره می‌شد.

جهان روزنامه را ورق می‌زند به دستهایش که دو طرف روزنامه را گرفته نگاه می‌کنم. حلقه‌اش را به انگشت دارد. دستهایم را به هم فشار می‌دهم و با انگشتم حلقه‌ام را لمس می‌کنم. حلقه‌هایمان شبیه هم هستند و تاریخ ازدواجمان توی آن نوشته شده است به مبدا سی سال پیش.

از آن روز، هر بار به دنبال فاخته می‌روم نزدیکی خانه‌شان قلبم چنان به تپش می‌افتد که صدایش را می‌شنوم. از سر پیچ کوچه آنها فقط به یک چیز فکر می‌کنم و به خودم هزار بار نفرین می‌فرستم. اما باز فکر و نگاهم

به دنبال کسی می‌گردد که کت و شلواری کرم رنگ به تن دارد، عینک آفتابی زده و دم در خانه فاخته، کنار من ایستاده است. نمی‌دانم تا چه وقت در تهران خواهد بود، فقط می‌دانم هنوز نرفته است. حاضرم همه عمرم را بدهم و او بار دیگر آن جا ایستاده باشد.

همین که توی کوچه‌شان می‌پیچم حس می‌کنم پشت سرم است. قدمهایم را تند می‌کنم پاهایم بهم می‌پیچد، انگار راه یافتن از یادم می‌رود. با قلبی که می‌خواهد از سینه‌ام در آید، به خانه فاخته می‌رسم و زنگ درشان را فشار می‌دهم. با احتیاط دور و برم را نگاه می‌کنم کسی نیست. به خودم می‌گویم دیگر او را نخواهم دید. حتماً رفته است. فاخته گفته بود عجله دارد برگردد.

حسرت دیدار او، حسرتی که به نوعی نیاز تبدیل شده است، رهایم نمی‌کند. شش روز در هفته و هر روز دو بار سر راه خانه فاخته گرفتار این هیجان می‌شوم. در مدرسه به دنیای پر شر و شور جوانی و درس باز می‌گردم. اما از مدرسه که پا بیرون می‌گذارم و به خیابان و کوچه و خانه آنها نزدیک می‌شوم، دوباره ضربان قلبم شدت می‌گیرد. از جمعه‌ها و روزهای تعطیل بیزارم. تعطیلات عید هم یعنی دو هفته بی‌هیچ امیدی زندگی کردن. کم‌کم سر عقل می‌آیم. امتحانات نزدیک است و دیگر نباید به چیزی جز آن فکر کنم. تا این که یک روز نزدیک خانه فاخته می‌بینمش که از آن طرف خیابان می‌آید. قدمهایم را تند می‌کنم و توی کوچه می‌پیچم و وانمود می‌کنم او را ندیده‌ام. آن‌قدر تند می‌روم که نزدیک است زمین بخورم. حال خودم را نمی‌فهمم. به من می‌رسد و سلام می‌دهد.

سرم را برمی‌گردانم. می‌خواهم بگویم سلام، اما صدایی نامفهوم از گلویم در می‌آید. از خودم، از بی‌عرضگی‌ام بیزار می‌شوم. قدمهایش را با

من هماهنگ می‌کند و می‌گوید: باز هم دیرتان شده؟

این بار بهتر متوجه می‌شوم که حرف زدنش با دیگران فرق دارد. کلمات را کامل و محکم ادا می‌کند. آخر هیچ کلمه‌ای را نمی‌خورد. به‌نظرم کمی هم لهجه دارد. حتماً به خاطر آن‌که در فرانسه زندگی می‌کند و فرانسه حرف می‌زند. شلوار خاکستری و کت سرمه‌ای شیک پوشیده. بوی ادکلنش را حس می‌کنم و نزدیک است بیهوش شوم.

منتظر جواب من است. اما چیزی نمی‌گویم نمی‌توانم چیزی بگویم. سحر شده‌ام. فقط سرم را تکان می‌دهم می‌پرسد: شما و فاخته همکلاس هستید؟

آهسته می‌گویم: بله.

خدا را شکر می‌کنم که توانسته‌ام حرف بزنم. می‌گوید: من جهانبخش هستم.

باز هم نمی‌دانم جهانبخش اسمش است یا نام خانوادگیش. کاش می‌توانستم بپرسم، اما جرأت نمی‌کنم.

می‌پرسد: اسم شما؟

نزدیک است بگویم: نمی‌دانم.

> اگر به تو می‌گفتم که نزدیک بوده اسمم را فراموش کنم.
> حتماً می‌گفتی: با داشتن این همه اسم باز هم یادت رفته
> بود. خب می‌توانستی یکی از اسمهایت را بگویی. خدا را
> شکر که از این نظر کمبودی نداری...

بارها و بارها جلو آینه تمرین کرده بودم که در روبه‌رو شدن با او چطور خونسرد باشم. اما نتیجه همه شگردها این بود که حتی اسمم را هم فراموش کرده بودم. تازه کدام یک را باید می‌گفتم؟

سعی می‌کنم به خودم مسلط شوم و زیر لب می‌گویم: صناعت جمشیدی.

معلوم است که متوجه حال من شده، سرش را به سوی من کج می‌کند، می‌گوید: صناعت جمشیدی که اسم فامیلتان است. اسم کوچکتان چیست؟

ـ من... من... من چند تا اسم دارم.

نمی‌دانم چرا این را می‌گویم. کافی بود می‌گفتم، پرتو، یا شیرین، یا شورا.

می‌گوید: خب، همه اسمهایتان را بگوئید.

ـ آخر...

در دلم می‌گویم: آخر و زهرمار.

می‌گوید: آخر چی؟

بدنم خیس عرق شده، می‌گویم: پرتو.

ـ این کدام یک از اسمهایتان است؟

ـ اسم توی شناسنامه‌ام. مادرم شیرین صدایم می‌کند، بقیه شورا.

نفسی می‌کشم. کف دستم عرق کرده و کتابهایم دارد خمیر می‌شود. احساس می‌کنم زیر چشمی نگاهم می‌کند. اسمهایم را تکرار می‌کند. می‌گوید: خوشا بحالتان که این قدر اسم دارید.

می‌پرسم: چرا؟

می‌گوید: خیلی خوب است که آدم حق انتخاب اسمش را داشته باشد.

لبهایم را به هم فشار می‌دهم: من که حق انتخاب نداشته‌ام، بقیه داشته‌اند، نه من.

دوباره اسمهایم را تکرار می‌کند انگار آنها را مزه مزه می‌کند و می‌خواهد به‌خاطر بسپارد که می‌رسیم. گویی سالها در راه بوده‌ایم و در یک چشم به هم زدن همه را گذرانده‌ایم.

می‌ایستم، او زنگ می‌زند. فاخته در را باز می‌کند و از دیدن ما جا می‌خورد. فکر می‌کنم از دیدن قیافه من است، می‌دانم که صورتم سرخ شده است و حالتی گیج دارم. برادرش را صدا می‌زند به طرف من می‌آید و آستین روپوشم را می‌کشد. به خودم می‌آیم، همراه او می‌روم و فکر می‌کنم کاش دیگر نبینمش. این طوری راحت‌ترم. اما سر کوچه نرسیده می‌دانم که حاضرم همه زندگی‌ام را بدهم و یک بار دیگر او را ببینم.

فاخته می‌گوید: حالا نوبت تست. ماها اگر عاشق کسی می‌شدیم که بیشتر در دسترسمان بود بهتر نبود؟ آخر عقل ما کم نیست؟

او عاشق پسر یکی از دوستان‌شان بود، پسرک پس از دیپلم دبیرستان به امریکا رفته و فاخته دیگر خبری از او نداشت. حرفی هم از او نمی‌زد. اگر هم می‌پرسیدم می‌گفت: ولش کن حوصله ندارم. عشق و عاشقی‌های بچگی را باید فراموش کرد.

می‌گویم نمی‌دانم او چه می‌گوید و چرا فکر می‌کند من عاشق شده‌ام.

سرش را تکان می‌دهد و شروع می‌کند از جهان حرف زدن. با این که دلم آب می‌شود، اما دستم را جلو دهانش می‌گیرم و می‌گویم: بس کن. من علاقه‌ای به دانستن این چیزها ندارم.

اما او تا مدرسه کج کج و رو به من راه می‌رود. سؤال پیچم می‌کند. می‌گوید: من که می‌دانم. اگر اعتراف نکنی بهش می‌گویم.

کنارش می‌زنم و می‌گویم: چرا این قدر چرت و پرت می‌گویی. من که نمی‌دانم منظورت چیست.

دست بردار نیست، تا دمِ درِ مدرسه اشکم را درمی‌آورد. می‌گویم: ولم کن، دیگر با من حرف نزن.

تا پایان روز نگاهش نمی‌کنم. مدرسه که تعطیل می‌شود بی‌آن که منتظرش شوم راه می‌افتم، سر خیابان نرسیده‌ام که خودش را به من می‌رساند و ساکت کنارم راه می‌افتد. سر پیچ کوچه‌شان زیر گوشم می‌گوید: اگر هنوز خانه ما باشد می‌آیی تو؟

بی‌آن که جوابش را بدهم از او جدا می‌شوم. همان جا می‌ایستد و پیش از این که توی خیابان پهلویی بپیچم فریاد می‌زند: فردا صبح بیا دنبالم، منتظرت هستم، باشد؟

قطار در ایستگاهی توقف می‌کند. ایستگاه کوچکی است. نمی‌دانستم در ایستگاه‌های قطار واکسی هم پیدا می‌شود. در گوشه سمت راست، بیرون اتاق انتظار، مرد جوانی روی صندلی پایه کوتاهی نشسته، بساط واکسش را کنارش گذاشته است. صورتش را رو به آفتاب گرفته، سیگاری گوشه لب دارد، به‌نظر نمی‌رسد از نداشتن مشتری دغدغه‌ای داشته باشد. نگاهش می‌کنم و دلم به‌شدت فشرده می‌شود.

پیشانی‌ام را به پنجره فشار می‌دهم و غرق تماشایش می‌شوم. جهان هم متوجه می‌شود، به من نگاه می‌کند و با لبخندی می‌گوید: این از آن چیزهایی است که تو اصلاً دوست نداری.

جهان نمی‌تواند تصور کند، نمی‌تواند قبول کند، که من هرگز کفشهایم را واکس نمی‌زنم. هرگز کفشهایم را واکس نزده‌ام و هرگز هم آنها را واکس نخواهم زد.

می‌توانم کفشی را دور بیندازم اما نمی‌توانم واکس بزنم. حتی خریدن یک قوطی واکس برایم سخت است.

تو می‌دانی آه، فقط تو باور می‌کنی...

راهمان به مدرسه از جلو مغازه جوادآقا می‌گذشت. برادرهایم و پسرهای خاله پری عادتشان شده بود که هر روز سرِ راه مدرسه دم دکان جوادآقا بایستند به تماشای رستم که کنار انبوهی کفش کهنه نشسته بود و به دستور جواد آقا آنها را میخ می‌کوبید یا واکس می‌زد. گاهی هم پهلویش می‌رفتند و کنارش می‌نشستند و سعی می‌کردند کفشی را که دستش بود از او بگیرند و میخ بکوبند. او چیزی نمی‌گفت با آرنج کنارشان می‌زد و کفشها را از دستشان می‌گرفت و می‌گذاشت پشت سرش.

به آنها که می‌رسیدم، می‌ایستادم، رستم سرش را بلند می‌کرد، مرا که می‌دید سرش را پایین‌تر می‌انداخت. هیچ وقت توی مغازه نمی‌رفتم.

برادرها و پسرخاله‌هایم همراه دو تا از هم شاگردی‌هایشان جلو مغازه ایستاده‌اند. یکی‌شان می‌گوید: رستم، کفش به اندازه پای رستم داری؟

بقیه می‌زنند زیر خنده. سرش را بلند می‌کند، مرا که می‌بیند فوراً سرش را پایین می‌اندازد. یکی دیگر از پسرها می‌گوید: رستم، چند می‌گیری کفش مرا واکس بزنی؟

پسر بزرگ خاله پری می‌گوید: رستم، راستی چقدر طول می‌کشد کفشهای رستم را واکس بزنی؟ و باز شلیک خنده‌شان بلند می‌شود.

جلو می‌روم و می‌گویم: ننربازی در نیاورید. به خاله ماه می‌گویم‌ها.

پسرها در حالی که می‌خندند و مسخره بازی در می‌آورند راهشان را می‌گیرند و می‌روند. رستم لنگه کفشی را که واکس می‌زد کنار می‌گذارد و لنگه دیگر را که بر می‌دارد دستش را به چشمش می‌برد.

پا به پا می‌کنم. کیفم را زمین می‌گذارم به کنار در مغازه تکیه می‌دهم و می‌گویم: عیبی ندارد توی خانه ما همه به اسمها می‌خندند. فقط اسم تو نیست.

دستمال را روی کفش می‌کشد، سرش پایین است. می‌گویم: به اسم من هم می‌خندند. بی‌آن که سرش را بلند کند می‌گوید: چرا؟

ـ نمی‌دانم. مثل این که یک جوری برایمان اسم می‌گذارند که بخندند.

ـ اسم تو که خنده ندارد.

ـ نمی‌دانم، اما هر وقت مامانم شیرین صدایم می‌کند بابام می‌خندد. مامانم هم می‌خندد. باز گفت: اما اسم تو خنده ندارد.

ـ آخر مگر نمی‌دانی. من که فقط دو تا اسم ندارم، سه تا اسم دارم. شاید هم چون اسمم شیرین نیست می‌خندند.

آنوقت سرت را بلند کردی و خندیدی...

گفتم: دیدی تو هم خندیدی.

فوراً خنده‌اش را فرو خورد. گفتم: عیبی ندارد.

پرسید: می‌خواهی کفشهایت را واکس بزنم؟

به کفشهای قرمز بندداری که پایم بود نگاه کردم و گفتم: نه.

سرش را دوباره پایین انداخت. پرسیدم: واکس زدن را دوست داری؟

گفت: نه، مثل بوی دواخانه حالم را به هم می‌زند.

به بیرون مغازه نگاه کرد دنبال نگاهش را گرفتم. جواد آقا بود.

نزدیک که رسید سلام کردم. جواد آقا گفت: سلام خانم کوچولو. رستم کفشهای خانم کوچولو را واکس زدی؟

دوباره به کفشهایم نگاه کردم، کیفم را برداشتم و با همه سرعتی که می‌توانستم به طرف خانه دویدم.

قطار شهر را پشت سر می‌گذارد. سرم را به شیشه تکیه می‌دهم، به مزرعه‌های سرسبز و مرتب، به اسبها و گاوهایی که با تنبلی گوشه و کنار ایستاده‌اند، نگاه می‌کنم. از راهرو مردی همسن و سال جهان می‌گذرد.

صندلی کنار جهان خالی است. نگاهی سرسری به صندلی خالی می‌اندازد و رد می‌شود. از این که پهلوی ما ننشست خوشحالم. او هم دسته‌ای روزنامه زیر بغل دارد. دیوارها حالم را به هم می‌زنند. به جهان نگاه می‌کنم، نمی‌دانم روزنامه چندمین مرحله سکوت ما بین ما بوده است.

به خانه‌های دهقانی که همچون نقطه‌های پراکنده تنها و دور از هم در میان مزرعه‌های بزرگ قرار گرفته‌اند، نگاه می‌کنم به یاد حرف خاله پری می‌افتم که می‌گفت: هر کسی هر جا به دنیا بیاید، همان جا هم از دنیا می‌رود. اعتقاد عجیب و غریبی بود که از دایره وجودش فراتر می‌رفت. سر ازدواجم به مادرم گفته بود: خواهر نگذار بچه‌ات را به غریبی ببرند. اگر رفت در غربت می‌ماند.

از آن پس هر گاه مادرم دلش برایم تنگ می‌شود دستش را روی دستش می‌زند و می‌گوید: امان از سرنوشت. سرنوشت این دختر به غریبی بود.

تنها اوست که می‌داند حتی نطفه‌ام هم در غریبی بسته شده.

سالی که پدرم را از طرف شرکت دارویی که در آن کار می‌کرد همراه گروهی برای یک دوره آموزشی به آلمان فرستادند. در آخرین هفته‌های اقامتش به او ملحق می‌شود. به تهران که برمی‌گردند، مرا حامله بوده.

بعداً همه گفته بود که اگر بچه دختر باشد اسمش را شیرین می‌گذارد. شیرین اسم قشنگی بود که کسی با آن مخالفتی نداشت. به دنیا که آمدم پدرم گفته بود: راستی راستی فکر می‌کنی می‌توانی اسم این سوسک سیاه را شیرین بگذاری؟ اگر اسم این بچه سبزه و ریزه میزه را شیرین بگذاری بهمان می‌خندند. این خاله سوسکه من نمک دارد اما شیرین! چطور است

اسمش را بگذاریم شورا.

مادرم اعتراض کرده بود: چه حرفها، شورا هم شد اسم؟ شورا دیگر یعنی چه؟

ـ شورا یک اسم روسی تبار است.

خاله پری پرسیده بود: آخر آقای دکتر شورا اسم دختر است یا پسر؟

پدرم می‌گوید: بعضی اسمها دختر و پسر ندارد.

به نظر مادرم شورا به پسر بیشتر می‌خورده تا دختر.

از نظر پدرم هم فرقی نمی‌کرده که اسمم چندان هم دخترانه نباشد. تازه پس از آن هم به توافق نمی‌رسند در نتیجه یکی دو ماه بدون شناسنامه می‌مانم. تا سرانجام اسم پرتو را برایم انتخاب می‌کنند که غلام خان گفته بوده می‌تواند اسم پسر هم باشد و هرگز کسی به آن صدایم نکرده است، جز در مدرسه آن هم معلمها.

فاخته می‌گفت: از سرگذشت اسمهای تو می‌شود یک کتاب نوشت.

مادرم می‌گفت: پدرت آن قدر تو را از ته دل شورا صدا می‌زد و این اسم به تو می‌آمد که شیرین را از رنگ و بو انداخت.

او تنها کسی است که شیرین صدایم می‌کند، آن هم نه همیشه. برای دیگران شورا هستم. خاله ماه و رستم شوشا صدایم می‌کنند البته رستم فقط زمانی که تنها هستیم.

با جهان که آشنا شدم، شدم شوریده.

به این ترتیب، من، شیرین، شورا، شوشا، پرتو صناعت جمشیدی، روزی ناگهان به شوریده جهاندار تبدیل شدم. آدم کاملاً تازه‌ای که با نگاهی متفاوت دنیا را می‌نگریست. تنها اسمم عوض نشده بود همه چیز زندگی‌ام تغییر کرده بود، حتی وطنم.

از آن روز که به قول خاله پری مرا به غریبی بردند، سی سال می‌گذرد. انگار آوارگی به‌قول او شروع که بشود دیگر دست از سر آدم برنمی‌دارد.

سی سال است که خانم جهاندار هستم. از نام خانوادگی خودم کمتر استفاده می‌کنم.

هر جا گفته‌ام: صناعت جمشیدی، فوراً پرسیده‌اند: به کدام یک باید صدایت کنیم؟

اولین بار در مدرسه بود که با این سؤال روبرو شدم. بعد عادت کردم، می‌گفتم: کدام ندارد، هر دو را.

یکبار فکر کردم روزی که بمیرم و در روزنامه‌ای بنویسند پرتو صناعت جمشیدی. فردایش ممکن است دوستی تلفن بزند و بخواهد که با هم به سینما برویم، یا برای مهمانی دعوتمان کنند.

من و تو هر دو مزه این آوارگی را چشیده‌ایم، تو از کودکی تا میانسالی، من از جوانی تا به پایان...

خانم خانم به خاله ماهم می‌گوید: پدرت این را آورده، اگر می‌گذاشت ده بماند پدره مثل خر از گرده‌اش کار می‌کشید و زن پدره هم دمار از روزگارش در می‌آورد. حالا اگر بفهمند که تو بردی خانه‌ات و می‌خواهی بفرستیش مدرسه می‌آیند مدعی می‌شوند، ولت نمی‌کنند. اینها بچه را برای کار می‌خواهند نه درس خواندن.

خاله ماهم روسری‌اش را روی سرش مرتب می‌کند و می‌گوید: اصلاً یادم رفت برای چه آمده بودم.

ـ حالا بیا بنشین یک چای بخور.

خاله‌ام کفشهایش را دم در اتاق در می‌آورد. خانم خانم برایش چای می‌ریزد. می‌روم و کنارش می‌نشینم. انگار تازه متوجه من شده صورتم را

می‌بوسد و دستش را روی موهایم می‌کشد. خودم را تـوی بغلش جـا می‌دهم. مرا به خودش می‌چسباند و رو به خانم خانم می‌گوید: بیا هم‌قد این است. مگر بچه با بچه فرقی دارد؟

ـ خب خب، همه که یک جور نیستند. کسی هم که کاری بهش ندارد. روزها یک کاری می‌کند و چیزی یاد می‌گیرد.

ـ چیزی که یاد می‌گیرد تو سری خوردن و اُرد شنیدن از ننه‌ها است. به این می‌گویید کار؟ تازه خیال می‌کنید با این کار خیر، عـاقبت خـودتان را تأمین کرده‌اید.

خانم خانم به اتاق پشتی که پاپا آن جا است نگاه می‌کند. خاله ماهم در حالی که استکان چایش را در دست گرفته می‌گوید: شبها کـه مـی‌تواند برود مدرسه.

ـ خب شبها بگذارش مدرسه.

پاپا از اتاق عقبی بیرون می‌آید. سرفه‌ای می‌کند. خاله مـاهم نیم‌خیز می‌شود و سلام می‌کند.

ـ یا الله ماه منیرخانم. علیکم‌السلام.

خانم خانم برای پاپا چای می‌ریزد. خاله مـاهم چایش را زود تـمام می‌کند و بلند می‌شود و می‌گوید: با ننه ددری کار داشتم.

خانم خانم می‌گوید: ددری را که می‌شناسی، مثلاً رفته یک نان بخرد دو ساعت است رفته.

ـ پس وقتی آمد بگوئید یک سری بیاید پیش من.

موهای مرا می‌گیرد، آهسته می‌کشد و سرم را می‌بوسد. از میان در بـه رستم که روی زمین نزدیک آشپزخانه نشسته و لوسی را ناز مـی‌کند نگاهی می‌اندازد. از اتاق که بیرون می‌رود ننه‌بزرگه را صدا می‌کند، از تـوی

کیفش پولی در می‌آورد و چیزی به او می‌گوید. خانم خانم نگاهش به آنها است، پاپا چایش را هورت می‌کشد: اختیار زندگیمان را نداریم.

خانم خانم می‌گوید: هیس...

پاپا آدمی تندخو و کم‌حوصله بود، اما در دست‌های خانم خانم مانند موم نرم بود. گاهی اگر عصبانی می‌شد و داد می‌زد، یا حرفی می‌زد که به میل خانم خانم نبود، خانم خانم بی آن که محلش بگذارد راهش را می‌گرفت و از اتاق بیرون می‌رفت. هر چه او داد می‌زد خانم خانم کمتر اعتنا می‌کرد. پاپا می‌دانست که امور خانه‌اش بی او نمی‌چرخد و تا آخرین روز زندگیش عاشق او بود. البته همان قدر که مردهایی مثل پاپا می‌توانند عاشق کسی باشند. برای پاپا در درجه اول آسایش خودش مطرح بود، بعد باقی دنیا. خانم خانم این را خوب می‌دانست، به همان اندازه هم از قدرت خودش آگاه بود. اگر دلش می‌خواست می‌توانست او را دور انگشتش بچرخاند، بدون این که پاپا خودش هم بفهمد. این را از خنده‌های زیر زیرکی خاله پری که خانم خانم سعی می‌کرد ساکتش کند، و در همان حال نمی‌توانست لبخند خودش را هم پنهان کند، حس می‌کردم. گاهی اگر یکی از ما بچه‌ها همراه آنها می‌خندیدیم، فوراً جدی می‌شدند و به ما هم تشر می‌زدند که ساکت باشیم. مثلاً پاپا مانند همه مردهای همزمان خودش در آرزوی داشتن پسر بود اما در برابر خانم خانم که سه تا دختر برایش به دنیا آورده بود حرفی نزده بود، فقط گفته بود، دیگر بس است.

لوسی هنوز کنار رستم روی زمین لم داده و چشمهایش را هم گذاشته و رستم همچنان دست نوازش پشت او می‌کشد. نمی‌توانم نگاهم را از آنها بردارم، فکر می‌کنم کاش برادرهایم این جا بودند و این منظره را

می‌دیدند.

وقتی برادرهایم با پسرهای خاله پری بودند هیچ چیز از دستشان در امان نبود. مرا هم به بازیهایشان راه نمی‌دادند. از این که بی‌محلی‌ام کنند لذت می‌بردند. می‌گفتند: بازی دخترانه نیست.

ننه ددری گاهی تشرشان می‌زد و می‌گفت: بچه‌ام را باید بازی بدهید.

هر بار هم مادرم را می‌دید می‌گفت: خانم بچه‌ام تنهای تنها است. باید یکی هم برای این بزایی. این بچه هیچ کس را ندارد که همبازیش باشد.

مادرم هم با دستش حرف او را رد می‌کرد و می‌گفت: واه واه تو هم صدایت از جای گرم در می‌آید.

ننه ددری می‌گفت: خانم والله خودم بزرگش می‌کنم.

با سرعت خودم را به خانه می‌رسانم، از این موقعیت بهتر نمی‌شد که خودی نشان دهم و داستان پسری را به برادرهایم بگویم که پاپا از ده آورده که آنقدر کله‌اش مو دارد که آدم صورتش را نمی‌بیند و تازه با لوسی هم دوست شده است. آنها فوراً خبر را به گوش دو پسرخاله‌ام می‌رسانند.

می‌گویم: لوسی را بغل کرد و لوسی هم خودش را به او چسباند.

برادرهایم که آرزوی بازی کردن با لوسی برایشان رؤیایی دست‌نیافتنی شده بود با کنجکاوی و ناباوری سؤال پیچم می‌کنند. تا می‌توانم داستان را آب و تاب می‌دهم. همان وقت شب تصمیم می‌گیرند به منزل خانم خانم بروند که مادرم جلوشان را می‌گیرد: این وقت شب کجا؟ مگر فردا را ازتان گرفته‌اند.

صبحانه خورده نخورده همراه دو برادر و پسرخاله‌هایم به منزل خانم خانم می‌روم.

خانم خانم از دیدن ما که ناشکیبا و کنجکاو دور و بر خانه را نگاه

می‌کردیم، لبخندش را فرو خورد، بی‌آن‌که به نگاه‌های پرانتظار ما اعتنایی کند گفت: چی شده، مویتان را آتش زده‌اند. آمده‌اید این جا چکار؟ اگر صبحانه نخورده‌اید، هنوز ننه سفره را جمع نکرده.

ما اما حواسمان به او نبود. انتظارمان زیاد طولانی نشد. ننه ددری دست بچه‌ای را که تا به حال در عمرم ندیده بودم در دست گرفته، وارد شد. پسرکی لاغر که موهایش را از ته تراشیده بودند. سفیدی حمام هنوز روی گردن و دستهایش دیده می‌شد. شلواری بزرگتر از اندازه‌اش که پاچه‌هایش را تا زده بودند و پیراهنی که پیش از آن تن برادرها یا پسرخاله‌هایم دیده بودم، پوشیده بود. ننه ددری دست او را که سرش پایین بود و عقب‌تر ایستاده بود کشید و گفت: خانم ببین، چه‌تر و تمیز شده؟ در حالی که غش‌غش می‌خندید اضافه کرد: هر چه کردم از این دیگر سفیدتر نشد.

بچه دستش را روی سرش کشید و نگاهش را از ما که به او خیره شده بودیم دزدید. یکی از پسرها نزدیک او رفت و با کنجکاوی به لباسی که به تن داشت نگاه کرد و گوشه آستین او را کشید، اما پیش از آن که حرفی بزند، خانم خانم بلند شد به ننه ددری گفت که بچه را ببرد و صبحانه‌اش را بدهد. بعد رو به ما کرد: خب شما هم که این‌جا انگار کاری ندارید.

عصبانی بود و با بی‌حوصلگی ما را به خانه فرستاد. گفتم: خانم خانم، می‌شود من پیش شما بمانم؟

نگاهی خالی از مهر به من انداخت: نخیر، با برادرهات برو. شاید مادرت کارت داشته باشد. زیر لب انگار با خود حرف می‌زند گفت: بچه فضول و خبرچین.

ننه بزرگه از آشپزخانه سرک می‌کشد، ننه ددری را صدا می‌کند: بیا

یک لقمه نان بگذار این بچه بخورد، زبان بسته را ناشتا برده حمام. عقل که نیست جان در عذاب است. و غرغرکنان به آشپزخانه برمی‌گردد.

از در بیرون نرفته برمی‌گردم، او را می‌بینم که ننه ددری دستش را می‌کشد تا به آشپزخانه ببرد. صبر می‌کنم تا برادرها و پسرخاله‌هایم دور می‌شوند. تا آنها سرشان به کار خودشان است و حواسشان به من نیست به طرف آشپزخانه می‌روم و آن جا می‌ایستم. رستم کنار ننه بزرگه نشسته و سر به زیر چایش را هم می‌زند. قدری نان و پنیر جلوش است. ننه بزرگه صدایم می‌زند. می‌روم و پهلوی او می‌نشینم. برایم چای می‌ریزد و می‌خواهد لقمه بگیرد که می‌گویم: نمی‌خواهم.

لقمه را به رستم می‌دهد. نگاهش می‌کنم اما او نگاهم نمی‌کند. سرش پایین است. چایش را در نعلبکی می‌ریزد، با دقت آن را به دهانش نزدیک می‌کند و مواظب است نریزد. در همین وقت لوسی دم در اتاق پیدا می‌شود. می‌خواهد بلند شود که ننه بزرگه تشرش می‌زند: بنشین سر جایت و چایت را بخور. به این گربه نمی‌شود دست بزنی.

لوسی نگاهی به ما و دور و بر اتاق می‌اندازد. رستم سرش پایین است اما زیر چشم حواسش به گربه است. لوسی لحظه‌ای دم در می‌ماند بعد همان جا روی زمین توی آفتاب دراز می‌کشد. ننه بزرگه استکان رستم را از جلوش برمی‌دارد، بساط صبحانه را جمع می‌کند و از اتاق بیرون می‌رود.

رستم نگاهی به من می‌اندازد، بلند می‌شود و به طرف لوسی می‌رود. گربه به دیدن او چرخی می‌زند و بدنش را کش و قوس می‌دهد. بلند می‌شوم و به طرف آنها می‌روم. لوسی تا مرا می‌بیند گوشهایش را تیز می‌کند و از جایش بلند می‌شود. رستم دست می‌اندازد زیر شکم گربه،

بغلش می‌کند و می‌گوید: می‌خواهی نازش کنی، بیا من نگهش داشته‌ام. بیا بیا، یواش یواش نازش کن.

اولین بار بود که صدایت را می‌شنیدم. دستم را آهسته روی سر گربه می‌کشم و تا روی پشتش ادامه می‌دهم. لوسی سرش را برگردانده با بی‌اعتمادی متوجه حرکت دست من است. تو دستت را روی دستم می‌گذاری و آرام گربه را ناز می‌کنی.

سنگینی و گرمی آن دست کوچک را که هنوز سفیدی حمام رویش بود، هنوز هم به یاد دارم...

جهان می‌گوید: من از دو عادت تو سر در نمی‌آورم. یکی این که هیچ‌وقت کفشهایت را واکس نمی‌زنی.

می‌گویم: چه اشکالی دارد، این کار به کسی ضرری می‌زند؟

جا می‌خورد. می‌گوید: فرق نمی‌کند که چقدر پول کفشی را داده باشی. حتی روی گران‌قیمت‌ترین آنها هم حاضر نیستی یک دستمال بکشی. حاضر هم نیستی بدهی کس دیگری آنها را برایت واکس بزنند.

نزدیک است گریه‌ام بگیرد. لبهایم را به هم فشار می‌دهم می‌گویم: من هیچ وقت کفشهایم را واکس نزده و نمی‌زنم. نه حالا نه صد سال بعد. این هیچ ربطی به قیمت کفش ندارد.

ـ این دیگر عذر بدتر از گناه است. آدم می‌تواند خودش را تغییر دهد نمی‌تواند؟

می‌گویم: نمی‌دانم.

لبهایش را به هم فشار می‌دهد و سرش را به سوی پنجره می‌چرخاند.

اولین چیزی که در اتاق پذیرایی جلب توجه می‌کند یک جفت کفش

دخترانه است که روی سر بخاری قرار دارد. کفش قدیمی که همواره موضوع گفتگو بوده است. کفش بنددار قرمزی که هر کس آنها را می‌بیند می‌پرسد: چه کفشهای قشنگی، حتماً مال دخترتان است. جهان می‌گوید: نه، مال ستاره نیستند. کفشهای شوریده هستند.

ـ چه یادگار خوبی، چه کار جالبی؟

کسانی که بیشتر آنها را دیده‌اند می‌گویند: آدم می‌تواند توی این کفشها شوریده را مجسم کند. راستی چند سالت بود؟

ـ چه خوب ازشان مواظبت کرده‌ای.

جهان به خنده می‌گوید: آنها را از من هم بیشتر دوست دارد.

ـ حالا دیگر از این کفشها پیدا نمی‌شود.

ـ چیزی شبیه آنها را هنوز هم در ایران درست می‌کنند، اما دیگر از چرم خالص نیست. همه کفشها شده ماشینی.

ـ موادی هم که به کار می‌برند مصنوعی است.

جهان می‌گوید: پس باید عتیقه شده باشد.

عتیقه را طوری می‌گوید انگار مسخره می‌کند.

فکر می‌کنم بهتر است آن را از سر بخاری بردارم.

تنها چیزی که از آن روزها برایم مانده همان یک جفت کفش سر بخاری است. پاپوش هفت، هشت سالگی‌ام که تنها یکبار واکس خورده‌اند. دلم می‌خواهد حتی غبار آن سالها را رویشان نگهدارم.

مادرم پرسید: کفشهایت کو؟

ـ خراب شده.

ـ خراب شده؟ یعنی چه خراب شده، تازه خریدم بودم.

ـ نه، تازه نبود.

ـ تازه نبود، نو نبود؟ به حق چیزهای نشنیده. حالا کجا است؟ چی شده؟

ـ بندش پاره شده.

ـ خب بندش پاره شده، دورش که نینداختی؟ بده به ننه ددری بدهد دم دکان جواد آقا برایت بدوزد.

ـ آخر من که کفش دارم. آنها را لازم نیست بدهم بدوزند.

ـ نو که آومد به بازار کهنه می‌شه دل آزار. بچه بگو کفشها را چکار کردی؟

آنها را میان لباسهایم در چمدان گذاشته بودم. در اولین فرصت سراغشان می‌روم و یک لایه زیرتر پنهانشان می‌کنم. روز بعد که سر چمدان می‌روم از آنها خبری نیست، می‌دانم که مادرم برداشته.

با صورتی برافروخته می‌روم و می‌پرسم: کفشهایم را چکار کرده‌اید. کفشهایم کو.

نزدیک است اشکم سرازیر شود.

می‌گوید: کفش خاکی و کثیف را لای لباس‌های شسته قایم کرده‌ای که چه؟

پایم را به زمین می‌کوبم و سؤالم را تکرار می‌کنم.

بدون این که سرش را از روی کارش بلند کند می‌گوید: چکار کرده‌ای و زهرمار. آنها را دادم ننه ددری برد دکان جواد آقا. اگر درست کردنی است درست کند اگر درست کردنی هم نیست خودش بردارد. تا دیگر کفش کثیف را توی رختهای شسته نگذاری.

برای اولین بار است که در برابرش ترسی احساس نمی‌کنم. هیچ چیز برایم بیشتر از کفشهایم اهمیت ندارد. داد می‌زنم: کفشهایم را می‌خواهم،

کسی حق نداشته آنها را بردارد.

مادرم به دور و برش نگاهی می‌اندازد روزنامه‌ای را که دم دستش است به طرفم پرتاب می‌کند: صدایت را ببر. چه معنی دارد دختر صدایش را بلند کند، آن هم برای یک جفت کفش. تقصیر من است که داده‌ام درستش کنند.

اشک روی صورتم می‌غلتد، با تمام نیرو فریاد می‌زنم: کفشهایم را می‌خواهم. من فقط کفشهایم را می‌خواهم.

مادرم از جا بلند می‌شود به طرفم می‌آید و دستش را بلند می‌کند. ننه بزرگه جلو او را می‌گیرد و می‌گوید: خانم ولش کن. بچه‌ام از مدرسه آمده خسته و گرسنه. خب کفشهایش را می‌خواهد می‌روم از جواد آقا می‌گیرم. دست مرا می‌گیرد و می‌گوید: این که گریه ندارد مادر. الان می‌روم. هان، ببین، رفتم... مادرم می‌گوید: ننه آخر آبرو دارم. بروی دنبال یک جفت کفش کهنه که چه بشود؟ دختر هم اینقدر پررو؟

ـ خب خانم، بچه است کفشهایش را دوست دارد. عیبی ندارد.

ننه بزرگه اما نرفت هر چه انتظار کشیدم از آشپزخانه در نیامد. نق نقم را شنید و گفت: الان مادر الان، کارم که تمام شد می‌روم گریه نکن.

آن وقت قهر کردم و کسی هم برای ناهار صدایم نکرد. از ننه بزرگه هم خبری نشد. آنقدر گریه کردم که گوشه اتاق خوابم برد. بعدازظهر ننه ددری با یک بشقاب غذا بالای سرم آمد. بغلم کرد و سر و رویم را بوسید و گفت: پاشو ننه، پاشو و ناهارت را بخور غش می‌کنی. کفشهایت را هم همین الان رستم می‌آورد.

تو آمدی و پاکتی در دست داشتی. به مادرم که کنار سماور نشسته بود سلام کردی، نمی‌دانستی پاکت را به او بدهی یا

به من. لحظه‌ای ایستادی بعد پاکت را به‌طرفم دراز کردی و
آهسته گفتی: کفشهایت است، برایت واکسشان زده‌ام...

مادرم خنده‌ای تمسخرآمیز کرد و با اشاره به من گفت: برو بهش بده. برای این یک جفت کفش کهنه از ظهر تا حالا زر زر کرده.

صورتم را با پشت دستم پاک کردم. ننه خواست کفشها را بگیرد، از جا پریدم رستم هم دستش را از او کنار کشید.

مادرم گفت: این تحفه‌ها را نبری باز قایم کنی.

آهسته گفتم: نمی‌خواست واکس بزنی. تو که حالت بهم
می‌خورد. پاکت را که به من می‌دادی سرت را تکان دادی و
گفتی: نه...

کفشها را با پاکتش در چمدانم گذاشتم. روز بعد بردم خانه خاله ماهم که برایم نگه دارد. پرسید: چرا اینها را آورده‌ای این جا؟

ـ آخر این کفشها را خیلی دوست دارم و نمی‌خواهم بپوشم و خرابشان کنم. مامانم اگر آنها را ببیند می‌اندازد دور به حرف من هم گوش نمی‌دهد.

خاله ماهم سری تکان داد و گفت: ببر بگذار آن اتاق توی گنجه من.

بعداً که گنجه‌ای برای گذاشتن لباسها و کتابهایم داشتم کفشهایم را از خاله ماه گرفتم و در آن گذاشتم و درش را قفل کردم و کلیدش را با خودم به مدرسه می‌بردم. روزی مادرم پرسید که چرا در گنجه‌ام را قفل می‌کنم؟

گفتم: گنجه مال من است و کلیدش هم مال خودم. چیزی هم تویش نیست که کسی سرش برود.

گفت: حتماً دوباره چند جفت کفش کهنه آن تو قایم کرده‌ای؟

ـ چند جفت کفش نیست. فقط یک جفت است و کسی هم حق ندارد دست به آن بزند. با پوزخندی غر زد که: چه دختر پررویی شده. حالا آن

کفش‌های تحفه به چه درد می‌خورد، پایت که نمی‌رود.

ـ چه به دردم بخورد چه نخورد مال من است و کسی هم نباید دخالت کند.

در حالی که هنوز پوزخند بر لب داشت رویش را از من برگرداند و پی کارش رفت، من هم رویم را از او برگرداندم و به اتاق برگشتم. آن روز مرز کودک و مادر میان ما شکسته شد. آن روز دو بزرگسال بودیم که روبه‌روی هم قرار گرفته بودیم. یک روزه با کفشهایم بزرگ شده بودم.

بی‌اختیار هجوم اشک را پشت چشم‌هایم حس می‌کنم. جهان همان‌طور که از پنجره بیرون را تماشا می‌کند می‌گوید: سکوت تو در مقابل بلیت‌های بخت‌آزمایی. این هم از آن چیزهایی است که من نمی‌فهمم.

سعی می‌کنم خونسرد باشم و می‌گویم: سکوت من؟ مگر من مسئول بلیت‌های بخت‌آزمایی هستم؟

ـ تو مسئول نیستی، منظورم را که می‌فهمی.

ـ نه منظورت را نمی‌فهمم. دید هر کس نسبت به پول متفاوت است. حتی اگر الزاماً درست نباشد. نمی‌توانم احساسم را به دلخواه دیگران یا مؤسسه‌ای که برای پول درآوردن مردم را وسیله قرار می‌دهد، عوض کنم.

ـ این نوعی محکوم کردن است.

ـ هرگز فکر نکرده‌ام کسی را محکوم کنم. من که مسئول کارهای مردم نیستم.

ـ همین انتقاد کردن یک‌جور محکوم کردن است.

ـ عقیده من به چه ربطی به انتقاد دارد. از این که به فکر و عقیده خودم پای‌بندم و تو از آن دلخوری سر در نمی‌آورم.

ـ این یعنی فاصله ایجاد کردن.

ـ چه فاصله‌ای؟ من به تو حق می‌دهم، چرا تو به من حق نمی‌دهی؟ چطور فکر می‌کنی من فاصله ایجاد می‌کنم؟ مگر آدمها نمی‌توانند با هم باشند و با هم آزاد باشند؟

با دلخوری می‌گوید: منظورت از آزادی چیست؟ سکوت تو یک جوری شخصی است. نوعی مخالفت بی‌صدا است. آدم احساس می‌کند محکوم شده در حالی که این چیزها جزئی از زندگی است. تفریح و شادی زندگی است.

ـ از چه وقت بلیت نخریدن من مانعی سر راه شادی زندگی مردم شده؟

دستهایش را با بی‌حوصلگی تکان می‌دهد: چرا نمی‌شود با تو حرف زد؟

چیزی نمی‌گویم دنیای او پینه‌دوزش را از دست نداده است که دیگر پول برایش اهمیتی نداشته باشد. او نمی‌داند که تمام پولهای دنیا هم نمی‌تواند یک لحظه دیدار پینه‌دوزم را به من بازگرداند. در دنیای او، چک در زمینه خاطرات قرار ندارد و هیچ چیز نمی‌تواند لحظه‌ای دیدار ناممکن او را برایم میسر کند. چشمهایم را می‌بندم تا تصویر آنها را در اعماق جانم حفظ کنم.

می‌خواهم بگویم: ما می‌توانیم بدون خیلی چیزها زندگی کنیم. بدون فلسفه، بدون نمایشنامه‌نویس، بدون نویسنده، بدون کفش، بدون روزنامه. شاید فقط به کمی آب و مقدار کمتری غذا و کمی همدلی برای زندگی کردن نیاز داریم.

اما او رویش همچنان به پنجره است.

دلم می‌خواهد مزرعه‌ای داشتم پر از کفش‌دوز و کلاغ و آسمانی با ابرهای پراکنده، تا خاطراتم را برایشان می‌گفتم. اگر کفش‌دوزی را جایی ببینم آهسته کف دستم می‌گذارم و پروازش می‌دهم. آنها بی‌دفاع‌ترین و بامزه‌ترین موجودی روی زمین هستند. آنها وفاداران ساکتند وقتی توی دستم می‌گیرمشان گویی قسمتی از وجودم می‌شوند و هیچ تلاشی برای جدا شدن و رفتن نمی‌کنند. کلاغ‌ها را از دور نگاه می‌کنم، پرنده‌های باوقار و مغروری که به استقلال خود پای بندند. نگاهشان که می‌کنم حس می‌کنم هر قدمی که بر می‌دارند سرشار از آزادی و غرور است، شاید از این رو است که کمتر کسی دوستشان دارد. نمی‌توانند به کسی اعتماد کنند، همیشه به نحو برخورنده‌ای چپ چپ به آدم نگاه می‌کنند و اولین حرکتشان در جهت دور شدن از ما است.

> قطار آهسته به حرکت در می‌آید. از جلو جوانک واکسی می‌گذریم. هیچ شباهتی به پینه‌دوز من ندارد. سرم را به پشتی صندلی تکیه می‌دهم و چشمهایم را می‌بندم...

پیش روی ما، قوانین و سدهای محکمی قرار داشت که تنها کارکردشان بازداشتن دیگران بود.

با این سدها بود که نتوانستم در مراسم عزاداری خانم خانم به جای پخش نوارهای مذهبی، آهنگی را که دوست داشت و اغلب زیر لب زمزمه می‌کرد، بگذارم.

برای چه نمی‌توانستم دست پاپا را بشکنم تا نتواند رستم را بزند؟ بغلم که می‌کرد دستهایش را می‌پیچاندم به این خیال که می‌توانم آنها را بشکنم. فکر می‌کردم اگر روزی بمیرد غصه‌دار نخواهم شد. آن وقت دست به گردنش می‌انداختم و صورتم را توی سینه‌اش پنهان می‌کردم و بوی تنش

را که همه امنیت و قدرت بود می‌نوشیدم. پدربزرگی که مثل غولهای توی قصه بود و زورش فقط به بچه‌هایی می‌رسید که پدر و مادر نداشتند.

پاپا را تا زمانی دوست داشتم که تو نیامده بودی از آن پس دیگر مابین دوست داشتن و دوست نداشتنش سرگردان شدم. از او نمی‌ترسیدم، بخاطر تو از او می‌ترسیدم...

قطار از یک ایستگاه کوچک وسط راه می‌گذرد جهان نگاهی از کنار روزنامه‌اش به ایستگاه می‌اندازد، بعد می‌گوید: بلیت‌ها را دادم به تو؟

به یاد بلیت دیگری می‌افتم که سالها پیش بمن داد.

سعی می‌کنم دیگر دنبال فاخته نروم. بهانه می‌آورم و زودتر از معمول راهی مدرسه می‌شوم. ناهار را در مدرسه می‌مانم. خودم را لعنت و نفرین می‌کنم و سعی می‌کنم همه چیز را فراموش کنم. فاخته اما رهایم نمی‌کند. سر به سرم می‌گذارد و هر خاطره از جهان و دوره‌ای که با برادرش مدرسه می‌رفته و به خانه آنها می‌آمده دارد، تکرار می‌کند. مخالفت با او فایده‌ای ندارد. اگر خود را در میان خاطراتی که می‌گوید رها کنم آن وقت مچم را می‌گیرد و قسم می‌خورد که عاشق شده‌ام. قسم می‌خورم که تا زنده‌ام دیگر با او حرف نزنم. چند روز به سراغش نمی‌روم. چنان درس می‌خوانم که می‌گوید: شرط می‌بندم امسال شاگرد اول همه استان می‌شوی.

اما درسی را هم که می‌خوانم درست نمی‌فهمم. احساس نیرومندی در درونم می‌جوشد که خستگی‌ناپذیر، بیدار و پرتلاطم است. انگار زمین

زیر پایم را حس نمی‌کنم. چیزی به امتحانات نمانده که روزی فاخته می‌گوید: جهان سراغت را می‌گرفت.

دلم می‌لرزد اما می‌پرسم: جهان کیست؟

خنده‌ای می‌کند ابروهایش را بالا می‌برد و می‌گوید: جهان کیست؟

بعد مشتی محکم به بازویم می‌زند، روبرویم می‌ایستد، شانه‌هایم را می‌گیرد و وسط پیاده رو نگهم می‌دارد و می‌گوید: جهان، جهانبخش، آره یادت رفته. پس اگر یادت رفته که هیچ.

ـ مگر فرانسه نبود؟

قیافه‌ای جدی به خودش می‌گیرد و می‌پرسد: کی ؟

رویم را برمی‌گردانم و می‌گویم: هیچکس. فراموش کن.

ـ خب دوباره آمده، برای تابستان آمده.

صورتم داغ شده، می‌گوید: امروز منزل ما بود.

سکوت می‌کنم تا از او بگوید. تا ابد از او بگوید. زیرچشمی نگاهم می‌کند.

ـ امروز از دست مهران خیلی حرص خوردم. هی به من می‌گوید باید کتاب بخوانم و این قدر سر به هوا نباشم. این را جلو مامان و جهان گفت. انگار سرپرست من است. ولم نمی‌کند. مامان هم حق را به او می‌دهد و چشمش به دهان اوست. حالا نمی‌گویم چه خوب ولی خدا رحم کرده که باباهه مرده. اگر او هم زنده بود که دیگر حتماً یک قفس می‌خریدند و مرا در آن زندانی می‌کردند. خوشا به‌حال تو که کسی کاری به کارت ندارد.

ـ کاری ندارد؟ در خانه همه به من کار دارند. اما من نمی‌گذارم عادت کنند که بهشان حساب پس بدهم وگرنه می‌شوم نوکر خانه.

می‌خندد: نوکر که نه.

ـ آره نوکر نه.

به شیطنت دستش را در بازویم می‌اندازد و می‌گوید: جهان...

بی‌اختیار می‌گویم: تو را به خدا حرفش را نزن.

ـ یعنی چه؟ چرا؟

با این که در دلم قندآب می‌شود، می‌گویم: حرفش را نزن. بگذار به درسمان برسیم.

ـ درسمان چه ربطی به او دارد؟ تازه مهران می‌گفت یک نمایش خوب تو دانشگاه نشان می‌دهند. می‌گفت قرار است با جهان بروند و آن را ببینند می‌گفت بد نیست ما هم آن را ببینیم.

می‌گوید: مهران کم بود جهان هم اضافه شده. باور می‌کنی یک لیست از کتابهای تازه منتشر شده گرفته، به منهم داد و گفت باید آنها را بخوانیم. دلش خوش است، با کدام وقت؟

می‌پرسم: چه کتاب‌هایی؟

ـ تازه از راه نرسیده معلوم نیست لیست کتابها را از کجا آورده. فکر کنم کار مهران باشد سفارش از بالا رسیده. نمی‌دانم چرا همه فکر می‌کنند من بیسوادم و باید راهنمایی‌ام کنند.

دوباره می‌پرسم: چه کتاب‌هائی؟

ـ تاترچی، می‌آیی؟

ـ نمی‌دانم، با این امتحانات و وقت کم.

بازویم را فشار می‌دهد: آخ که تو هم با این درس من راکشتی تازه جهان هم می‌آید.

از او فاصله می‌گیرم: نه نه، نمی‌توانم بیایم.

لبخندی می‌زند: آره جان خودت، پس حتماً می‌آیی. به جان مامانم

قسم می‌خورم که می‌آیی.

- بی‌خودی چرا جان مامانت را قسم می‌خوری.

- پنجشنبه ساعت شش این جا باش.

- من که گفتم نمی‌توانم بیایم.

- با مهران می‌رویم.

- من نمی‌آیم.

با حرکتی نمایش‌مآبانه می‌گوید: و جهان هم این‌جا خواهد بود.

- مثل این که کر شده‌ای. مگر نشنیدی گفتم نمی‌آیم؟

- چرا، شنیدم. ساعت شش. یادت نرود.

اولین بار که پدر و مادرم اسم او را شنیدند، پدرم خندید و گفت: هم جهانبخش است هم جهاندار؟

آن روز طنین آن اسم برای من زیباترین موسیقی بود. اولین بار که گفت: حالا دیگر خانم جهاندار هستی. نمی‌دانستم آن سعادت را با چه چیز می‌توانم بسنجم.

به جهان نگاه می‌کنم و از خودم می‌پرسم آیا می‌تواند تصوری از دلهره و بی‌تابی آن روزهای من داشته باشد؟

از صبح هیچ چیز نخورده بودم. غذا از گلویم پایین نمی‌رفت. خوشبختانه در خانه ما کسی چندان در بند خورد و خوراک ما نبود. همه می‌دانستند که به هر حال در یکی از خانه‌ها چیزی می‌خوریم. در غیر این صورت حتماً کسی متوجه بی‌اشتهایی و تغییر حالت من می‌شد. هزار بار لباسهایم را زیر و رو کرده بودم و هزار بار به خود گفته بودم که بهتر است نروم. نزدیک خانه فاخته پاهایم انگار قدرت تحمل بدنم را نداشت. زنگ درشان را که فشار می‌دادم دستم می‌لرزید. فاخته فوراً در را باز کرد.

دوباره همان لبخند عجیب و غریب پر از شکلک پنهان که از کوره به درم می‌کرد، در صورتش نمایان بود. گفت: مهران با جهان دم دانشگاه قرار گذاشته.

جلو دانشگاه منتظر او ایستاده‌ایم. مهران به دور و بر نگاه می‌کند و می‌گوید: الان پیدایش می‌شود معمولاً دیر نمی‌کند.

یخ کرده‌ام و بازوهایم را با دستهایم می‌پوشانم. فاخته می‌گوید: هوا سرد نیست که تو سردت است. و به دقت مرا نگاه می‌کند. لبهایم را به هم فشار می‌دهم، می‌خواهم بگویم: خفه شو. و از لبخند او که مانند یک تابلو بزرگ از جلو چشمم پس نمی‌رود سرم به دوران می‌افتد. می‌آید کنارم و دستش را در بازویم می‌اندازد. خود را به گرمای آرام‌بخش وجودش می‌سپارم و آهسته می‌گویم: من نباید می‌آمدم.

بازویم را محکمتر می‌چسبد و می‌گوید: این هم جهان.

سرم را بلند می‌کنم و مسیری را که اشاره کرده نگاه می‌کنم. چند قدمی ما است. آبشاری در دلم سرازیر می‌شود. آشوب شیرینی است که حاضرم همه عمرم ادامه یابد. خوش‌لباس، خوش قد و قامت، متفاوت با همه کسانی است که تا به آن روز دیده‌ام. به ما که می‌رسد درهم و برهم سلام و احوالپرسی می‌کنیم. خدا را شکر می‌کنم که مجبور نشده‌ام حرفی بزنم. از این که دستپاچه شوم و زبانم به لکنت بیفتد و باز اسمم را فراموش کنم، وحشت دارم. یک لحظه به چشمهایش نگاه می‌کنم. فاخته درست می‌گفت چشمهایش سبز هستند. این بار تفاوت او را بیشتر حس می‌کنم. یک مرد کاملاً اروپایی است. لباس پوشیدن و رفتارش ممتاز است. یک تکان دستش کافی است تا آدم را عاشق خودش کند. این بار هم بوی ادکلن‌اش را حس می‌کنم و آرام و بی‌صدا نفس عمیق می‌کشم تا

آن عطر وجودم را پر کند. فاخته بازویم را فشار می‌دهد و زیر لبی می‌خندد. به خود می‌آیم و حالتی خونسرد می‌گیرم. اما او باز هم بازویم را چسبیده و در هر موقعیتی که پیش می‌آید شکلکی در می‌آورد. به خونسردی و بی‌خیالی‌اش حسرت می‌خورم، خودم را به بازویش می‌چسبانم.

در سالن تئاتر پسرها دو طرف ما می‌نشینند. جهان که هنوز هم نمی‌دانم اسم کوچکش جهان است یا اسم خانوادگیش ـ سعی کرده‌ام از فاخته چیزی نپرسم و به آتشی که مشتاقش است، دامن نزنم ـ کنار من می‌نشیند.

ساکتم، انگار منجمد شده‌ام. فاخته طبق معمول پرچانگی می‌کند. خدا را شکر می‌کنم که به جای همه ما حرف می‌زند. مهران چیزی از جهان می‌پرسد. جهان به طرف او می‌چرخد و لبه کتش از روی دسته صندلی روی بازوی من می‌افتد، آستین کتش به بازویم سائیده می‌شود. مثل برق گرفته‌ها توی صندلی‌ام فرو می‌روم و جرأت ندارم کوچکترین حرکتی بکنم. حاضرم همه دنیا را بدهم و آستین کتش همانطور تا ابد روی بازوی من باقی بماند.

آیا می‌داند؟ به او گفته‌ام؟ نمی‌دانم.

ستاره دنیایی با خاطره‌ها و احساسات من فاصله دارد. با ناباوری همراه با لبخندی بزرگ‌منشانه سرش را تکان می‌دهد و می‌گوید: مگر شماها در چه قرنی زندگی می‌کردید؟ انگار از دویست، سیصد سال پیش حرف می‌زنی.

برای او درک آن چه من تجربه کرده‌ام، دنیایی پوشیده در سختگیری و محدودیت‌های اجتماعی و خانوادگی، ممکن نیست. او واقع بین‌تر از آن

زمان من است اما در جهانی تصنعی‌تر زندگی می‌کند.

می‌گوید: شما در خواب و رؤیا زندگی کرده‌اید و عشق را از روی فیلمها یاد گرفته‌اید وگرنه عاشق شدن که این همه دردسر ندارد.

ـ عشق که امروز و دیروز ندارد. عشق همیشه عشق است و پر از هیجان. آن چه سخت بود گنجاندن آن در چهارچوب معیارهای اخلاقی بود.

دوباره لبخندی می‌زند: اما شما ظاهراً آن معیارها را هم‌چندان رعایت نمی‌کردید. به این ترتیب چندان هم معیار منطقی‌ای نبوده.

می‌گویم: خب، منطق خاص خودش را داشت.

می‌دانم که نمی‌توانم هویت منطقی که در بافت جامعه و لابلای بایدها و نبایدها تنیده شده، را برایش توضیح دهم.

سرش را تکان می‌دهد و می‌گوید: ما وقت این‌طور عاشق شدن را نداریم. هیچ‌کس ندارد.

می‌گویم: حیف نیست؟

ابروهایش را بالا می‌برد: نمی‌دانم. عشق هم مانند چیزهای دیگر با زمان و با ما تغییر می‌کند.

چراغ‌ها که خاموش می‌شود، جهان توی صندلی فرو می‌رود و پشتش را به صندلی فشار می‌دهد. همه سعی‌ام این است که فکرم را روی بازی و بازیگران متمرکز کنم. اما مگر ممکن است. در کنار کسی نشسته‌ام که عطر ادکلن‌اش گیجم کرده است که غرق تماشای تئاتر است و اگر یک ذره تکان بخورم پایم به پایش می‌خورد یا دستم به بازویش. چنان گیجم که انگار روی زمین وجود ندارم.

نمی‌دانم چقدر از شروع نمایش گذشته که کاغذ کوچکی جلو صورت

من می‌گیرد، سرش را نزدیکم می‌آورد و می‌گوید: این بلیت تو است. می‌خواهی یادگاری نگهش داری؟

سرم را با وحشت به طرفش می‌گردانم. برق چشمهایش را در آن تاریکی هم می‌بینم. حالا از خود می‌پرسم، آن شب چشمهایش سرمه‌ای شده بودند؟

بلیت را می‌گیرم و گرمای دست او را روی آن حس می‌کنم. دلم می‌خواهد آن را به صورتم بچسبانم و عطرش را ببویم.

در خانه آن را روی سینه‌ام می‌گذارم و ساعتها به عالم خیال فرو می‌روم. اولین باری است که وجود انسانی او را حس می‌کنم، تا پیش از آن تنها یک رؤیا بود. حالا رؤیایی شده بود لمس کردنی. بلیت را سالهای سال همراهم داشتم. اگر نبود نه اسم نمایش را به یاد می‌آوردم، نه بازیگران و نویسنده‌اش را.

آن شب تا نزدیکهای صبح بیدار می‌مانم و به همه آدمهای عاشق دنیا فکر می‌کنم که هیچ وقت در زندگیشان نخوابیده‌اند. نزدیک‌های صبح خوابم می‌برد که صدای مادرم را می‌شنوم که می‌گوید: مگر امروز خیال مدرسه رفتن نداری؟

مثل برق از جا می‌پرم. بلیت تئاتر را توی کیفم می‌گذارم و همراه می‌برم.

چند وقت پیش دنبالش می‌گشتم، تا سرانجام پیدایش کردم. اما حالا دوباره نمی‌دانم آن را کجا گذاشته‌ام.

سعی می‌کنم پلک برهم نهم، اما برای سکوت و تنها بودن قطار جای مناسبی نیست. مسافرها مرتب سوار و پیاده می‌شوند، قطار در ایستگاههای متعدد می‌ایستد و کوچکترین فرصتی برای سکوت باقی نمی‌ماند. می‌دانم که خوابم نخواهد برد. تا به حال در هیچ قطار و هواپیمایی نخوابیده‌ام. همین که پلک روی هم می‌گذارم یادها به ذهنم هجوم می‌آورند و خاطره‌ها جلو چشمم رژه می‌روند.

کشور ما کشور ایران بود...

مسکن شیران و دلیران بود...

با رستم دور حیاط می‌دویدیم و شعری را که تازه یاد گرفته بودیم، می‌خواندیم. هر بار صدایمان بلندتر از پیش می‌شد و اوج می‌گرفت. آن وقت هر کس از کنارمان می‌گذشت می‌گفت: بس است. این قدر فریاد نزنید.

ـ آقابزرگ خوابیده.

ـ خانم بزرگ خوابیده.

ـ سرمان رفت.

ـ مگر سر آورده‌اید؟

ـ خانه را گذاشته‌اید روی سرتان؟

با هر یک از این اخطارها صدایمان پایین می‌آمد، اما دوباره اوج می‌گرفت. یک روز خانه خاله ماهم بودیم و با خیال راحت می‌خواندیم که خاله ماه صدایمان زد. به یک دیگر نگاهی انداختیم. معلوم بود که واقعاً صدایمان را سرمان انداخته بوده‌ایم و حواسمان نبوده. سرافکنده و سلانه سلانه به سوی او رفتیم. پرسید: چه می‌خوانید؟

لحظه‌ای مکث کردیم، قیافه‌اش جدی بود، اما قصد دعوا کردنمان را نداشت. از نگاهش پیدا بود. نفس راحتی کشیدیم. با شجاعت دست یکدیگر را گرفتیم و سینه جلو دادیم و شعرمان را برایش خواندیم: کشور ما کشور ایران بود، مسکن شیران و دلیران بود.

لبخندی زد و گفت: این طوری که درست نیست باید بگویید: کشور ما کشوَرِّ ایران بود، مسکن شیرااااااآن و دلیران بود.

چندبار خواندیم. وقتی مطمئن شد که یاد گرفته‌ایم گفت: بسیار خوب و به کارش مشغول شد.

با شادی و اطمینان از شعری که آن قدرها هم معنی‌اش را نمی‌فهمیدیم و کسی هم نبود که از خواندن بازمان دارد، دوباره دست یکدیگر را گرفتیم. گفتم: دیدی خاله ماهم چیزی نگفت. و دوان دوان دور حیاط شروع کردیم به دویدن و خواندن. یکبار که از کنارش می‌گذشتیم گفت: بخوانید اما داد نزنید، همسایه‌ها فکر می‌کنند ما چه مردم وحشی‌ای هستیم.

گفتم: مگر آنها ما را نمی‌شناسند؟

دستش را جلو دهانش گرفت، اما من دیدم که می‌خندد و گفت: چون

ما را می‌شناسند بهتر است داد نزنید.

دلم می‌خواهد آن را برای جهان بخوانم، از آن روزها برایش حرف بزنم. فقط اگر این طور روزنامه را جلو صورتش نمی‌گرفت. اما مفهوم خانواده برای من و او بسیار متفاوت است. خانواده برای او در وجود مادر و خواهرش خلاصه می‌شود. پدرش افسر ژاندارمری بوده و سالها پیش، زمانی که او یکی دو سال بیشتر نداشته، در مأموریتی کشته می‌شود.

خواهرش پس از ازدواج، همان سالی که جهان برای عروسی او به تهران آمده بود، به امریکا می‌رود و سال بعد هم مادرشان را پیش خودش می‌برد.

جهان در ایران خویشاوند نزدیکی را نمی‌شناسد و انگیزه‌ای برای برگشتن به ایران ندارد. در حالی که برای من شادی واقعی لحظه‌ای کنار ننه ددری نشستن است. به یاد دورانی که زیر چادرش پنهان می‌شدم، سرم را توی شکم پرگوشت و گرمش فشار می‌دادم. ننه ددری بهترین و دوست داشتنی‌ترین آدم چاقی است که دیده‌ام. حاضرم نیمی از عمرم را بدهم تا او بار دیگر دستش را روی موهایم بکشد و باور کنم که می‌توان به همه چیز خندید. گاهی از خودم می‌پرسم کدامشان را بیشتر دوست داشتم. خانم خانم را، پاپا را، یا ننه بزرگه و ننه ددری را؟

ننه بزرگه و ننه ددری با شوهرهایشان در حیاط عقبی زندگی می‌کردند. شوهر ننه بزرگه علی خان بود که از اول به ما دستور داده بودند هر وقت او را می‌بینیم سلام یادمان نرود. علی خان قدبلندی داشت، چهارشانه بود و مانند پاپا سبیل پرپشتی داشت که به صورتش ابهت خاصی می‌داد. همیشه همراه پاپا بود و وقتی با او راه می‌رفت یک سر و گردن از پاپا بلندتر بود، اما همیشه دو قدم عقبتر از او می‌ایستاد و فقط از او

دستور می‌گرفت. حتی خانم خانم هم به او علی‌خان می‌گفت و هر بار او را می‌دید با او سلام و احوالپرسی کاملی می‌کرد. آنها یک پسر داشتند که زن و بچه داشت، ده بودند و ماکمتر می‌دیدیمشان.

الله‌وردی شوهر ننه ددری بود که همه او را آقاوردی صدا می‌کردند جز پاپا که هیچ کس برایش آقا نبود.

اقاوردی یک سایه بود به معنای واقعی. سایه‌ای که رفت و آمدش را کسی حس نمی‌کرد. خانم خانم می‌گفت خدا سایه آقاوردی را از روی این خانه و باغچه کم نکند.

او مسئول حیاط، باغ و باغچه‌ها بود. کمتر از خانه بیرون می‌رفت اگر هم می‌رفت برای خریدن چیزهایی بود که برای باغ لازم داشت. خانم خانم می‌گفت: هر که با این ددری طرف باشد روزگارش بهتر از این نمی‌شود.

ننه ددری می خندید.

ننه بزرگه می‌گفت: خانم غیر از آقاوردی، چه کسی با این ددری دوام می‌آورد. این به اندازه همه مردم حرف می‌زند. مرد بیچاره دیگر چه دارد که بگوید.

صدای آقاوردی را کسی نمی‌شنید. تا مدتها فکر می‌کردم لال است. رستم می‌گفت: لال نیست، من خودم دیده‌ام با ننه ددری حرف می‌زند. با آقابزرگ هم حرف می‌زند. اگر لال است پس چطوری به آنها سلام می‌کند؟

می‌گویم: آدم لال هم وقتی پاپا را ببیند از ترس سلام می‌کند.

با این که حرفم را تصدیق می‌کند اما می‌گوید: به خدا لال نیست.

آقاوردی با ما خیلی مهربان بود، می‌دانست آن سبد کوچک زیر

درخت مال کیست و در آن برایمان میوه می‌گذاشت و می‌گفت: اینها را آقاموشه یا کلاغه آورده. ما می‌خندیدیم و او سرش را تکان می‌داد و می‌رفت.

آنها دختر کوچکی داشتند که یک روز در حوض افتاد و خفه شد. بچه را کنار حوض خوابانده بودند و می‌شستند. همسایه‌ها جمع بودند. به‌نظرم هیچ فرقی با یک بچه خوابیده نداشت. درست نمی‌فهمیدم مردن یعنی چه. فقط از صدای شیونهای ننه ددری حس می‌کردم مردن چیز خیلی بدی است. تا این که کسی دستم را گرفت و از آن جا برد.

بعد از آن ننه ددری رفت ده و مدتی از او خبری نبود. آقاوردی می‌رفت و می‌آمد. بعد هم گفته بودند که دیگر بچه نمی‌خواهند یا این که بچه‌شان نشد.

دلم می‌خواهد روزها و هفته‌ها سوار قطاری در حال حرکت باشم که هیچ ایستگاهی برای پیاده شدن نداشته باشد.

انگار از آن زمان که همه چیز ابدی می‌نمود چند سال نوری گذشته است. نمی‌دانستم روزی از این دنیای کج و کوله دچار ناباوری مأیوس‌کننده‌ای خواهم شد و انگشتهایم برای شمارش مرده‌هایم کافی نخواهد بود.

جهان در ایستگاه سه روزنامه خرید. از این روزنامه‌ها متنفرم، این روزنامه‌ها چندین بخش و هر بخش نزدیک بیست صفحه دارد. به جز آن که دارد می‌خواند دو تا هم کنارش روی صندلی است. فکر می‌کنم برای تمام مدت سفرمان روزنامه دارد. حقیقت این است که هیچ کس همه مطالب روزنامه‌ها را نمی‌خواند و اگر روزنامه‌ها به نوشتن مطالب اصلی و مهم اکتفا می‌کردند، مسلماً بجای بیست تا سی صفحه فقط یکی دو صفحه بیشتر نمی‌داشتند. نمی‌دانم چطور تا به حال کسی به این فکر نیفتاده که آنها را از هدر کردن این همه کاغذ باز دارد.

جهان نمی‌تواند بفهمد که من به جای روزنامه خواندن می‌توانم کنار پنجره بنشینم، بیرون را تماشا کنم و به داستان ابرها فکر کنم.

نمی‌دانم دوران کودکی‌ام را بیشتر در خانه خودمان بوده‌ام یا
خانه خانم خانم یا خاله پری یا خاله ماهم. همیشه در یکی از
این خانه‌ها جایی بود که می‌توانستیم سرمان را بگذاریم و
بخوابیم.

بعدها فهمیدم که ننه ددری آخر شب به یک یک خانه‌ها
سر می‌زده و بچه‌ها را حاضر و غایب می‌کرده. بچه که بودم
فکر می‌کردم همه مردم اینطور زندگی می‌کنند تا این که تو
آمدی و مادر من یادش افتاد که من یک دخترم...

همه مشکلات از آن جا شروع شد که ما مانند بچه‌های دیگر نبودیم،
اگر مانند آنها با هم بازی و قهر و آشتی می‌کردیم، توجه کسی را جلب
نمی‌کرد. واقعیت این است که دوستی ما برای کسی موضوع مطرحی نبود
جز برای مادرم. مادرم تا مرا با رستم می‌دید غری می‌زد و می‌گفت که
نباید خانه خانم خانم بروم. نباید این قدر با این پسره دهاتی بازی کنم.

پدرم به آرامی می‌گفت: زن چرا این قدر به یک چیز پیله می‌کنی. دو تا
بچه هستند با هم بازی می‌کنند دیگر.

خاله ماهم می‌گفت: خواهر، چرا بهانه می‌گیری. اگر این بچه من بود
باز هم این حرفها را می‌زدی، برایت فرق می‌کرد، هان؟

ـ خوب البته که فرق می‌کرد.

ـ حالا هم فکر کن بچه من است. مگر بچه با بچه فرق دارد. دو تا بچه
هستند با هم‌بازی می‌کنند از چه چیز این موضوع ناراحتی؟

ـ آخر این پسره دهاتی... خدا می‌داند چه چیزها یادش ندهد.

خاله ماهم می‌گفت: چطور دختر تو از او یاد می‌گیرد؟ چرا برعکسش
را فکر نمی‌کنی؟

ـ برعکسش را؟

ـ که این پسره دهاتی هم یک کمی شهری‌گری مثلاً از دختر تو یاد بگیرد؟

مادرم سرش را با بی‌حوصلگی تکان می‌داد و می‌گفت: من حوصله سر و کله زدن با تو را ندارم خواهر. هر چه بگویم تو یک جور دیگر جوابم را می‌دهی. راستش، این که خوش ندارم. هر چیزی یک قراری دارد.

و تا می‌دید حواسم به آنها است اشاره‌ای می‌کرد و ساکت می‌شد.

> وقتی دور حیاط می‌دویدیم. یا از خریدی که به تو گفته بودند با هم دوان دوان باز می‌گشتیم و تشنه سر شیر آب می‌رفتیم، وقتی شیر را باز می‌کردی و به من اشاره می‌کردی که اول من آب بخورم و می‌گفتم: نه اول تو، و تو سرت را تکان می‌دادی و کناری می‌ایستادی. دلم می‌خواست مادرم آن جا بود و می‌دید...

می‌گفتم: این دفعه دیگر اول نوبت تو است.

ـ نه.

ـ چرا؟

ـ آخر اول کوچکتر باید آب بخورد وگرنه آدم می‌رود توی جهنم.

ـ مگر تو از من بزرگتری؟

ـ آره.

ـ از کجا می‌دانی؟

ـ برای این که همیشه پسرها بزرگتر از دخترها هستند.

حرف منطقی درستی بود که قبولش برایمان به همان سادگی آب خوردن بود. بعد می‌نشستیم و فکرمان را روی هم می‌گذاشتیم که اگر

این‌طور است پس او از خانم خانم یا ننه بزرگه هم بزرگتر است.

او هم سرش را تکان می‌داد سعی می‌کرد نخندد و می‌گفت: اما اگر سر آب خوردن باشد آنها نمی‌گذارند اول ما آب بخوریم.

ـ آخر تو از آنها بزرگتری دیگر، مگر نه؟

– مخصوصاً از ننه بزرگه.

و می‌خندیدیم.

دست مرا که می‌گرفتی یا دستت را روی شانه‌ام می‌گذاشتی،
دلم می‌خواست مادرم ما را می‌دید. اما یک بار که دید
گفت: دیگر حق نداری به خانه خانم خانم بروی و دیگر
نبینم با این پسره بازی کنی...

مادرم فریاد می‌زد که اگر شده این پسره دهاتی را به ده برگرداند، نمی‌گذارد ما دیگر روی هم را ببینیم. یک دختر بچه درست نیست با یک پسر بچه، آنهم...

او نمی‌دانست که تو یک بچه بهشتی بودی که برای من از
بهشت فرستاده شده بودی...

آن وقت به پدرم گفت که باید او را به ده برگرداند. پدرم گفت: زن، به من چه، مگر من او را آورده‌ام که برگردانم. پدرت هم که نمی‌شود روی حرفش حرف زد.

ـ نمی‌شود، من سرم نمی‌شود.

ـ پس اگر می‌شود خودت برش گردان.

مادرم سرم داد زد که حق ندارم پایم را خانه خانم خانم بگذارم، حق ندارم از خانه بیرون بروم و نشانم خواهد داد که جای این پسره دهاتی کجاست.

هر روز صبح که از خواب بیدار می‌شدم می‌ترسیدم رفته
باشی...

سرانجام مادرم پاپا را وادار کرد رستم را به ده برگرداند و مرا یک هفته در خانه زندانی کرد. خاله ماهم به مادرم گفت: همه‌اش تقصیر این فیلمهای ایرانی است که می‌بینید. فیلمهایی که این مزخرفات را توی کله‌تان می‌کنند. وگرنه دوستی دو تا بچه معصوم و بی‌گناه نمی‌دانم چه سیخی به شماها نمی‌زند. ولشان کنید بابا.

مادرم می‌خواست درس عبرتی به من بدهد، درس عبرت
برای این که تو دستت را روی شانه‌ام گذاشته بودی که اگر
از جوی آب می‌پرم نیفتم. اگر از خیابان رد می‌شوم زیر
ماشین نروم. نمی‌فهمیدم چطور برای من خوشحال نبود....

روز بعد از رفتنش تب کردم و گلودرد گرفتم. ننه ددری می‌گفت: غمباد است. پدرم برایم آنتی‌بیوتیک تجویز کرد. خاله ماه آمد خانه‌مان به او گفتم: من باید هر روز رستم را ببینم. اگر یک روز نبینمش شب خوابش را می‌بینم، آن وقت بیدار می‌شوم و گریه می‌کنم. دلم نمی‌خواهد گریه کنم، اما گریه خودش می‌آید. دست من نیست.

خاله ماهم مرا به خانه‌اش برد و قول داد که رستم همین امروز و فردا از ده برمی‌گردد. به مادرم هم گفت بهتر است دست از دهاتی بازیش بردارد و ما را راحت بگذارد.

دلم می‌خواهد روزها و سالها کنار پنجره قطار بنشینم و به تو
فکر کنم که می‌توانستی این جا روبروی من نشسته باشی
می‌توانستی در یکی از این قطارها باشی و به سفرهای زیادی
بروی، شغل مورد علاقه‌ات را داشته باشی فقط اگر اسمت
رستم نبود...

نه تقصیر او نبود که اسمش رستم بود و یک عمر همه به آن خندیده بودند. خودش می‌گفت: من به یک پینه‌دوز بیشتر شبیه هستم تا رستم آنهم رستم دستان.

> بازی اسمها برای من و تو پایانی نداشت. همانطور که اولین برخورد من نداشتن اسم بود. اولین برخورد تو داشتن آن بود...

پاپا که خودش را قیم و صاحب اختیار همه مردم دنیا می‌دانست، وقتی بچه لاغر و نحیف را بغل محمد می‌بیند، می‌گوید: محمد چه رستمی.

محمد سرش را کج می‌کند و بچه را به خودش می‌چسباند. پاپا می‌گوید: محمد، این رستم است یا پسر رستم. و اسم روی بچه می‌ماند.

سرانجام روزی که محمد به دستور پاپا برای گرفتن شناسنامه برای خودش و پسرش می‌رود؛ مامور ثبت احوال از او که پسر دوساله لاغر و سیاه چرده‌اش را همراه دارد می‌پرسد: اسم پسرت چیست؟

می‌گوید: رستم.

مامور ثبت خنده‌ای می‌کند و می‌گوید: پس چطور است اسم فامیلش را هم دستان بگذاریم.

و در میان خنده و شوخی کارمندان اداره ثبت احوال، برایش شناسنامه صادر می‌شود.

بچه تا سالهای سال از این که هر کس به او می‌رسد، محکم به پشتش می‌کوبد و می‌خندد و می‌گوید: چه رستمی، چه رستم دستانی، چیزی سر در نمی‌آورد. اما هیچ‌وقت حاضر نبود آن را عوض کند. می‌گفت: اسم، اسم است، چه فرقی می‌کند.

اشتباه می‌کرد، می‌گفت: خود آدم مهم است نه اسمش.

اشتباه می‌کرد. همیشه فکر می‌کردم اشتباه می‌کند. حالا از خودم می‌پرسم من با نامهای متعددی چه کرده‌ام؟

به جهان نگاه می‌کنم. روزنامه را طوری باز کرده که نمی‌توانم صورتش را ببینم. به بهانه دستشویی از جا بلند می‌شوم. چه راحت می‌توانم از صورت پنهان شده زیر ورق‌های روزنامه جدا شوم. در راهرو از حرکت قطار پی می‌برم که به ایستگاهی نزدیک می‌شویم. فکر می‌کنم در ایستگاه پیاده شوم و راه رفته را بازگردم. کنار در خروجی می‌ایستم. قطار توقف می‌کند، در را باز می‌کنم و پیاده می‌شوم. از جلوی پنجره‌ای که در طول سفر روبروی جهان نشسته بودم می‌گذرم. جهان بیرون را نگاه می‌کند. از دیدن من در آن سو جا می‌خورد، و با تعجب و نگرانی نگاهش را به طرف صندلی‌ام می‌گرداند. از جلو پنجره رد شده‌ام.

مامور قطار کنار در واگون ایستاده است. به دور و برم نگاه می‌کنم. مامور متوجه من است و انگار منتظرم ایستاده. با بی‌خیالی نگاهش می‌کنم. هزاران سال می‌گذرد. هزاران سال است که هر دو در انتظار یکدیگر ایستاده‌ایم. با تانی به طرفش می‌روم، دستش را حایلم می‌کند. با سر از او تشکر می‌کنم. نزدیک است به گریه بیفتم. بازویم را می‌گیرد لبخندی به لب دارد. در را پشت سرم می‌بندد. برمی‌گردم و نگاهش می‌کنم. سوتش را که به لب می‌برد چشمکی می‌زند و دوباره لبخند می‌زند. قطار آهسته می‌لغزد، از برابر هم رد می‌شویم.

از راهرو می‌گذرم، به یک یک مسافران نگاه می‌کنم. به صندلی خود می‌رسم و آهسته سر جایم می‌نشینم. جهان به دیدن من نیم‌خیز می‌شود، می‌خواهد چیزی بگوید، اما حرفی نمی‌زند. جابه‌جا می‌شود نگاهی به بیرون می‌اندازد. قطار از ایستگاه بیرون می‌رود. روزنامه‌ها را دسته می‌کند

و می‌گوید: آه! چقدر روزنامه، سرم باد کرد.

آنها را کنارش می‌گذارد. انگشتم را بر کناره پنجره غبار گرفته می‌کشم.

می‌گوید: کجا بودی؟

جوابی نمی‌دهم. بگذار تصور کند در خیال مرا آن سوی پنجره دیده است. چه فرقی می‌کند که چه چیز ما را از هم جدا کند، روزنامه یا پنجره، چه فرقی می‌کند. همچون بچه‌هایی که بزرگ می‌شوند و خانه پدری را ترک می‌گویند، ما نیز گویی دوران با هم بودنمان سپری شده بود.

دستی به موهایش می‌کشد و می‌گوید: چه خوب کردی با من آمدی.

لبخندی می‌زنم. دوباره می‌گوید: آره چه خوب کردی با من آمدی.

نگاهش می‌کنم شاید چشمهایش سرمه‌ای شده باشند. آرزو می‌کنم کاش چشمهایش کمی سرمه‌ای می‌شد.

صبحانه‌ام را در صبحی ابری و تاریک و در تنهایی آماده می‌کنم. اولین روزی است که از کارم استعفا داده‌ام. از شرکت دارویی که سالها در آن کار کرده بودم. اگر نمی‌توانستم زندگی‌ام را که نزدیک به سی سال در این سوی جهان ساخته بودم، رها کنم، دست کم می‌توانستم از کاری که از آن احساس رضایت نمی‌کردم، استعفا بدهم.

تصور می‌کردم با استخدام شدن در یک شرکت دارویی
می‌توانم به آرزوهایمان جامه عمل بپوشانم...

تصور می‌کردم کار در یک شرکت دارویی یعنی سر در آوردن از رمز و راز فرمول‌های دارویی. این تصور که می‌توانم وارد قسمت تحقیق شوم و برای درست کردن داروهایی که بو نداشته باشد به تحقیق بپردازم، تصور بیهوده و دور از واقعیتی بود. حتی اگر درجه دکترا هم می‌داشتم، نمی‌توانستم راهی به شبکه سری و اختصاصی شرکت‌های داروسازی پیدا کنم.

شبکه‌ای یکسویه که تنها هدفش منافع سهامداران خود بود، چنانچه زیانی متوجه‌شان می‌شد اولین قربانی کارمندهایشان بودند که اخراج آنها

طبق قرارداد در جهت منافع شرکت بود. هیچ یک از ما با هر درجه تحصیلی و سابقه کار در برابر اتفاقات پیش‌بینی نشده بیمه نبودیم. این شرکت‌ها می‌توانستند به دلیل زیان مالی صدها کارمند را بیکار کنند و در همان حال به سهامداران خود سودهای کلان بپردازند.

در چنین محیطی به کارم ادامه می‌دادم و هر روز به تو فکر
می‌کردم که چطور دلت از بوی داروها به هم می‌خورد و
آنچه من می‌کنم بی‌آن‌که کوچکترین کمکی به تو کرده
باشد جیب عده‌ای را پر می‌کند که همین الان هم از پول
لبریز است...

هر روز که سرکارم می‌روم نمی‌توانم این فکر را از ذهنم دور کنم که کار کردن برای این شرکتها خیانت است. جهان می‌گوید: کار در همه جا همین است. در این آشفته بازار ما مهره‌های کوچکی هستیم که قدرت جنگیدن نداریم. اینها از دولت‌ها هم قدرتمندتر هستند. حتی آنهایی که کاری دارند تا فردا مطمئن نیستند آن را داشته باشند و در موقعیت تو...

می‌گویم: موقعیت من؟

دستهایش را به هم فشار می‌دهد و نگاهم می‌کند و لبخندی می‌زند.

می‌گویم: مقصودت موقعیت سنی من است، یا خارجی بودنم؟

ـ تو که دیگر خارجی نیستی.

نمی‌توانم او را ببخشم. به یاد پاپا می‌افتم، و از این یادآوری بیزارم.

هنوز دستهایش را به هم جفت کرده نگاهم می‌کند و آن لبخند نابخشودنی روی لبهایش است. جمله‌ای که بی‌توجه ادا می‌کند، همان چیزی است که خودم هم به آن فکر کرده‌ام و شنیدن آن از زبان او تلختر است. دلم می‌خواست این اعتبار را برای من قائل باشد. احتمالاً وقتی به

من خیانت می‌کند با آنهایی است که از من جوانتر هستند.

برایم نوشته بود: بد نبود اگر می‌آمدی و سر و صورتی به داروخانه ما می‌دادی خانم دکتر.

نوشتم: از کیسه خلیفه می‌بخشی. پدرم داروخانه‌اش را با دنیایی عوض نمی‌کند. در ضمن من هم دکتر نیستم.

جواب داد: پدرت دیگر چندان کاری با داروخانه ندارد بیشتر کارها را دکتر پتروسیان به عهده گرفته است. پدرت سرپرست است و روزها را در اتاق پشت داروخانه به گفتگو با دوستانش می‌گذراند. تو هم لازم نکرده خودت را دست کم بگیری. این جا بعضیها به من هم می‌گویند آقای دکتر، غریبه‌هایی که برای گرفتن دوا می‌آیند، و آدمهای ساده‌دلی که فکر می‌کنند هر که در دواخانه کار می‌کند، دکتر است. من هم به روی خودم نمی‌آورم، کارشان را راه می‌اندازم و دستورهای دوایی را آن قدر برایشان توضیح می‌دهم که ملتفت شوند. آن وقت اگر باز هم این طرفها گذارشان بیفتد نسخه‌شان را فقط به دست من می‌دهند. گاهی دکتر پتروسیان چشمکی می‌زند و می‌گوید آقای دکتر، برو یکی از مشتریهایت آمده.

نامه‌اش را می‌خوانم و از شادی فریاد می‌زنم: رستم...

سپس تا چند روز از کارم احساس آرامش می‌کنم. شبها راحت می‌خوابم و کمتر به غول عظیم بی‌عدالتی که بر ما چیره شده فکر می‌کنم.

یک روز صبح بلند می‌شوم و احساس می‌کنم از بوی داروهایی که دیگر بو ندارند و بویشان را با داروهای دیگر گرفته‌اند که آنها هم برای انسان ضررهایی دارد، حالم به هم می‌خورد. آن وقت استعفایم را می‌نویسم و اعلام می‌کنم که دیگر پس از آن در هیچ شرکت داروسازی کار نخواهم کرد. حالا می‌فهمم چطور ممکن است آدم حالش از چیزی به هم بخورد و کسی آن را باور نکند.

تو می‌گفتی: داروها دیگر بویی ندارند.

داروخانه‌های این جا هم دیگر بویی ندارند. آنها هرگز بوی

داروخانه پـدرم را نـداشته و نـخواهـند داشت، هیچ

داروخانه‌ای بوی داروخانه پدرم را نخواهد داشت...

یک ساعت با صبحانه‌ام ور می‌روم. در خانه ما صبحانه مـراسـم
مفصلی داشت که کوچکترین شباهتی با این صبحانه‌ها ندارد. از خواب
که بلند می‌شدم سماور در حال جوش و نان تازه و پنیر روی میز بود. یکی
از بچه‌ها چایش را خورده و در حال رفتن بود، دیگری لقمه نان دستش
مانده و سرش توی کتاب بود. غرغر مادرم بلند می‌شد که درس را شب
قبل می‌خواند. آن دیگری هنوز از خواب بلند نشده، مادرم فریاد می‌زد:
امروز مگر مدرسه نداری؟ دستش را روی هم می‌مالید و بـه پـدرم کـه
خونسرد چایش را هورت می‌کشید نگاه می‌کرد. و زیر لب مـی‌گفت:
حرف آدم را گوش نمی‌کنند. تو هم که حرفی نمی‌زنی. رادیو روشن بود از
کنار آن که می‌گذشت صدایش را کم می‌کرد. تلفن زنگ می‌زد. مادرم در
حالی که نگاه مخصوصی به پدرم می‌انداخت می‌گفت: حتماً با شما کار
دارند آقای دکتر. سری تکان می‌داد و از در بیرون می‌رفت. پدرم گوشی را
برمی‌داشت. در همان حال یکی از بچه‌ها صدای رادیو را بـلند مـی‌کرد.
پدرم با دست به آن اشاره می‌کرد. خواهرم آن را کم می‌کرد و مـی‌گفت:
مگر کوری، نمی‌بینی بابا پای تلفن است؟

ـ کورم و بهتر که نمی‌توانم تو را ببینم.

بعضی از روزها با دلهره امتحان و ترس از دیر رسیدن بـه مـدرسه،
صبحانه خورده نخورده روپوش مدرسه را به تن می‌کردم و کتابها را زیر
بغل می‌زدم و قبل از این که در را پشت سرم ببندم فریاد می‌زدم: من رفتم،

خداحافظ. و نیمی از راه را می‌دویدم.

ظهرها با تصور غذایی که قرار بود برای ناهار داشته باشیم به خانه می‌آمدیم. سر صبحانه همیشه یکی بود که اصرار داشته باشد بداند ناهار چه داریم. مادرم با بی‌حوصلگی می‌گفت: حالا چایی‌تان را بخورید. تا ظهر خیلی مانده...

بعد با بلاتکلیفی می‌گفت: نمی‌دانم چه درست کنم؟ این هم شده یک مکافات. هر روز صبح آدم می‌ماند که چه بپزد.

هیجان‌زده هر کدام پیشنهادی می‌دادیم و این که آبگوشت درست نکند. برادر بزرگم همیشه می‌گفت: اگر آبگوشت بپزی من می‌روم خانه خانم خانم یا خاله پری. ما هم می‌گفتیم که همین کار را می‌کنیم.

مادرم می‌خندید و می‌گفت: از کجا می‌دانید که آنها آبگوشت نداشته باشند.

می‌گفتم: آبگوشت خاله پری خوشمزه‌تر از آبگوشت ما است.

پدرم می‌گفت: مرغ همسایه غاز است.

مادرم کمتر پیشنهادهای ما را قبول می‌کرد. به‌ندرت یادم می‌آید غذایی را که می‌گفتیم درست کند. می‌گفت: باشد یک وقت دیگر. حالا این را نداریم، آن را نداریم. بعد هم برای این که قال قضیه را بکند می‌گفت: خب، خب، یک فکری می‌کنم.

اگر روزی وعده‌ای می‌داد و ظهر درست نکرده بود غرغر همه بلند می‌شد. آن وقتها نمی‌فهمیدم که حق دارد. حالا که می‌فهمم موقعیتش را ندارم. بچه‌هایی ندارم که هر کدام تقاضایی داشته باشند. یک دختر دارم. فقط یک دختر که اسمش ستاره است.

بچه آخری خاله پری دختر بود. سر اسمش طبق معمول هر کس

پیشنهادی می‌داد من هم گفتم: اسمش را بگذارید ستاره.

همه به طرف من برگشتند.

خاله پری گفت: وا دیگه چی؟

مادرم گفت: یک کلمه هم از مادر عروس بشنو ستاره؟ این اسم را از کجا پیدا کردی؟ مادرم به همه چیز شک دارد، هر چیز را رد می‌کند مگر این که صددرصد باب سلیقه خودش باشد.

خانم خانم و پاپا هر دو به هم و بعد به من نگاه کردند. صورتم سرخ شده بود. خانم خانم خنده‌ای کرد و گفت: خب، بچه‌ام از این اسم خوشش آمده، بد که نیست.

پاپا گفت: پری خانم اگر اسم دخترت را ستاره بگذاری باید ضامنش بشوی که خوشگل هم بشود. مثل آنها که اسمشان ستاره است. و چشمکی به خانم خانم زد.

خاله پری اخمی کرد و گفت: وا چه حرفها.

مادرم دخالت کرد: ماشاءالله، آدم حظ می‌کند نگاهش کند. ضامن نمی‌خواهد خدا را شکر. پاپا گفت: خاله اگر تعریفش را نکند که بکند.

خاله پری گفت: حالا حالا وقت داریم که سر فرصت یک اسم خوب و قشنگ برایش پیدا کنیم.

ندانستم چطوری از اتاق بیرون رفتم و تا آخر شب هم خودم را نشانشان ندادم و خاله پری هم اسم دیگری برای دخترش انتخاب کرد.

پاپا عادت داشت برای سرکشی املاکش به ده برود. گاهی چندهفته‌ای طول می‌کشید. اما آمدنش را همیشه به خانم خانم خبر می‌داد. او هم اگر منزل خویشی یا حتی منزل یکی از خواهرهایش دعوت داشت می‌گفت: نمی‌توانم، حسام امروز برمی‌گردد. وقتی می‌رسد خسته است و من هم

باید در خانه باشم.

خاله پری همیشه می‌خندید و می‌گفت: شما هم این شوهرتان را خیلی ناز نازی بار آورده‌اید.

خانم خانم سری تکان می‌داد، لبخندی می‌زد، اما روز آمدن پاپا از خانه در نمی‌آمد.

پنجشنبه‌ای بود، از مدرسه یک راست رفته بودم پهلوی خانم خانم، زمستان بود و آنها کرسی داشتند و من عاشق کرسی او بودم. مادرم چند سال بود که کرسی را جمع کرده بود و به قول خودش همه بساط آن را داده بود برود.

کرسی یک بهانه بود. از وقتی رستم به خانه خانم خانم آمده بود، راه منهم از مدرسه کج شده بود به طرف خانه آنها. من از مدرسه و بچه‌ها و درسها تعریف می‌کردم، رستم از کارهایی که در روز کرده بود و درسهایی که شبها می‌خواند.

هر روز دفترچه‌هایمان را با هم مقایسه می‌کردیم. آنها را اندازه می‌گرفتیم، خط‌کشی می‌کردیم و درسها را از هم می‌پرسیدیم.

خاله ما هم خلاف میل پاپا اسم او را در کلاس‌های شبانه نوشته بود.

خانم خانم گفته بود: حالا این بچه دهاتی مدرسه می‌خواهد چه کند؟ اینها درس‌خوان نیستند. برای خودت درد سر درست نکن. از کجا که غلام‌خان راضی باشد.

ـ به غلام چه کار دارم. خودم خرجش را می‌دهم. تازه غلام کاری به این کارها ندارد.

ـ کسی نان خور زیادی لازم ندارد. همین که از آن بدبختی درآمده برایش کافی است.

- برایش کافی نیست. آدم که فقط شکم نیست.

پاپا از ته اتاق طوری که فقط خانم خانم بشنود گفته بود آدم فقط شکم است و زیر شکم.

خانم خانم سرش را اندکی برگردانده و دستش را طوری تکان داده بود که ساکت باشد.

خاله سر حرفش ماند و رستم را شبها به کلاس می‌فرستاد و مراقب بود که درسهایش را بخواند.

بعد از ناهار خانم خانم گفت که اگر درس ندارم بهتر است زیر کرسی بخوابم و سر و صدا نکنم. رستم را هم پی کاری فرستاد. دفتر و کتابم را روی کرسی پخش کردم. خانم خانم بالای کرسی خوابیده بود. صدای نفسهای مرتب و آرامش همراه سکوت بعد ازظهر چشمهایم را از خواب پر می‌کرد، زیر کرسی خزیدم و لحاف را تا روی شانه‌هایم بالا کشیدم. هنوز خوابم نبرده بود که در زدند. خانم خانم غلتی زد و زیر لب غُر زد که این وقت روز کیست در می‌زند. خواستم بلند شوم که اشاره کرد بخوابم. ننه بزرگه در را باز کرد. پاپا بود. خانم خانم با شنیدن صدای او فوراً از جایش بلند شد. چادرش را روی شانه‌اش مرتب کرد، دامن آن را دورش پیچید و به‌طرف در اتاق رفت. پاپا قدم توی اتاق گذاشت. لای چشمم را باز کردم. دیدم شانه‌های خانم خانم را گرفت و به‌طرف خودش کشید و دستش را زیر چادر او برد خانم خانم آهسته گفت: زود آمدی، چرا خبر ندادی؟

پاپا سرش را جلو آورد او را بوسید و گفت: حوصله‌ام سر رفت، می‌خواستم برگردم پیش ستاره‌ام.

خانم خانم دستش را روی بازوی او گذاشت. خندید و با سرش به

طرفی از کرسی که من خوابیده بودم اشاره کرد و زیر لب چیزی گفت. فوراً چشمهایم را بستم. پاپا خنده‌ای کرد و گفت: همیشه که یک دنباله داری، و با هم به اتاق او رفتند.

قلبم تند تند می‌زد، اولین بار بود که می‌دیدم بزرگترها یکدیگر را می‌بوسند. اسم ستاره توی ذهنم تکرار می‌شد. دلم می‌خواست بلند می‌شدم و از آنجا می‌رفتم. اما جرأت نکردم از جایم تکان بخورم و بعد هم خوابم برد. از صدای غل غل سماور و صحبت‌های توی اتاق بیدار شدم. ننه ددری بساط چای را می‌چید، خانم خانم کنار سماور نشسته بود. بلند شدم کتابهایم را که از روی کرسی جمع کرده بودند توی کیفم گذاشتم و بدون این که برای نان و چای عصرانه بمانم از آن جا آمدم.

این راز را حتی با تو هم نمی‌توانستم در میان بگذارم.
می‌دانستم که اگر پاپا بفهمد تو را می‌کشد...

حمام رفتن با خانم خانم آرزویی بود که به‌ندرت برآورده می‌شد. موهبتی بود که کمتر نصیب ما بچه‌ها می‌شد. او اولین کسی بود که سرش را با شامپو می‌شست شامپو تازه به بازار آمده بود و اگر با او بودیم اجازه می‌داد یک دست سرمان را با آن بشوئیم. شامپو را هم به دستمان نمی‌داد به ننه ددری می‌گفت که کمی روی سرمان بریزد و می‌گفت: خب حالا خودت چنگ بزن ببین چقدر کف می‌کند.

بوی آن برایم مدهوش‌کننده بود. هنوز هم به‌نظرم آن اولین شامپوها خوش‌بوترین شامپوها بودند. خانم خانم تنش را هم با صابونهای عطری که پاپا برایش می‌خرید لیف می‌زد. اگر همراهش بودم لیفش را می‌گرفتم و خودم را با آن می‌شستم. او دوست نداشت کسی همراهش باشد حتی مادرم یا خاله پری. گاهی ناهید که نوه اول و عزیزکرده بود، همراه او

می‌رفت. من کمتر.

این بخت را، اگر نصیبم می‌شد، مدیون ننه ددری بودم. ننه ددری صبح وسایل حمام را می‌برد تا زن اوستا خبر شود که خانم بزرگ چه ساعتی می‌رسد. آن وقت خانم خانم سر صبر همراه ننه بزرگه به حمام می‌رفت. بعد از این که ننه بزرگه برمی‌گشت ننه ددری می‌رفت که سر و تنش را بشوید و با او برگردد. اگر او را می‌دیدم التماس می‌کردم که مرا هم با خودش ببرد. سرش را تکان می‌داد و نچ نچی می‌کرد، بعد دستم را می‌گرفت و می‌گفت: بدو، بدو که رفتیم.

و زیر لب می‌گفت: خدا مرگم بدهد. اگر خانم بزرگ از خانه بیرونم کرد تقصیر تو است.

تا حمام کنارش می‌دویدم و به نگرانیها و شوخیهایش می‌خندیدیم. خانم خانم البته چیزی نمی‌گفت. لبخندی می‌زد و به ننه ددری می‌گفت که خوب سر و تنم را بشوید. ننه ددری هم می‌گفت: بروی چشمم.

خانم خانم از دلاک‌های غریبه خوشش نمی‌آمد حتی آنها را هم که آشنا بودند و سر و تن ما را می‌شستند، قبول نداشت. وقت‌هایی که ننه ددری به ده می‌رفت و سر وقت برنمی‌گشت من یا خواهرم را همراه می‌برد دست کم پشتش را لیف بزنیم. یکی از همین روزها که لیف را روی پشتش می‌کشیدم گفت: چرا بازی می‌کنی مادر، مگر دستت جان ندارد، محکمتر بکش.

جرأتی به خود دادم و گفتم: خانم خانم، من می‌دانم چرا اسم خاله ماه را ماه گذاشته‌اید.

-چرا؟

-برای این که اسم شما ستاره است اسم خاله ماه را هم ماه گذاشته‌اید

مگر نه؟ شما هم مثل من چند تا اسم دارید.

پشتش را کمی راست کرد و گفت: ستاره؟

لبف را روی شانه‌اش کشیدم و گفتم: من می‌دانم، اسم شما ستاره هم هست.

- از کجا می‌دانی؟

- آن روز، آن روز که پاپا آمده بود.

- خب؟

- من زیر کرسی خوابیده بودم.

با خنده‌ای پنهان در صدایش دوباره گفت: خب؟

خواستم بگویم: دیدم که شما را بوسید، اما نگفتم. گفتم: پاپا به شما گفت ستاره. اما من هیچ وقت به کسی نگفتم.

با احتیاط یک کاسه آب ریخت روی شانه‌اش و گفت: خوب کردی.

- چرا؟

در حالی که لیف را از من می‌گرفت گفت: خودت که بزرگ شدی می‌فهمی.

آن وقت صورتم را میان دستهایش گرفت و بوسید و گفت: خوب کردی. خوب کردی به کسی نگفتی.

ستاره که به دنیا آمد، در نامه‌ای برایش نوشتم که اسم دخترم را ستاره گذاشته‌ام و او بهتر از هر کس باید بداند چرا.

ستاره من اما به آن ستاره دوران کودکی‌ام هیچ شباهتی ندارد. ستاره من حتی زبان آن ستاره بچگی‌هایم را به زحمت می‌فهمد. هیچ خاطره‌ای از او ندارد آنها مانند دو ستاره‌اند که سال‌های نوری زیادی با هم فاصله دارند. دستهایم را دراز می‌کنم دلم می‌خواهد آنها را در دستهایم بگیرم،

احساس می‌کنم آن ستاره کودکی به من نزدیکتر از این ستاره‌ام است.

فکر می‌کنم آیا ستاره هرگز به این موضوع اندیشیده که چرا نتوانسته کودکی‌اش را با خواهر یا برادری تقسیم کند؟ یا این که هرگز با چنین تنهایی یا غیرتنهایی آشنا نبوده؟

یکی از روزنامه‌های کنار جهان را برمی‌دارم. ورق می‌زنم صفحه وسط پر از تصویر بچه‌های دبیرستانی است و مقاله‌ای در مورد نتایج امتحانات.

بچه‌ها در دسته‌های دوتایی و سه‌تایی کنار هم به ورقه‌هایی که جواب امتحاناتشان را نوشته نگاه می‌کنند. به یاد دورانی می‌افتم که با ستاره این دوران پراضطراب پیش از امتحانات را گذرانده‌ام. آخرین دوران با هم بودن‌مان.

جدایی‌ها مرحله به مرحله پیش آمد، خیلی زودتر از آن که انتظارش را داشتم شروع شد. پیش از این که مدرسه‌اش را تمام کند زمزمه جدا شدن و با بچه‌های دیگر هم خانه شدن را شروع کرده بود. مخالفت من راه به جایی نبرد، جهان با من همراه نبود و حساسیتی نشان نمی‌داد. حساسیتی که هم او، هم ستاره مرا به آن محکوم می‌کردند. جر و بحث زیادی در خانه شد، سرانجام وادارش کردم تا وارد شدن به دانشگاه در خانه بماند. گاهی فکر می‌کنم شاید بهتر بود نمی‌ماند. این دوران او را برای همیشه و به طرز عمیقی از ما جدا کرد. هیچ چیز خانه برایش کافی نبود. از دید او بزرگترین گناه ما این بود که نتوانسته بودیم کاملاً جذب تمدن غرب شویم. برای او آزادی، رها کردن تمامی گذشته بود و نمی‌توانست ما را، مرا که هنوز به گذشته‌ام گره خورده بودم درک کند و ببخشد. می‌گفت نباید می‌آمدی حالا که آمده‌ای باید گذشته را فراموش کنی. او حس غربت مرا درک نمی‌کرد. درک نکردن او را می‌توانستم بفهمم اما تحقیرش را

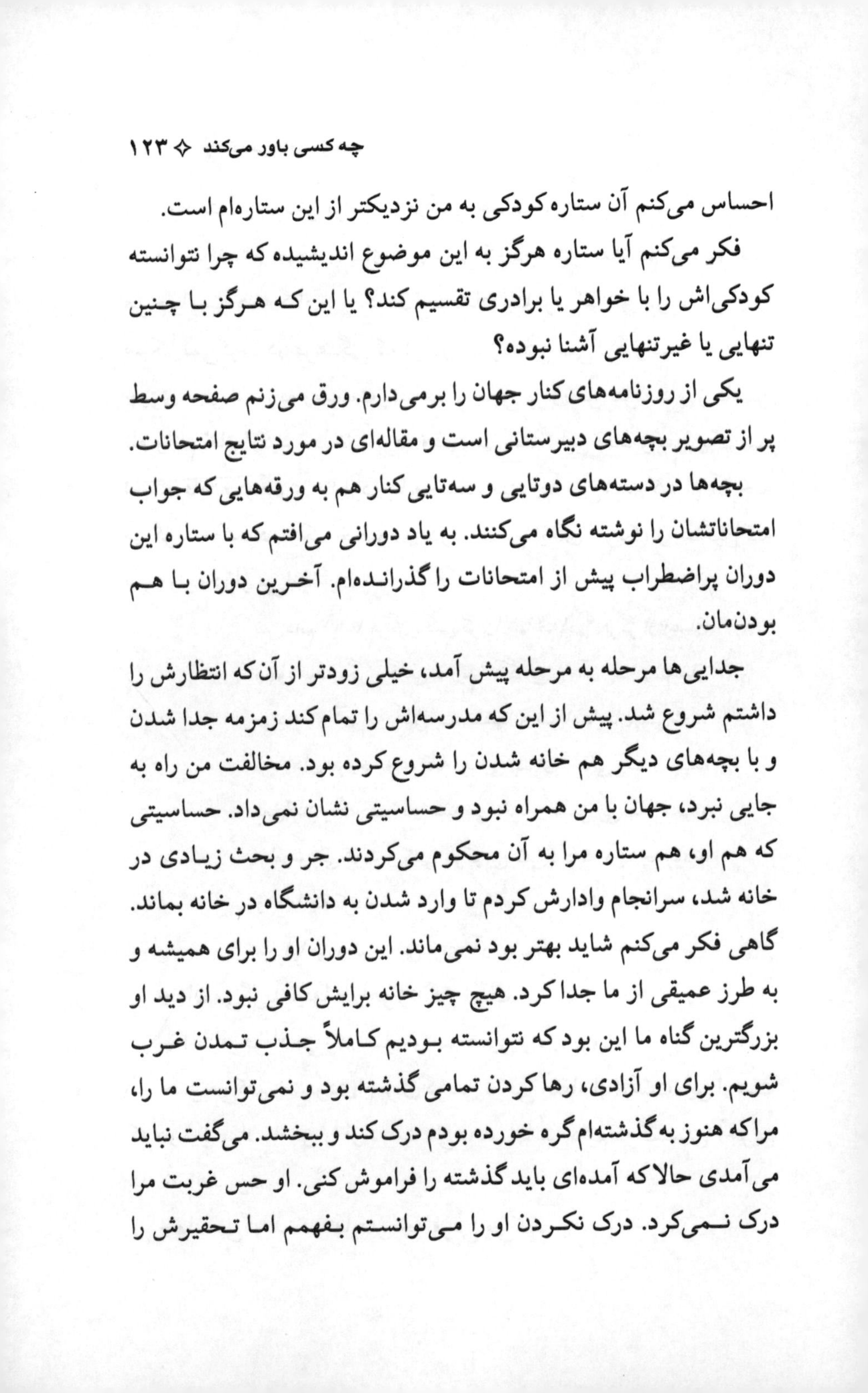

نمی‌توانستم. وجودش برایم سردرگمی عذاب‌آوری بود.

نمی‌توانستم خودم را برای روزهایی که دوستش نداشتم ببخشم. دلم می‌خواست همه گناه را به گردن خودمان بیندازم. اما این بار تحقیر او را سبک نمی‌کرد. در فرهنگی که او در آن زندگی می‌کرد و نمی‌خواست چیزی بجز آن را به رسمیت بشناسد، جایی برای من نبود. گاه از داشتن نام و نام خانوادگیش دلخور بود، وقتی می‌گفت: این فقط و فقط یک سد است. فایده دیگری ندارد، با وحشت متوجه می‌شدم که از آن چه می‌گوید خشنودم. یک خشنودی دردناک. سایه‌ای تاریک و سنگین که سرم را به دوّار می‌انداخت.

نمی‌دانم آیا ما هرگز یکدیگر را شناخته‌ایم؟ هرگز از اعماق وجود یکدیگر آگاهی داریم؟ آگاهی از آن چه رنجمان می‌دهد و آن چه دلیل بدخلقیها و فریادهایمان می‌شود؟ فریادهای فروخفته‌ای که جایی برای خالی شدن پیدا نمی‌کنند یک عمر در سینه می‌مانند و سپس بی‌صدا محو و خاموش می‌شوند و کسی هرگز پی نمی‌برد که آنها چه بودند و با ما چه کردند؟

من آیا می‌توانم جوابی برای آن بیابم...

جهان می‌گوید اینها ظواهر زندگی است.

بی‌اختیار فریاد می‌زنم: پس تو هم همین راه را برو.

حس می‌کنم خشنودی‌ام برای گرفتن نوعی انتقام از اوست. این اوست که در این میان نامش را از دست می‌دهد. اما می‌دانم که گسستن آخرین بند خواهد بود.

جهان می‌گوید: در نهایتش چه فرقی می‌کند.

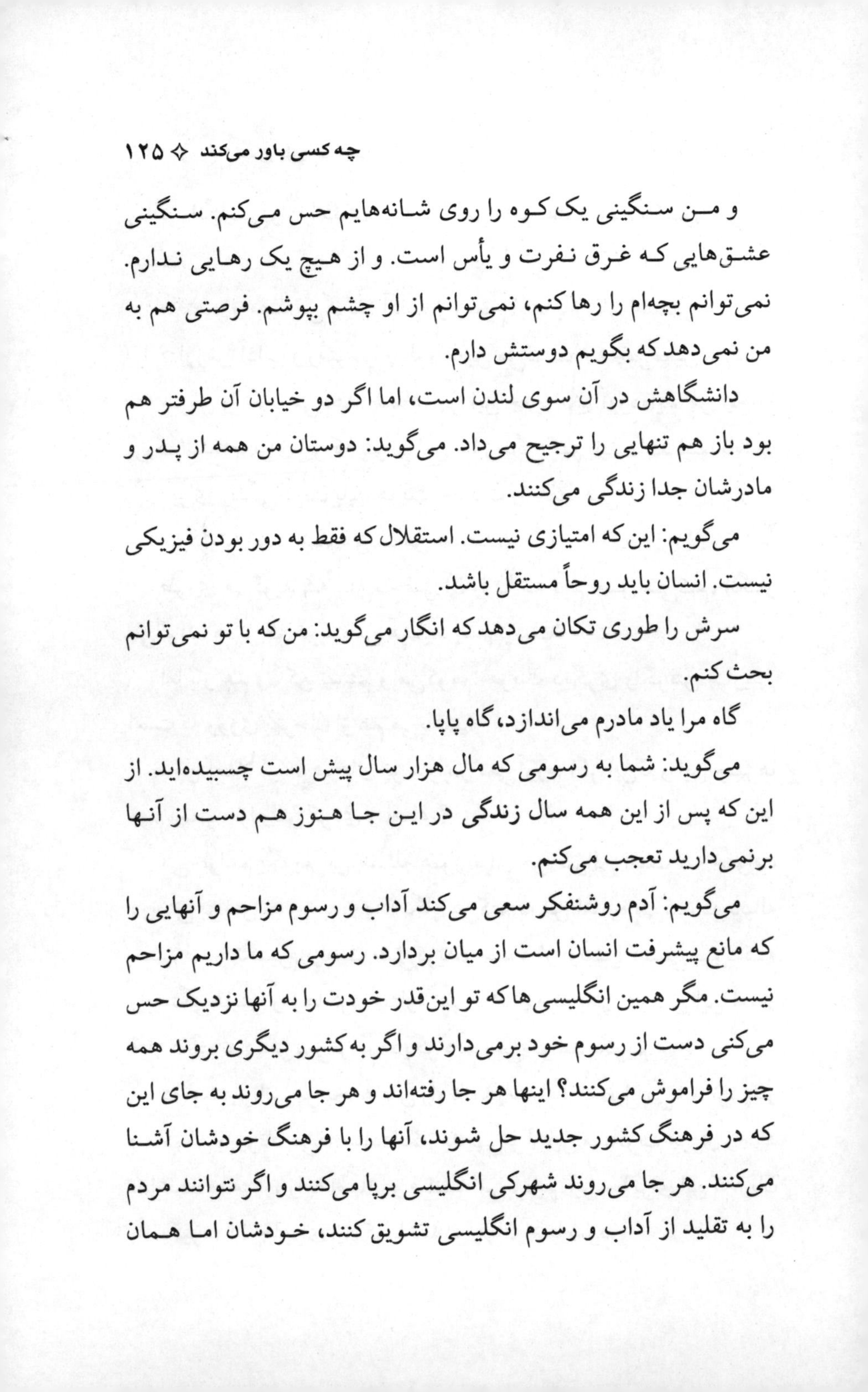

[illegible]

زندگی انگلیسی‌وار را دنبال می‌کنند. نمونه‌اش هنوز هم در کشور خود ما هست.

مختصر و مفید می‌گوید: آداب و رسوم اینها باارزش است.

- ارزش آداب و رسوم را چطور معین می‌کنند، چه چیز معین می‌کند؟

سرش را تکان می‌دهد: شماها مرا این جا به دنیا آورده‌اید. من این‌جا بزرگ شده‌ام، برای این که بتوانم این جا زندگی کنم باید مانند اینها باشم.

- برای زندگی کردن باید هویت خودت را حفظ کنی.

می‌گوید: خب، شما هویت من هستید...

طوری می‌گوید که بار تحقیر آن را تا ته دلم حس می‌کنم، انگار می‌گوید: همین که هویت من هستید بسم نیست؟

اما باز هم ول کن نیستم و می‌گویم: هویت دیگری را گرفتن عاریتی است که روزی بهرحال از هم می‌پاشد.

- من اصلاً از حرف‌های تو سر در نمی‌آورم. اگر این‌قدر این چیزها مهم است چرا ولش کردی و آمدی؟

می‌خواهم بگویم این مسئله هنوز برای من سؤالی است که جواب درستی برایش ندارم. به جهان نگاه می‌کنم به من اشاره می‌کند که دنباله حرف را نگیرم. راست می‌گوید، خود او اولین کسی بود که وابستگی‌هایش را رها کرد. ستاره نمی‌داند چه تاریخی در پس این آمدن قرار دارد. نه دیگر نمی‌توانم، دیگر دلم نمی‌خواهد بگویم.

دوست یونانی من بچه‌هایش را، تا مدرسه‌شان تعطیل می‌شد نزد پدر و مادرش به یونان می‌فرستاد. انگار بدیهی‌تر از این مسافرت چیزی وجود نداشت. ما ستاره را به اسپانیا و فرانسه می‌بردیم. این جا برای این که زبان یاد بگیرد، آن جا برای این که با تمدن جهان آشنا شود.

خودکرده را تدبیر نیست.

از خود می‌پرسم به کدام خوشبختی، کدام رنج، به کدام
یک از آنهایی که دلیل زندگی‌ام بوده‌اند و بی بودنشان دوام
آورده‌ام خواهم پیوست؟
از کجا باید شروع کرد، از پاپا که مثل غولهای توی قصه بود.
از تو که همه قصه‌ها را می‌دانستی جز قصه خودت؟
از زندگی آنها که رفته‌اند جز از دل من، یا آنها که مانده‌اند،
اما در دنیایی تنها، دور از هم، جدا از هم...

سرم را کج می‌کنم و از گوشه پنجره به دختری که چمدانش را با خود می‌کشد و به طرف قطار سکوی رو به رو می‌رود، نگاه می‌کنم. چمدانش سنگین است و صورتش خسته. یک کیف هم روی شانه چپش است. در این سرما حتی نمی‌تواند دستهایش را توی جیبش کند. جلو دکه روزنامه‌فروشی می‌ایستد. مرد فروشنده سرگرم صحبت با یک مشتری است و دستش را دراز کرده که پولش را بگیرد. دختر درست همسن ستاره است. حتماً ستاره هم در سفرهایش در سکوهای قطار همین‌طور چمدانش را به دنبالش می‌کشد. جهان می‌گوید: ستاره در زندگی‌اش مشکلی ندارد. همان بهتر که مانند ما نیست.

من برای ستاره غصه همه بچه‌هایی را که نداشته‌ام خورده‌ام. غصه تنهایی‌اش را خورده‌ام. غصه غریبی‌اش را خورده‌ام. شب و روز دلم برای آمدن و نیامدنش لرزیده است و سکوت کرده‌ام. حسرت خواهر و برادری را که نداشته خورده‌ام. غصه از دست دادن او را در دوازده سیزده سالگی خورده‌ام. آن قدر غصه‌اش را خورده‌ام که وقتی فاخته می‌گوید برو، قدر زندگیت را بدان، دلم می‌خواهد سرش فریاد بزنم، اما مردد

نگاهش می‌کنم. او دیگر نمی‌تواند مرا بفهمد. حسرتی پنهان در عمق چشمهای جسور و خندانش موج می‌زند. فاخته دنیایی را که من در آن زندگی می‌کنم نمی‌شناسد. او فقط دنیای خودش را می‌شناسد که در آن در بند است، دنیایی پر از آرزوهای برآورده نشده و آینده‌ای نامعلوم. دنیایی که من در آن زندگی می‌کنم همه آن چیزی است که او آرزویش را دارد. او نمی‌داند دنیای من همه حسرت آن چیزهایی است که از دست داده‌ام.

> دلم آشوب می‌شود، نه از بوی دوا، از هر چه داریم، از هر چه داشته‌ایم و از دست داده‌ایم. از آنچه نیست و نداریم و باید می‌داشتیم. از این که دیگر برایم فرق نمی‌کند چه کسی کجا و چرا زندگی می‌کند رستم. آه رستم...

در دانشگاه ستاره بندها را یکی یکی پاره و فاصله‌ها را بیشتر کرد. تلفنها و دیدارها کمتر شد. تنها من از او خبری می‌گرفتم آن هم اغلب روی ماشین پیام‌گیر، تیر خلاص.

جهان می‌گفت، استقلال.

من می‌گفتم: بیگانگی.

بیگانگی‌ای که دایره‌اش روز به روز وسیع‌تر می‌شد. به دور و برم نگاه می‌کنم، دخترک مدتها است که از جلو ما رد شده و مردک روزنامه‌فروش هم سرگرم مرتب کردن آدامس و شکلات‌های جلو پیشخوان است. چشمهایم را می‌بندم.

دوری و جدایی او نبود که مرا رنج می‌داد، رضایت‌خاطری بود که باید احساس می‌کردم و نمی‌کردم. نمی‌خواستم، نمی‌توانستم دست بردارم.

دو هفته به عید مانده است، دست و دلم به کاری نمی‌رود، حال و

حوصله ندارم. غلام‌خان پس از یک دوره بیماری سخت از دنیا رفته است. جای خالی‌اش را بی‌آن‌که در زندگی‌ام نمودی داشته باشد حس می‌کنم. او بود که نصیحتم می‌کرد و می‌گفت: چرا دخترت را با خودت نمی‌آوری؟

ـ مدرسه دارد.

ابروهایش را بالا می‌برد و می‌پرسید: تمام دوازده ماه سال مدرسه دارد؟

می‌گفت: با خودت بیاورش. نگذار ما را فراموش کند.

می‌گفتم: نمی‌آید.

سری تکان می‌داد و می‌گفت: می‌خواهی من حرفت را قبول کنم؟ بچه‌ها نباید ریشه‌هایشان را از دست بدهند. اگر بد هستیم بگذار این بدی را ببینند. اگر خوب هستیم بگذار از آن لذت ببرند.

می‌گفتم: آه بچه‌ها، بچه‌های این دور و زمانه خیلی عوض شده‌اند. دیگر چیزهایی را که ما می‌پسندیم قبول ندارند.

ـ تو برایش تصمیم نگیر. بگذار خودش قضاوت کند. آدمی که ریشه‌هایش را نمی‌شناسد، نمی‌تواند جایی مستقر شود.

می‌دانم که غلام خان حق دارد. اما حقیقت این است که می‌خواهم افسون آن کشور ناشناخته برای ستاره را، برای خودم حفظ کنم.

> از این می‌ترسم که تو را، هستی‌ام را، وطنم را در دستهای او
> از دست بدهم...

او هیچ وقت دختر مرا ندید.

قطار از میان مزارعی که خط‌کشی هندسی نامنظمی دارد، می‌گذرد. به دشتهای مملو از محصول و چمنزارهای سرسبز نگاه می‌کنم. در دور دستها گاوهای خونسرد و تنبل و اسبهایی که آدم نمی‌داند خوابند یا بیدار،

دیده می‌شود. بالای تپه‌ای گله‌ای گوسفند به‌صورت لکه‌های سفید روی چمن پراکنده است. نمی‌دانم میانشان بزغاله هم هست یا نه.

بزغاله‌هایی که کاغذ می‌خورند و ما دفترچه‌هایمان را برای
آنها نگه می‌داشتیم تا به ده که رفتیم ورق‌های آنها را بدهیم
بخورند و باسواد شوند. آنها مانند خود ما بازیگوش بودند و
تو رام کردنشان را می‌دانستی...

نامه سفارشی بود. درش را باز می‌کنم ورقه دیپلم دبیرستان است نسخه اصلی. پسرک دیوانه فکر نکرده اگر نامه در راه گم شود چه خواهد کرد؟

پای تلفن می‌گوید: غصه نخور. گم که نشده اگر هم گم می‌شد فقط یک ورقه بود.

فریاد می‌زنم: می‌توانستی کپی آن را برایم بفرستی.

مکثی می‌کند و می‌گوید: آن وقت همان می‌شد؟

راست می‌گوید، بغضم را فرو می‌دهم و می‌گویم: آن را با بزرگترین جعبه شکلاتی که بشود در دنیا پیدا کرد برایت می‌آورم.

ـ تا همه‌اش را دندان بزنیم و نیمه‌کاره سر جایش بگذاریم؟

ـ این لوس بازیها فقط کار من است نه تو.

می‌خندد. می‌گویم: حالا وقت دانشگاه است.

ـ وقتی آمدی تهران با هم حرف می‌زنیم. این جا مثل آن جا نیست. انگار یادت رفته.

ـ تو می‌توانی و باید دنبالش بروی.

می‌گفت: این فقط تو هستی که این حرف را می‌زنی. این جا کسی دربند این حرفها نیست.

ـ مگر برای این که تو به دانشگاه بروی، دیگری باید در بند باشد؟

اگر خاله ماهم نبود چه‌بسا او هنوز هم ته دکان جواد آقا به کفشها میخ می‌کوبید و احتمالاً واکس زدن هم یاد گرفته بود.

خانواده ما همه ضد تحصیلات بودند، وقتی پای خودشان در میان نبود. پدرم برادرهایم را مجبور کرده بود که هر چند سال هم در کنکور رد شدند باز سال بعد امتحان بدهند. این که ممکن است استعداد درس خواندن نداشته باشند توی سرش نمی‌رفت. برای بقای داروخانه‌اش به آنها و درس خواندنشان نیاز داشت. همان‌طور که برای بقای داروخانه‌اش به درس نخواندن رستم نیاز داشت.

گفتم: حالا نوبت دانشگاه است.

سرش را خاراند و گفت: گفتنش راحتتر از عمل کردنش است.

آن قدر گفت و گفت که دیگر دنبالش را نگرفتم، اما هیچ وقت نگفت: نمی‌توانم. می‌گفت: نمی‌شود.

می‌دانستم که راست می‌گوید. همان دیپلم را به هزار مشقت گرفته بود. پدرم غر زده بود که از کار داروخانه می‌ماند. پاپا داد زده بود که پسره دهاتی برای من درس‌خوان شده. فقط خاله ماهم و غلام‌خان پشتیبانی‌اش کرده بودند و مجبورش کرده بودند که دست کم دیپلمش را بگیرد. به پدرم گفته بودند برای داروخانه‌ات بهتر می‌شود. هر چه او بیشتر سواد داشته باشد بهتر می‌تواند کار کند. بزرگترین اشکال خانواده ما این بود که فقط یک خاله ماه و یک غلام خان داشتیم، نه بیشتر.

اگر بشود زندگی کسی را در چند جمله خلاصه کرد، زندگی
تو را نمی‌توان، تقصیر تو نیست که به‌یادت که می‌افتم
نمی‌توانم جلو اشکهایم را بگیرم...

از همان ابتدا که تصمیم گرفتم همراه جهان بیایم، از آن لحظه که پایم را توی قطار می‌گذارم، می‌دانم سوار قطاری می‌شوم که نمی‌دانم به کجا می‌بَردَم و چرا سوارش شده‌ام و این آوارگی تا به کجا می‌انجامد.

به مردی که کنار جهان نشسته نگاه می‌کنم. شاید سی و هفت هشت ساله باشد، پوست سفید و موی بوری دارد. کت و شلوار سرمه‌ای پوشیده با پیراهن سفید و کراوات هم زده است. وارد که شد، بوی ادکلن‌اش به‌طور ملایمی توی فضا پیچید. کیفش را بالای سرش گذاشت و فوراً روزنامه‌ای درآورد، زیر چشمی نگاهی به ما انداخت و مشغول خواندن شد. به دستش نگاه می‌کنم، حلقه‌ای در دست دارد.

دیگر می‌دانستم که اسمش جهانبخش و نام خانوادگیش جهاندار است.

امتحانات آخر سال شروع شده و تقریباً تمام وقتم در خانه و در حال درس خواندن می‌گذرد. از طرف خانه فاخته رد نمی‌شوم. امتحاناتم آن‌طور که تصور می‌کردم خوب نشده. نه تنها به پیش‌بینی فاخته شاگرد اول استان نشده‌ام، بلکه شاگرد اول حوزه هم نشدم او می‌خندد و

می‌گوید: شاگرد اول مدرسه که شده‌ای و می‌گوید: جهان سراغت را می‌گرفت.

با این که دلم از غصه آب می‌شود می‌گویم: حرفش را نزن. اگر قبول نشوم خودم را می‌کشم و همه‌اش تقصیر او است.

فاخته با تعجب نگاه می‌کند و می‌گوید: نمی‌دانستم موضوع این‌قدر جدی است.

دستم را روی دهانش می‌گذارم و التماس می‌کنم: خواهش می‌کنم چیزی نگو، خواهش می‌کنم بگذار به درسمان برسیم. خواهش می‌کنم... اَدایم را در می‌آورد و تمام روز تا چشمش به من می‌افتد می‌گوید: خواهش می‌کنم، خواهش می‌کنم...

بلیت تئاتر را در جایی پنهان می‌کنم و به سراغ درس‌ها می‌روم.

وحشتناک‌ترین حادثه‌ای که برایم پیش آمده بود این بود که معنی عشق را دریافته بودم. پیش از آن همیشه از عشق حرف می‌زدیم، شعرها و رمان‌های عاشقانه می‌خواندیم. کتابچه عقاید درست می‌کردیم و دلمان برای یک ذره عشق پر می‌زد، حالا ناگهان با تمام وجودم آن را حس می‌کردم. همه آن احساس در یک بلیت تئاتر و آن جمله که، شاید اگر دلت بخواهد آن را به یادگار داشته باشی، گنجانده شده بود. این جمله ساده برای من کتابی شده بود سراسر معما. با خودم می‌گفتم: چرا این را گفت. منظورش چه بود؟

به فاخته می‌گویم: حرفش را نزن. می‌خواهم در انزوای خودم باشم. لحظه‌ای مکث می‌کند، بعد می‌گوید: این روزها مثل شاعرها شده‌ای. ادای مرا در می‌آورد، می‌خواهم در انزوای خودم باشم.

و آن را سالهای سال به‌صورت ضرب‌المثل و شوخی بکار می‌برد.

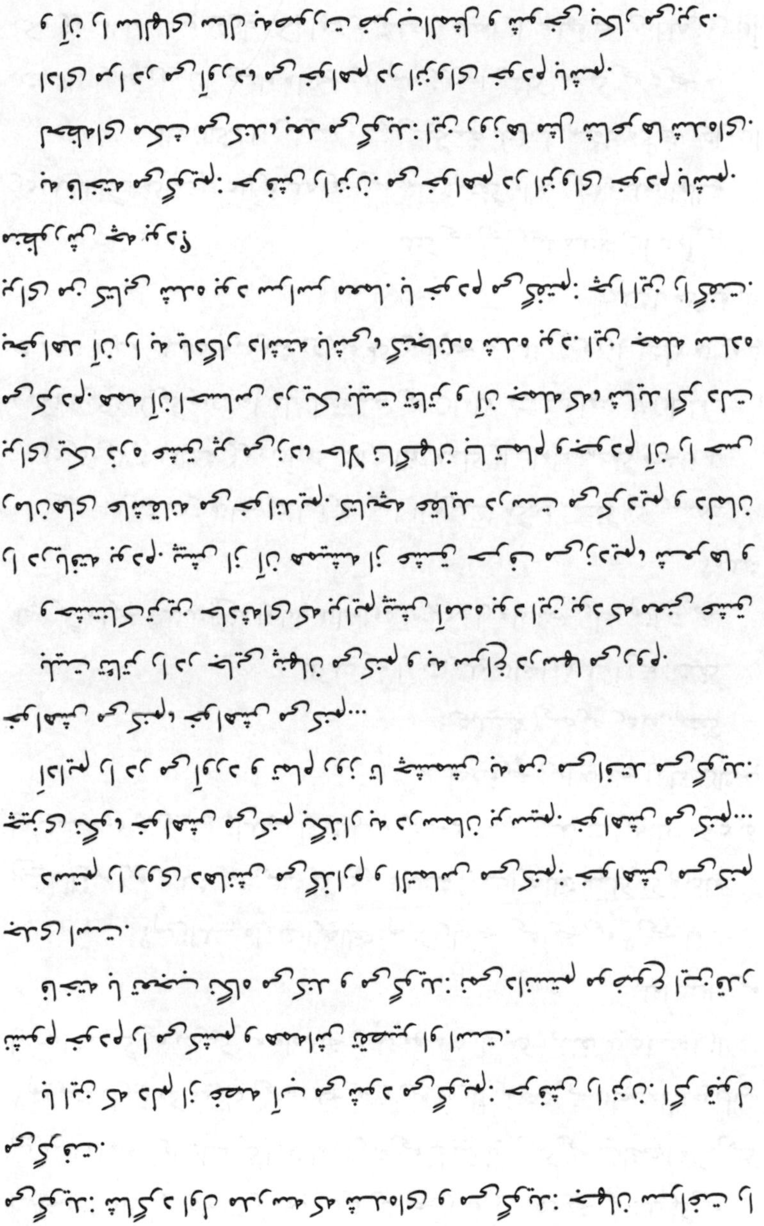

می‌گوید: بی‌خودی این‌قدر جوش نزن. یک رشته‌ای را باید انتخاب کنی، که انتخاب می‌کنی. یا قبول می‌شوی یا نه. اگر سال اول قبول نشدیم سال بعد امتحان می‌دهیم. تازه، من و تو چه عیبی داریم که قبول نشویم؟

از اعتماد به نفسی که دارد مبهوتم و خنده‌ام می‌گیرد، می‌گویم: این را می‌دانم، اما.

ـ اما چی؟ می‌خواهی چکار کنیم، تظاهرات راه بیندازیم؟

مادرم که کلمه تظاهرات را شنیده بود، گوشش تیز شد و مرا سؤال پیچ کرد که تظاهرات یعنی چه؟ دختر سرت را بینداز پایین و درستت را بخئان. ما را چه به این حرف‌ها.

گفتم: مادر عوضی شنیدی.

گفت: می‌آیند دواخانه پدرت را می‌بندند.

نمی‌توانم جلو خنده‌ام را بگیرم: دواخانه بابا را می‌بندند؟ چرا مگر چه شده؟

ـ همین که گفتم. دیگه نشنوم از این حرفها در خانه زده شود.

به فاخته گفتم: مامان از کلمه تظاهرات که آن روز شنید، ترش کرده.

ـ مامان تو تنها نیست. مامان من هم فقط بلد است بگوید نکن، نگو، نرو. ته دلش آرزویی ندارد جز این که فوری شوهرم دهد. مهم نیست طرف که باشد.

پی‌آمد آن خنده شیرینی می‌کند.

سالها بعد وقتی به او گفتم: دلم می‌خواهد فریاد بزنم که بگذارید در انزوای خودم باشم، لبخند غمگینی زد و سرش را تکان داد.

به خود می‌گویم: کاش امروز هم این جمله طنین آن روزها را داشت. آن روزها این حرفها پر از امید و عشق و تنها یک بازی بود. اما امروز یک

غم واقعی است. مفهومی جدی که کسی نمی‌تواند آن را درک کند.

امروز او تنها کسی است که این جمله را به یاد می‌آورد و تنها کسی است که می‌تواند آن را بفهمد.

آخرین امتحانات سال اول دانشگاه تازه تمام شده بود که فاخته تلفن زد: می‌آیی سینما؟

- سینما، کجا، کی؟

- کجا و کی‌اش مهم نیست. جهان آمده.

- ...

- حتماً می‌خواهی بپرسی جهان کیست؟ یادت رفته. من ترا خوب می‌شناسم.

- چرا باید آمدن او را به من خبر بدهی؟

- چون ایشان هم از شما خبر گرفت. چرایش برای این است.

گوشی به دست ماتم برده بود. ماهها به امید و انتظار خبری از او گذرانده بودم دیگر امیدی نداشتم که او را ببینم و حالا ناگهان آمده بود و سراغ مرا هم گرفته بود.

فاخته گفت: قرار شده فردا با هم برویم سینما.

- من هم باید بیایم؟

- نه لازم نکرده تو بیایی. اما اگر یک کلمه از من چیزی پرسیدی، نپرسیدی.

- آخر...

- خب پس، فردا می‌آیم دنبالت. حاضر باش.

- آخر...

- آخر و زهرمار. ساعت شش دم خانه شما.

نمی‌دانستم تا فردا را چطور بگذرانم. فکر و تصور دیدار او یعنی بار دیگر شب تا صبح بیدار ماندن و ستاره‌ها را شمردن. نزدیکهای صبح بود که خوابم برد آن هم برای این که رؤیای او را ببینم. رؤیای او که با دیگران متفاوت بود، ادکلنی که عطر آن می‌توانست تا ابد در خاطرم باقی بماند و آن چشمهای سبز که به آدم خیره می‌شد و خنده‌ای ته آنها موج می‌زد. که چقدر به یاد آوردنشان سخت بود. صبح با چشمهای پف کرده و تن خسته از جا بلند شدم. مادرم گفت که حتماً مریض شده‌ام و گفت که بهتر است بروم داروخانه و از پدرم دارویی بگیرم و روز را هم در خانه بمانم که حالم خوب شود. به او اطمینان دادم که هیچ چیزم نیست و امشب دیگر روی پشت‌بام نخواهم خوابید اما فعلاً کاملاً حالم خوب است. عصر هم پیش از این که صدایش درآید و اعتراضی بکند مختصر و مفید گفتم فاخته آمده دنبالم و از در بیرون رفتم.

فاخته نگاهی به من انداخت و با خنده گفت: فکر می‌کردم دست کم کمی خودت را برایش خوشگل می‌کنی.

دلم لرزید، با لحنی بی‌اعتنا گفتم: من که مثل تو نیستم هر کار هم بکنم فرقی نمی‌کند.

دستش را دور شانه‌ام انداخت.

گفتم: من نباید می‌آمدم. راست می‌گویی با این ریخت و قیافه آخر...

شانه‌هایم را فشار داد و گفت. ریخت و قیافه‌ات خیلی هم خوب است. فقط انگار یک دست حسابی گریه کرده‌ای. تو خانه حرفی شده؟

بازویم را محکم چسبید. گفتم: دیشب اصلاً نخوابیدم، برای همین چشمهایم باد کرده.

- چرا؟

ـ چرا چی؟

ـ نخوابیدی؟

ـ همینطوری. آخر خیلی گرم بود.

با شیطنت گفت: دیشب یک دفعه هوا آن قدر گرم شد که بعضی‌ها تا صبح خوابشان نبرد.

جهان و مهران دم سینما منتظرتان بودند. جهان این بار هم مانند دفعه‌های پیش بود. متشخص، خوش‌قیافه، خوش لباس و یکبار دیگر برای هزارمین بار و تا آخر عمرم عاشق شدم. هنوز درست جابه‌جا نشده بودیم که سالن تاریک و فیلم شروع شد. نیمه‌های برنامه، سرش را به طرفم آورد و آهسته گفت: با من ازدواج می‌کنی؟

نفهمیدم درست شنیده‌ام یا نه. فکر کردم دارد شوخی می‌کند یا یکی از جملات فیلم را تکرار می‌کند. رویم را به سوی او برگرداندم، با تعجب و ناباوری نگاهش کردم، آهسته پرسیدم: چی؟

سرش را جلو آورد، کف دستش را دور دهانش گرفت و دم گوشم گفت: پرسیدم، با من ازدواج می‌کنی؟

قلبم داشت از جا کنده می‌شد، صورتم داغ شده بود، فکر کردم چه خوب است که در تاریکی هستیم. فاخته آهسته گفت: شماها چقدر حرف می‌زنید.

تا آخر فیلم دیگر چیزی نفهمیدم. احساس می‌کردم به عوض فیلم دارد مرا نگاه می‌کند. یک بار هم دل به دریا زدم و زیر چشمی نگاهش کردم، غرق تماشا بود و انگار نه انگار که لحظه‌ای پیش در تاریکی سالن سینما از من تقاضای ازدواج کرده بود. فکر کردم شاید دچار توهم شده‌ام و دارم به یک نوع بیماری روانی مبتلا می‌شوم. لب‌هایم را به هم فشار

می‌دادم مگر قلبم آرام بگیرد، مطمئن بودم که صدای آن را می‌شنود. دلم می‌خواست از جا بلند می‌شدم و از آنجا می‌رفتم. نمی‌دانستم اگر چراغ‌ها روشن شود چه خواهم کرد. فریاد می‌زنم، گریه می‌کنم. نه نمی‌دانستم. حتی نمی‌دانستم که می‌توانم روی پاهایم بایستم یا نه.

نمی‌دانم زن و مردی که روزنامه به بغل دنبال جا می‌گشتند، جایی کنار یکدیگر پیدا کرده‌اند یا نه. جهان کیف دستی من و خودش را در جای مخصوص بالای سرمان گذاشته است. به ایستگاهی بزرگ رسیده‌ایم. در سکوی آن طرف، قطاری نفس نفس می‌زند. قطارهای برقی حالا دیگر مانند قطارهای ذغال سنگی قدیم، سر و صدا ندارند، اما تپش قلبشان را می‌توان حس کرد. دو مامور ایستگاه با قیافه‌های آرام به رفت و آمد شتاب‌زده مسافرها نگاه می‌کنند و با بی‌خیالی مابین سکوها قدم می‌زنند. گاه به مسافری که سرگردان و مضطرب به این سو و آن سو می‌رود نزدیک می‌شوند و راه را نشان می‌دهند و در همان حال مراقب سایر مسافرها هستند. انگار با بودن در بین جمعی مسافر عجول و سرگردان، مَنشی آرام پیدا کرده‌اند.

عشق و اضطراب همراه آن روز به روز آبم می‌کند. انگار روزی یک کیلو لاغر می‌شوم. فاخته می‌خندید و می‌گفت: این را می‌توانی به‌عنوان یکی از روشهای لاغری به بازار عرضه کنی. مشتری زیادی هم پیدا می‌کنی.

مادرم با نگرانی نگاهم می‌کند و به پدرم اشاره می‌کند. پدرم می‌گوید که بروم داروخانه برای تزریق آمپول ویتامین. می‌گویم که مشکلی ندارد و حالا که امتحاناتم تمام شده حالم هم خوب می‌شود. پدرم سرش را به علامت تصدیق تکان می‌دهد و می‌گوید: درست است. مربوط به

امتحانات است.

اما همه نیرویم را در سردرگمی سکرآوری که کنترلی بر آن ندارم و نمی‌خواهم داشته باشم، از دست می‌دهم. دلم می‌خواهد و می‌دانم که باید ماجرا را برای کسی بگویم. چه کسی بهتر از خاله ماهم. برایش تعریف می‌کنم، در عین حال سعی می‌کنم آن را به‌صورت مسأله‌ای کاملاً پیش پاافتاده و بی‌اهمیت جلوه دهم، اضافه می‌کنم: من یکی دوبار بیشتر ندیده‌امش آنهم خانه فاخته آمده بود سراغ برادرش و من هم تصادفی دیدمش. فعلاً هم او آن طرف دنیا است من این طرف.

- فعلاً که آن طرف دنیا نیست.

- راستش، خودم هم سر در نمی‌آورم.

- خب، توی سینما و در تاریکی و با یک کلمه که خواستگاری نمی‌کنند.

- شما به این می‌گویید خواستگاری؟

- پس به نظر تو این حرف چه معنی می‌دهد؟

- مامان هم مثل این که بویی برده و دائم از من می‌پرسد کجا می‌روم و چرا می‌روم.

- مادرت حق دارد. این جوان باید بداند که تو خانواده و پدر و مادر داری و راه و رسم ما هم با فرنگی‌ها فرق می‌کند.

خندیدم و گفتم: به مامان بگویید اگر یک شوهر برای دخترش پیدا شود و برش دارد و ببردش، خیالش راحت می‌شود؟ مگر نه اینکه همیشه از ترس این که بی‌شوهر بمانم نگران است؟ من که به خوشگلی ناهید نیستم که هر جا می‌رود برایش خواستگار پیدا شود.

دیگر گذشت ساعتها و روزها را حس نمی‌کردم. همه خوشحالی و

امیدم به لحظه‌ای بود که ممکن بود او را ببینم. انگار فقط برای همین زنده بودم که او را ببینم.

ستاره می‌گوید: جوانهای این دور و زمانه آن‌قدر از خود بیخود و شیفته نمی‌شوند. آنها در برابر عشق همه زندگی خود را به قمار نمی‌گذارند. حساب و کتابشان دقیق است. شما در آن روزگار در دنیایی غیرواقعی به سر می‌بردید.

قضاوت این دنیای واقعی یا غیرواقعی را که هنوز هم می‌توانم همه جزئیات آن، هر اشاره‌ای، حرکت دستی یا نگاهی را به یاد بیاورم، برای خودم نگاه می‌دارم. می‌توانم چشمهایم را ببندم و خودم را بار دیگر در آن زمان حس کنم آن دلهره‌ها، آن حس‌های قوی و زیبا.

ستاره آن را رؤیا می‌نامد و خودش را از حسی محروم می‌کند که خاطره‌اش یک عمر برای انسان می‌ماند و هیچ چیز، مطلقاً هیچ چیز نمی‌تواند آن را بازپس بگیرد.

صبح بود، هنوز خواب بودم که مادرم در اتاق را باز کرد و آهسته تکانم داد و گفت: پاشو، پاشو، آمده برایت گل آورده.

غلتی زدم و گفتم: خب، خب، الان.

مادرم دوباره تکانم داد: پاشو برایت گل آورده.

-کی گل آورده؟

-خودش.

از جا پریدم: گل؟

زنگ در را خواب و بیدار شنیده بودم. اما زنگ در خانه ما از صدا نمی‌افتاد. همیشه یا یکی می‌آمد یا یکی می‌رفت.

مادرم گفت: پاشو لباست را بپوش، بیا پایین. من می‌روم چای تازه دم

کنم. دوباره نخوابی‌ها.

هنوز درست متوجه نبودم که چه اتفاقی افتاده. یعنی چه که خودش آمده برایت گل آورده؟ او که تا...

یک دفعه از جا پریدم، نفهمیدم چطور لباسی تنم کردم. آبی به صورتم زدم. مادرم پایین پله با دیدن من دستش را به گونه‌اش چسباند و آهسته گفت: این چه ریختی است، برو یک کمی به خودت برس.

همین طور که از پله پایین می‌آمدم دستم را توی موهایم فرو بردم. گفت: اقلاً یک شانه به موهایت می‌زدی.

دو پله دیگر پایین آمدم و اشاره کردم که عیبی ندارد. مادرم دوباره با نگرانی نگاهم کرد: یک چیزی به صورتت بمال، با این رنگ پریده؟

آخ، چرا نمی‌فهمید در دل من چه می‌گذرد. چرا از سر راهم کنار نمی‌رفت؟ پایین پله تقریباً توی بغلش افتادم و گفتم: مادر بگذار بروم. راحتم بگذار.

آن وقت از سر راهم کنار رفت و با همان نگاه نگران و بلاتکلیف تا دم در اتاق همراهیم کرد.

پدرم روی یک مبل و جهان هم روی مبل دیگری نشسته بود. جهان با دیدن من از جایش بلند شد. نگاهش می‌کردم اما گیج بودم مثل کسی که در خواب راه می‌رود. گفت: ببخشید بیدارتان کردم.

روی اولین صندلی دم دستم نشستم. بوی ادکلن‌اش توی اتاق پیچیده بود و دیوانه‌ام می‌کرد. روی میز یک دسته گل بزرگ بود. نگاه سریعی به او انداختم، مانند همیشه کت و شلوار شیکی پوشیده بود و من اولین پیراهنی را که دستم رسیده بود تنم کرده بودم. دستم را توی موهایم بردم و با انگشتهایم شانه‌شان کردم.

پدرم با او صحبت می‌کرد، چیزی از حرفهایشان نمی‌فهمیدم.

مادرم دم در اتاق سینی چای را نگه داشته بود و منتظر من بود. سرم را تکان دادم. مصرّانه به من خیره شده بود. عصبانی بودم چطور نمی‌فهمد نمی‌توانم سینی چای را دست بگیرم و دور بچرخانم. آخر آن وقت هم موقع چای تعارف کردن بود؟ به خواستگاری که نیامده بود. آمده بود؟ به جهان نگاه کردم، رویش به پدرم بود و اصلاً حواسش به من نبود. مادرم هنوز منتظر ایستاده بود، نگاهم می‌کرد و با چشم و ابرو اشاره می‌کرد که سینی را از دستش بگیرم. چرا نمی‌فهمید که نمی‌توانم نزدیک جهان بروم و چای تعارفش کنم. اگر خاله ماهم بود...

مادرم سرفه‌ای کرد پدرم متوجه شد. بلند شد سینی چای را از او گرفت. مادرم چشم غره‌ای به من رفت. پدرم چای را جلو جهان گرفت. جهان نیم‌خیز شد چایش را برداشت و تشکر کرد. پدرم به سوی من چرخید و پرسید که چای می‌خورم؟ سرم را تکان دادم. هم او لبخند زد هم جهان.

مادرم در حالی که کنار من می‌نشست و سعی داشت حواس مرا سر جا آورد گفت: آقای جهاندار یک هفته است که از پاریس آمده‌اند.

جهان گفت: ببخشید بیدارتان کردم، نمی‌دانستم...

مادرم گفت: شیرین هر روز این وقت دانشگاه است. الان تعطیل‌اند. وگرنه حالا که وقت خواب نیست.

نمی‌فهمیدم مادرم چرا عذرخواهی می‌کند. این که خواب بودم و بیدارم کرده بود به عذرخواهی نیازی نداشت. حاضر بودم برای خاطر این بیداری دیگر هرگز تا ابد نخوابم.

خداحافظی که می‌کرد مادر با نگاهش به گلها اشاره کرد که مثلاً

متوجهم کند. جهان‌رو به من که هنوز گیج بودم گفت: بعدازظهر تلفن می‌کنم.

همین که در پشت سرش بسته شد قبل از این که مادرم بتواند حرفی بزند به اتاقم رفتم و یک قرن آن جا ایستادم.

استقلالش بود که پدرم پسندیده بود. آمده بود و خودش را معرفی کرده بود و بعد هم گفته بود که هر چه پدر و مادرم بخواهند و دلخواه من باشد انجام خواهد داد. فقط می‌خواسته پیش از این که مادرش را درگیر کند، با خانواده ما آشنا شود و موافقت‌شان را جلب کند.

فکر نمی‌کردم هیچ کس در دنیا این جرأت را می‌داشت که تک و تنها به خواستگاری بیاید، آن هم صبح اول وقت. تا به امروز هم این استقلال را حفظ کرده است. به‌طور وحشتناکی مستقل است. آن‌قدر که گاهی از دستش دیوانه می‌شوم. روزنامه خریدنش هم از استقلالش است. این ویژگی او را از دیگران جدا کرده، اما خودش بیش از هر چیز به آن وابسته است و حاضر نیست ذره‌ایش را از دست بدهد.

> با یک دنیای شادی آمدم که این خبر را به تو بدهم. اما همین که روبرویت ایستادم فقط نگاهت کردم و لبهایم را گزیدم. تو مرا نگاه می‌کردی و لبخندی که اصلاً هیچ چیز از آن نمی‌فهمیدم روی لبهایت بود. بی‌شک آن لبخند رنگی از شادی نداشت. لبخند غمگینی بود؟ نمی‌دانم...
>
> آن روزها معنای غم را حس نمی‌کردم، یکی از خوشبخت‌ترین آدمهای روی زمین بودم و لبخند تو که نه اسمی برایش می‌یافتم نه مفهومی، گیجم می‌کرد، اما رهایم نمی‌کرد....

در خانواده ما تعداد زن و شوهرهای خوشبخت زیاد نیست. آشنایی

من با جهان همه را به این خیال انداخته بود که شاید من شروع خوشبختی تازه‌ای در خانواده باشم. سرآغاز فصل دیگری از زندگی پاپا و خانم خانم. آنها عاشق هم بودند. البته پاپا تصور هر عشقی را در ذهن من نابود می‌کرد. نمی‌فهمیدم خانم خانم چطور می‌تواند دوستش داشته باشد.

خاله پری می‌توانست خوشبخت باشد اگر پاپا گذاشته بود. یک شوهر دیگر برایش پیدا شد که آن را هم پاپا نپسندید. تنها علت مخالفتش این بود که خاله پری عاشق آن مرد شده بود. تا آن جا که به یاد دارم تقریباً همه دور و بری‌هایمان با عشق مخالف بودند و آن را خلاف اخلاق جامعه می‌دانستند. آنهایی که عاشق یکدیگر بودند تا جایی که می‌توانستند آن را از دید دیگران پنهان نگه می‌داشتند. عشق حسی بود که بهتر بود در پرده‌ای از سکوت بماند. خانواده ما، خویشان و دوستانمان هرگز به خوشی‌های واقعی و نهانی زندگی‌شان اعتراف نمی‌کردند. حتی خندیدن و شاد بودن همراه با نگرانی و ترس بود. تنها کسی که از غش غش خنده‌اش هراسی نداشت ننه ددری بود. ننه ددری می‌خندید، دیگران از خنده‌های او لذت می‌بردند اما در همان حال او را از آن همه سرزندگی منع می‌کردند. خدا می‌داند که اگر روزی او از شادی استعفا می‌داد همین‌ها روزگارشان به چه صورتی در می‌آمد.

اشتباه خاله پری هم این بود که راز دلش را فاش کرده بود. خواهرم که عاشق شد همه از آن خبر داشتیم، اما وای به حالمان اگر کلمه‌ای جایی بازگو می‌کردیم. خاله پری بعد از این که گریه‌ها کرد گفت که از خیر هر چه شوهر و عاشقی است گذشته و دور همه این خوشی‌های زندگی را خط کشیده است.

خاله ماهم وقتی این حرف را شنید گفت: چشمش کور. آدمی که

عرضه ندارد باید هم بنشیند و بگذارد دیگران برایش تصمیم بگیرند. پرویز خان را هم همین‌طوری از خودش راند.

زندگی موردپسند جامعه را پدرم و مادرم داشتند. زندگی معمولی که می‌شد تمامی آن را در یک خط راست ترسیم کرد. وقتی بچه بودم دعواهای آنها را دیده بودم. بعدها آرام‌تر شدند. انگار دیگر فصل دعواهایشان گذشته بود. اما یک‌بار از مادرم شنیدم که به خاله پری گفت: اگر جایی داشتم یک ساعت هم نمی‌ماندم.

حرفی را که شنیده بودم باور نمی‌کردم. هنوز هم صدا و آه فرو خورده‌اش را می‌توانم به یاد بیاورم. با این که معنی آن را درست نمی‌فهمیدم، اما ناامنی و رنجی را که در صدایش بود، حس می‌کردم و هر روز که از مدرسه به خانه می‌آمدم می‌ترسیدم رفته باشد. اما از خودم نمی‌پرسیدم کجا؟

فاخته می‌گوید: می‌دانی با مرور زمان آدم جرأتش را از دست می‌دهد. آن کسی که روزی خدا را بنده نبود دیگر خودش را هم نمی‌شناسد. بدتر از همه این است که طوری به این چشم‌پوشی عادت می‌کنی که خودت هم نمی‌فهمی چطور در دام افتاده‌ای. یک روز چشم باز می‌کنیم و می‌بینیم برای هر چیزی دیر شده.

ـ چرا زودتر تصمیم نگرفتی؟ بعد از سی سال تازه یادت افتاده؟ چرا این همه صبر کردی؟

ـ به خاطر بچه‌ها. نمی‌خواستم آنها صدمه بخورند. تازه کجا می‌رفتم؟ حالا که بچه‌ها از آب و گل درآمده‌اند دیدم دیگر این آخر عمری.

ـ لطفاً میان معامله نرخ تعیین نکن، چطور شده آخر عمری؟

ـ آخر عمری است دیگر و همه چیز سخت است، سخت است

مخصوصاً اگر تو بخواهی.

ـ نمی‌فهمم چه می‌گویی. مگر تو نمی‌خواستی. یعنی او می‌خواست؟

ـ نه، جانم. این جا ایران است. کشور گل و بلبل. همه چیز آسان است به شرطی که مرد بخواهد و پولش را هم داشته باشد. اگر مرد حاضر نباشد، خودت را بکشی هم موفق نمی‌شوی. این مرد است که حرفش دررو دارد.

ـ طلاق همه جا پر دردسر است. آدم اگر بتواند راه‌حلی پیدا کند، باید امتحانش کند.

ـ چه راه‌حلی؟ چیزی نمانده بود که بشود برایش راه‌حلی پیدا کرد. مدتها بود که دیگر عملاً در خانه زندگی نمی‌کرد. آپارتمانی برای خودش درست کرده بود و بیشتر وقت‌ها آن جا بود. همیشه اول از یک شب شروع می‌شود. بعد تمام شبها. کم‌کم من و بچه‌ها را از زندگیش بیرون گذاشت. آنهم برای این که بتواند آن را قابل قبول نشان دهد.

ـ قابل قبول؟

ـ از نظر خودش. هر چه را زیاد تکرار کنی قبح‌اش را از دستی می‌دهد. این توهین به شخصیت و هوش من نبود، اگر صبر می‌کردم؟

ـ تو از همان اول انگار تکلیف زندگیت را نمی‌دانستی. تا آن جا که من یادم می‌آید اول از همه نگذاشت به رادیو بروی. بعد که بچه‌دار شدی کارت را سه روز در هفته کردی.

خنده تلخی کرد و گفت: بعد که دومی و سومی و چهارمی به دنیا آمدند، به‌طور کامل کارم را ول کردم. تا حالا هم به خاطر بچه‌ها بوده، والا یک روز هم نمی‌ماندم.

ـ می‌توانستی کسی را پیدا کنی که مواظب بچه‌ها باشد. نمی‌توانستی؟

و کارت را از دست ندهی.

-تحمل محیط بیمارستان را نداشتم. همه در بیمارستان می‌دانستند که آقای دکتر متخصص و استاد دانشگاه و تحصیل‌کرده امریکا برای این می‌خواهد پای زنش را از بیمارستان ببرد که برای هوس بازی‌هایش مزاحمی نداشته باشد. از پرستار و مریض و همراهان بیمار و کارکنان بیمارستان هر کس که اهلش بود می‌توانست با او سر و سرّی داشته باشد.

می‌گفت: همه زندگی‌ام را داده‌ام برای بچه‌ها و همه زندگی‌ام را هم حاضرم برایشان بدهم، اما دلم می‌خواست هیچ یک را نمی‌داشتم، هیچ یک را از این مرد نمی‌داشتم.

می‌دانی، یکی از تهدیدهایش این است که اگر طلاق بخواهم حرفی ندارد اما باید فکر بچه‌ها را از سرم بیرون کنم. او درسش را خوب بلد است.

-اینها هزار راه دارد.

-این تویی که فکر می‌کنی هزار راه دارد. این جا از این خبرها نیست. اگر دلشان بخواهد دُمت را می‌گیرند و مثل موش مرده می‌اندازندت بیرون.

-مگر تو را از سر راه پیدا کرده که هر کار دلش خواست بکند؟

-ننه و بابات هم نمی‌توانند کاری کنند تازه اگر بخواهند کاری کنند، چون آنها معمولاً طرفدار بسوز و بساز هستند کاری نمی‌کنند، جز این که بگویند، خانه و زندگی به این خوبی داری چیزی را که از تو دریغ ندارد. پس بنشین و صدایت در نیاید. تا حالا برای بچه‌ها صبر کردم. حالا هم فکر می‌کنم خب بعدش چه کنم. زندگی بدون رادیو و بدون کارم ممکن است. اما بدون بچه‌هایم ممکن نیست. برو خدا را شکر کن که فقط یکی

داری.

می‌گویم: من آرزو داشتم بچه‌های زیادی داشته باشم. اما جهان مخالف بود. او فکر می‌کند در این دنیای نابسامان آوردن بچه گناه است. ستاره هم مانند او فکر می‌کند و می‌گوید که هیچ وقت بچه‌دار نخواهد شد. اما من فکر می‌کنم، قشنگترین خانه‌ها جایی است که بچه‌های زیادی در آن باشند و از هر گوشه صدایشان شنیده شود.

ـ شوهر نازنین منهم دلش می‌خواست بچه‌های زیادی داشته باشد. البته او مثل تو فکر نمی‌کرد که صفای خانه به سر و صدای بچه‌هاست. او می‌خواست پسر داشته باشد و اگر چهارمی پسر نمی‌شد مجبور بودم آن‌قدر بزایم تا بالاخره یکی پسر شود.

زندگی خواهرم ناهید عکس‌برگردان زندگی مادرم بود. همان ساعتهای زیاد کار شوهرش در داروخانه و تنها ماندن او در خانه، همان بچه‌داریها به کمک مادرم و ننه‌ها. همه چیز همان بود بی‌کم و کاست. و هیچ چیزش برای من حسرت‌انگیز نبود.

می‌اندیشم چرا نمی‌توانیم مانند خاله ماهم و غلام خان باشیم. مانند آنها که بچه‌ای نداشتند اما خوشبختی در زندگی‌شان موج می‌زد. آن شبها که کنار هم می‌نشستند و ساعتها کتاب می‌خواندند و چندان حرفی نمی‌زدند. غلام خان گاه چای برای خاله ماهم می‌ریخت و جلو او می‌گذاشت و خاله ماهم به او نگاه می‌کرد و لبخند می‌زد. از کنار غلام‌خان که رد می‌شد دستش را روی شانه او می‌گذاشت، کنارش که می‌ایستاد به او تکیه می‌داد. چقدر آرزو کرده بودم مانند آنها زندگی کنم. چرا نمی‌توانستیم مانند آنها باشیم، چه چیز مانعمان می‌شد؟

خوشبختی برای من در کنار تو بودن و برای ابرها قصه گفتن

بود. کنار تو نشستن و لوسی را ناز کردن بود، لحظه‌هایی که
دست کوچکت را روی دستم می‌گذاشتی و گوشهای لوسی
تیز می‌شد و خرخرش قطع و وصل...

جهان اما دنیای دیگری بود. همین، فقط همین.

ازدواج ما در همان تابستان سر گرفت. مادرم از این که سرانجام مرا شوهر می‌داد، از خوشحالی در پوست نمی‌گنجید.

خاله پری به خودش دلداری می‌داد که احتمالاً نگرانی‌هایش درباره در بدر شدن اشتباه بوده و اروپا رفتن ما کوتاه‌مدت خواهد بود.

پدرم پرسید: تکلیف یک سال درسی که خوانده‌ام چه می‌شد؟

جهان جواب داد: در آن جا بهترین امکانات برای تحصیل وجود دارد. درس شوریده و دوره کار من که تمام بشود به ایران باز خواهیم گشت.

خاله ماهم به اشاره گفت: در آن جا تنهایی و غربت، ندانستن زبان و نشناختن محیط آسان نخواهد بود.

می‌گفت، باید با چشم باز مسایل را ببینم. باید آماده قبول تنهایی و مقابله با سختی‌ها باشم. نباید فکر کنم آن‌جا بهشت برین است. با این که آن طرفها نبوده، می‌داند که زندگی در همه جای دنیا شباهتهایی با هم دارد و متأسفانه این شباهتها در مشکلات بیشتر از خوشی‌ها است.

غلام‌خان می‌گفت که اگر این مشکلات را بفهمم و با امکانات و برتری‌های آن اجتماع مقایسه کنم، احتمالاً تحملش برایم راحت‌تر خواهد بود.

خاله ماهم که سایه ترس را در صورتم دید گفت: دانستن این چیزها برای نگران کردن تو نیست. برای آگاهی بیشتر است.

آنها تنها کسانی بودند که می‌گفتند نباید همه زندگی‌ام را به قمار عشق

بگذارم. رؤیا داشتن و در رؤیا زندگی کردن شیرین است. انسان قوی می‌تواند با درایت به رؤیاهایش صورت واقعیت ببخشد و نگذارد رنج آن از پا درش بیاورد.

به حرفهایش گوش می‌دادم، و در همان حال حس می‌کردم می‌توانم بر همه سختی‌ها پیروز شوم. در آن زمان به هیچ سختی و مشکلی باور نداشتم و معتقد بودم که دنیا نمی‌تواند از آن چه بود زیباتر شود. قبول آن چه آنها از دنیایی که ندیده بودند، می‌گفتند، برایم سخت بود.

حس می‌کردم رضایت اطرافیانم بیش از هر چیز در این است که کسی پیدا شده دستم را بگیرد و از این جا ببرد. همگی بر این عقیده بودیم که به جایی می‌روم که همه امکانات زندگی به بهترین شکل در دسترسم خواهد بود و از آن پس در نهایت خوشبختی و رفاه به سر خواهم برد.

نمی‌دانم چگونه تصور می‌کردیم، همه آسودگی‌ها، تمامی خوشبختی‌ها با قدم گذاردن به جایی که کوچکترین شناختی از آن نداشتیم، امکان‌پذیر می‌شد. اگر بزرگترین ترس انسان، روبه رو شدن با ناشناخته است، چرا برای ما بزرگترین خوشبختی رفتن به سوی آن شده بود.

پدرم که مدتی کوتاه، در آلمان زندگی کرده بود کوچکترین اخطاری به من نمی‌داد و هر چه از خاطرات او به یاد داشتم تحسین از زندگی و نعمت و پیشرفت آن طرفها بود. تعریف و تحسینی که القای بدبختی و عقب‌ماندگی و در نهایت تحقیر ما بود.

حس می‌کردم همه به من و موقعیتی که برایم پیش آمده بود حسرت می‌خورند. به این ترتیب هیچ چیز مرا آماده یک زندگی کاملاً متفاوت با آن چه می‌شناختم نمی‌کرد. نمی‌دانم اگر عشق و دلدادگی و نیروی

جوانی‌ام نبود به راستی با سختی‌های زندگی در غربت چطور کنار می‌آمدم. اما در کنار جهان تنها یک چیز را حس می‌کردم عشق. اگر لحظه‌های فراوانی بود که تلخی غربت، تنهایی و شکل متفاوت زندگی و کمبودهای زندگی دانشجویی دلم را تنگ می‌کرد، جهان آن جا بود و مرا از همه ناملایمات حفظ می‌کرد.

روز عروسی‌ام فاخته دستهایش را به هم فشار داد و گفت: این شادترین روز زندگی‌ام است.

چشمهایش برق می‌زد. می‌رقصید و می‌خندید و صد تا عاشق و خواستگار پیدا کرده بود. روز بعد گفت: خاک بر سر من، تقصیر خودم است. باید پایش را از خانه‌مان می‌بریدم تا تو را تور نزند و حالا این‌طور تنهایم نگذاری. حالا من بدون تو چکار کنم؟ به کی غر بزنم و برای کی درددل کنم و چطور سر کلاس بروم؟

خانم خانم آه‌های دلش را فرو می‌خورد. او چندان غصه بچه‌هایش را خورده بود، با این خیال که من آغاز خوشبختی تازه‌ای باشم خودش را دلداری می‌داد. پاپا یک قطعه از زمین‌های دهش را، همان‌طور که برای سایر بچه‌ها کرده بود به اسمم کرد و در تمام مراسم غر زد که: این پسره هم وقت‌گیر آورده، حالا که کارش داریم غیبش زده.

خاله ماهم در تمام مراسم عقد و عروسی‌ام اشک ریخت. وقتی پرسیدم: چرا گریه می‌کنید. گفت: اشک شادی است.

خاله پری گریه می‌کرد و می‌خندید و می‌رقصید و چند بار آهسته زیر گوشم گفت: دست کم تو انتقام مرا گرفتی جان دلم. قدر زندگیت را بدان. خوب می‌کنی می‌روی. برو، هر چه از دست این‌ها دور باشی بهتر. برو، امیدوارم خوشبخت باشی.

ننه‌ها در حالی که اشکهایشان را با گوشه چادر پاک می‌کردند برایم آرزوی خوشبختی کردند. علی‌خان با آن قد بلندش نیم‌متری سرش را پایین آورد و به من تبریک گفت. آقا وردی صورتم را بوسید و گفت: خوشبخت باشی دخترم. خودم بزرگتان کردم و حالا...

دستم را دور شانه‌هایش انداختم و صورت آفتاب سوخته‌اش را که بوی خاک و علف می‌داد بوسیدم.

> تو در عروسی‌ام نبودی، به سربازی رفته بودی و برای عروسی‌ام هم نیامدی. آن‌قدر خوشبخت بودم که فرصت نمی‌کردم بفهمم چقدر نبودت را حس خواهم کرد، درست لحظه‌ای که در هواپیما نشستم و به همه کسانی که به بدرقه‌ام آمده بودند فکر کردم جای خالی تو را حس کردم، جایی که هیچ کس نمی‌توانست پر کند. وقتی برگردی من رفته‌ام، کتابها و کتابچه‌های یک‌ساله‌ام را بسته و به همراه جهان رفته‌ام تا در کشوری دیگر، با زبانی دیگر زندگی دیگری را شروع کنم. زندگی دیگری با اسم دیگری. با مردی که عاشقش هستم اما نمی‌شناسمش. آیا او مرا می‌شناسد؟

رؤیای یک شب تابستان.

در تئاتر کنار جهان و ستاره نشسته‌ام. رؤیای یک شب تابستان، یکی از نمایشنامه‌های شکسپیر را نشان می‌دهند. با این که داستان را خوانده‌ام، اما می‌دانم برای درک زیبایی کلام نمایشنامه باید با زبان شعری شکسپیر آشنا بود. در نیمه‌های نمایش حس می‌کنم هر چه بکوشم باز موفق به درک محیط و حال و هوای داستان نخواهم شد. آن‌چه را که تماشا می‌کنم نیمی از واقعیتی است که اتفاق می‌افتد. مانند کسی که شعرهای ترجمه

شده حافظ را بخواند.

به خودم می‌گویم در راه برگشتن به خانه برای ستاره از نمایشنامه‌های فردوسی خواهم گفت. از تراژدی رستم و سهراب. اما فوراً به بیهوده بودن نیتم پی می‌برم. مگر می‌شود بدون خواندن شعرها، به زیبایی آن پی برد. رستم و سهراب تنها یک تراژدی نیست، یک فرهنگ است. چطور می‌شود آن را در راه خانه تعریف کرد و از عهده برآمد؟ از زیر چشم به ستاره نگاه می‌کنم، غرق تماشا است حس فاصله‌ای که دنیای او با دنیای من دارد، تکانم می‌دهد.

از سالن نمایش دورافتاده‌ام و بی‌هیچ دغدغه‌ای خود را به خیال می‌سپارم. با انگشتهایم سالهای زندگی‌ام را که در دنیایی گذشته که تنها نیمی از واقعیت آن را حس کرده‌ام و نیم دیگرش به من تعلق نداشته، می‌شمارم. در دنیایی که حتی نتوانسته‌ام تمامی وجود بچه‌ام را داشته باشم. از این که دیگر نمی‌توانستم فکرم را بر زبان آورم خسته بودم. آن چه می‌گفتم، فکر و عقیده‌ام نبود چیزی بود که از من انتظار داشتند. شفافیت درونم را از دست می‌دادم. عادت کرده بودم که حرف‌دلی نداشته باشم. اعتماد مانند سلامتی است از دست که رفت دیگر به زحمت باز می‌گردد. درونم از اعتماد تهی می‌شد.

> از خودم می‌پرسم چرا نمی‌توانم به هیچ چیز دل ببندم؟ چه چیزی مانع دل‌بستنم می‌شود؟ روزنامه‌هایی که جهان خریده و چون سدی او را از من جدا می‌کند؟ یا ستاره که پاره‌تنم است و مانند ستاره‌های آسمان دور؟ یا این که هرگز به درستی ندانسته‌ام به چه چیز دل بسته بوده‌ام...

قطار از کنار جلگه‌های سرسبز می‌گذرد همه‌جا آن‌قدر سبز است که می‌توانم تصور کنم با نگاه کردن به آنها، چشمهایم سبز خواهد شد. به جهان نگاه می‌کنم. چشمهای او سبز است، سبز سبز. چشمهای من سیاه است. سیاه سیاه مانند قیر.

تو می‌گفتی با این چشمهای سیاه چطور می‌توانم دنیا را ببینم....

از ایستگاه کوچکی بی‌توقف می‌گذریم. از جلو سکوی قطار رد می‌شویم. زنی روی نیمکت نشسته است. با نگاهش قطار را دنبال می‌کند. هنوز کاملاً به جلو نرسیده‌ایم که کمی از جا بلند می‌شود و با دیدن قطار که می‌گذرد دوباره سر جایش می‌نشیند.

زن سالمند است. موهایش را پشت سرش جمع کرده. یقه پالتویش را بالا برده و شانه‌هایش را از سرما درهم کشیده است. کیفش را در بغل گرفته. نگاه خالی‌اش به من و سایر مسافرها چنان است که انگار ما را نمی‌بیند. جز او کسی در ایستگاه نیست.

سی و چند سال است که همراه جهان از این شهر به آن شهر و از

کشوری به کشور دیگر رفته‌ام و به خاله پری فکر کرده‌ام که غصه در به دری مرا می‌خورد. سال‌هایی که روز به روز دور و دورتر می‌شوند. سال‌هایی که می‌توانستم در اتاقم را ببندم و صدای رادیو را آن‌قدر بلند کنم که مادرم فریاد بزند: اگر فکر ما را نمی‌کنی، فکر همسایه‌ها را بکن.

سال‌هایی که می‌توانستم ساعت‌ها روی کتابی خم شوم و بدون خواندن کلمه‌ای به رؤیا فرو روم و دلم شور هیچ چیز را نزند. سال‌هایی که پر از خوشحالی‌های کوچک و غم‌های کوچک بود.

سال‌هایی که تو در چند قدمی‌ام بودی همیشه...

به سی و چند سال گذشته فکر می‌کنم که یک عمر است، یک دایره بسته و کامل، که می‌توان از هیچ به همه و از همه به هیچ چیز رسید.

فاخته پای تلفن گفت که باید برای عروسی‌اش به تهران بروم. گفتم: بهتر نبود کمی زودتر خبرم می‌کردی؟

در راه امریکا بودم و باور نمی‌کردم در عروسی او نباشم. مختصر اثاثی را که داشتیم جمع کرده بودیم. خانه را قرار بود دو هفته دیگر تحویل بدهیم.

- تقصیر از من نیست. همین‌طوری یک دفعه تصمیم گرفتیم.

پرسیدم: اصلاً چطور شد قبول کردی تو که...؟

استادمان دکتر داروسازی بود که تازه از امریکا آمده بود. ادا و اصول زیادی داشت، به بعضی‌ها این ادا و اصول می‌آید به او اصلاً نمی‌آمد. همان هفته اول که فاخته را دید عاشقش شد و سر کلاس چشم از او برنمی‌داشت، بچه‌ها فهمیده بودند و مسخره بازی شروع شده بود و فاخته هم در آن سهم کمی نداشت.

گفت: چون سرم از دست حرف این و آن باد کرده بود. طرف ول کن

نبود. بعد هم دیدم اگر درسی بخوانم و نمره‌ای بیاورم، می‌گویند نمره را او داده. فردا اگر دکترایمان را هم بگیریم خواهند گفت به پشتوانه او بوده. تازه روزی نبود که یکی نیاید و نخواهد میانجی‌گری کنم.

ـ می‌خواهی من قبول کنم که به خاطر نمره‌هایت داری زنش می‌شوی؟ فکر می‌کنی حالا کسی نمره‌ها را به پای او نمی‌نویسد. چرا بجای این حرفها رک و راست نمی‌گویی عاشق شده‌ای؟

ـ نه، خر شدم.

ـ انگار منتظر بودی من پایم را از تهران بیرون بگذارم.

ـ حالا در عوض می‌توانم بیایم و تو را ببینم.

ـ حالا که دارم از این جا می‌روم؟

ـ هر جای دنیا بروی دنبالت می‌آیم. آخر یارو امریکا درس خوانده، یادت که هست و همه‌اش سنگ آن را به سینه می‌زند. بدش هم نمی‌آید برگردد، یک دفعه دیدی ما هم سر و کله‌مان آن طرف‌ها پیدا شد. آن وقت می‌توانم بگویم خیلی هم خر نشدم.

انگار پر در آوردم و آمریکا به نظرم بهشت برین آمد. گفتم: خب چرا این را زودتر نگفتی. کی می‌آیی؟

ـ همچین می‌گویی کی می‌آیی که انگار تو فرودگاه نشسته‌ام. قول داده در اولین فرصت سفری به آن طرفها بیاییم.

پرهایم ریخت و افق آمریکا رو به تاریکی رفت.

گفتم: مرا بگو که چه خوش خیالم. وعده سر خرمن بهت داده.

انگار حوصله این حرفها را نداشت گفت: بدون تو اصلاً حس نمی‌کنم دارم عروسی می‌کنم.

ـ خب، فکر این را باید زودتر می‌کردی.

با انگشتش روی تلفن زد: حالا می‌آیی یا نه؟

-صدا خیلی خوب می‌آید تو هم روی تلفن ضرب گرفته‌ای. چه‌طوری بیایم؟ جهان بلیت‌مان را هم گرفته. وقتی تو عروسی می‌کنی من بالای اقیانوس اطلس در پرواز هستم.

-این هم تقصیر من است. اگر دنبال من نمی‌آمدی، اگر سر کوچه ما او را نمی‌دیدی، نه با او آشنا می‌شدی و نه دور دنیا می‌گشتی. نه حالا این‌قدر از من دور بودی.

-آره دم خانه شما بود.

-خودکرده را تدبیر نیست.

آهی کشیدم: چقدر گفتم ولم کن، ولم کن، ولم کن؟

خندید: آره، بگذار در انزوای خودم باشم...

بعد پرسید: مگر جهان نگفته بود به ایران برمی‌گردید پس کی برمی‌گردید؟

-این روزها کسی را می‌شناسی که به قول خودش پایبند باشد؟

-اگر کسی را پیدا کردی مرا هم خبر کن.

جهان گفت که مردم ایران برنامه‌ریزی بلد نیستند. فکر می‌کنند باقی مردم برنامه و زندگی ندارند و هر وقت آنها اراده کنند باید حاضر شوند.

گفتم: فاخته چنین حرفی نزد. از آن گذشته این که آدم یک چیزی را دلش بخواهد و یک چیزی را توقع داشته باشد دو موضوع مجزا است.

سرش را تکان داد: به‌خاطر همین می‌گویم. نمی‌توانست زودتر تو را خبر کند؟

زمانی که روی اقیانوس اطلس در پرواز بودم، دلم در تهران بود و لحظه به لحظه عروسی او را مجسم می‌کردم آن هم با کسی که هرگز تصورش را

نمی‌کردم و نمی‌فهمیدم چرا آن را قبول کرده.

فاخته هیچ‌گاه به امریکا یا فرانسه یا انگلیس نیامد و استاد محترم هرگز به قولش وفا نکرد. البته مسافرت‌های خود او برقرار بود، اما فاخته باید می‌ماند تا به خانه و بچه‌ها برسد. اولین حاملگی‌اش چند ماه پس از ازدواجش بود. دیگر سر کلاس نمی‌رفت. می‌گفت: این طوری نمی‌توانم. او هم خوشش نمی‌آید. فعلاً که خانه‌نشین شده‌ام می‌خورم و می‌خوابم. بد هم نمی‌گذرد.

انگار با آدمی حرف می‌زدم که هرگز ندیده و نمی‌شناختم. پرسیدم: رادیوچی؟

خنده بی‌حالی کرد: آن را که خیلی وقت است ول کرده‌ام. راضی نبود.

بی‌اختیار گفتم: او از چه چیزی راضی است؟ مثل این که به قول خودت، زورت فقط به مادرجان و برادرت می‌رسید. بیچاره‌ها جرأت نداشتند حرف بزنند. یادت هست؟

ـ آخر فرق می‌کند. محیط این جا با آن جا متفاوت است.

ـ به این جا و آن جا چه مربوط. مگر خود ایشان این طرف‌ها تحصیل نکرده‌اند. انگار جادو شده‌ای یا چیزهایی هست که به من نمی‌گویی. تو آدمی نبودی که از چیزی به این آسانی بگذری.

ـ خودت که بدتر از من کردی. یادت رفته؟ تو به‌خاطر جهان، خانه و زندگی و مملکت ننه و بابات را ول کردی.

ـ برای همین هم دارم هشدارت می‌دهم. فکر نکن من فتح جهان کرده‌ام.

خندید: آره می‌دانم جهان فتح تو کرد.

ـ از آن هم چندان مطمئن نیستم. اصلاً چرا باید یکدیگر را فتح کنیم؟

ـ بحث خوبی است، اما از پشت تلفن برایت گران تمام می‌شود. اگر یک بلیط بگیری و بیایی ارزانتر است.

ـ شاید هم یک دفعه دیدی آمدم.

نمی‌دانستم دور دنیا گشتنم همراه جهان به این زودی‌ها پایانی نخواهد داشت و به زحمت خواهم توانست هر چند سال یکبار او را ببینم. و برای همه عمر حسرت آن روزهای شاد و بی‌خیال مدرسه را خواهم خورد.

می‌گویند هر زبانی وطن دیگر ما است. من هرگز در وطنم و با زبان مادریم زندگی نکرده‌ام. زبان‌هایی که یادگرفته‌ام چیزهای عاریه‌ای هستند همچون باری بر دوشم. گاهی که آنها را با هم مخلوط می‌کنم به صورت دلقک سیرکی در می‌آیم که نقش خودش را فراموش کرده است و در صحنه‌ای بازی می‌کند که از آن او نیست.

> سؤالی که مدام در ذهنم تکرار می‌شود این است که چه چیزی مرا به این جا پای‌بند کرده است از کجا باید شروع کرد؟ از داروخانه پدرم، که تو دلت از بوی داروهای آن بهم می‌خورد و هرگز نتوانستی به آن عادت کنی و من که در سراسر جهان داروسازی خوانده‌ام به این امید که بتوانم به طرز ساختن داروهایی برسم که بو نداشته باشند و کسی از آنها حالش بهم نخورد...

قطار در ایستگاهی توقف می‌کند. روبرویمان یک دکه روزنامه‌فروشی است. اولین بار که پدرم در یکی از سفرهایش این دکه‌ها را دید گفت: خوب بود یک دکه دارویی هم کنار آن باز می‌کردند.

گفتم: آخر این جا که کسی نمی‌آید نسخه بپیچد یا دوا بخرد.

ـ منظورم نسخه پیچیدن نیست. می‌توانند داروهای مسکن که

احتیاجی به نسخه ندارد و وسایل بهداشتی بفروشند. کار خوبی است، حسابی می‌گیرد.

جهان پرسید: چرا در تهران این کار را نمی‌کنید؟ کنار دکه‌های روزنامه‌فروشی؟

گفت که دنبال این کار رفته بود. اما نتوانسته بود پروانه آن را بگیرد. موافقت نکرده بودند. کسی حرفش را جدی نگرفته بود. عده‌ای هم برایش کارشکنی کرده بودند. داروخانه داروهای دیگر از ترس این که به کسبشان لطمه بخورد، تهدیدش کرده بودند که اگر دنبال این کار را بگیرد، داروخانه‌اش را بدنام می‌کنند.

در این‌جا داروخانه داشتن و داروساز بودن با آنچه در ایران می‌گذرد زمین تا آسمان متفاوت است. در ایران هر کس داروخانه‌اش را به تنهایی می‌چرخاند و بیشترین تماس را با مردم دارد. در این جا آدم در داروخانه‌ای استخدام می‌شود و تماس کمی با مشتری دارد. فرق نمی‌کند که در داروخانه یا در فروشگاهی کار کند. همواره دیواری از مقررات، انسان‌ها را از هم جدا نگه می‌دارد.

در ایران پدر من سرگذشت همه کسانی که پهلویش نسخه می‌پیچیدند را می‌دانست. داروخانه‌اش محور یک شبکه‌دوستی و آشنایی در محله بود و از احترام همه کسانی که به او مراجعه می‌کردند برخوردار بود.

اینجا داروساز در داروخانه کمتر کسی را می‌بیند و اجازه ندارد در مورد کسانی که برای گرفتن دارویشان می‌آیند اظهار عقیده‌ای بکند مگر آن که از او سؤالی بکنند.

به جهان نگاه می‌کنم. از پنجره بیرون را تماشا می‌کند. چیزی به حرکت دوباره قطار نمانده. درها یکی یکی بسته می‌شود. مامور قطار مراقب

است که کسی دری را باز نگذارده باشد. به چپ و راست نگاه می‌کند و سوت می‌کشد. قطار تکان ملایمی می‌خورد و نرم و آهسته راه می‌افتد. آن قدر نرم که می‌توان تصور کرد قطار روی خط رو به رو راه افتاده است.

روبه‌رویش ایستاده بودم و نمی‌توانستم حضورم را در آن جا باور کنم. از جایم بلند می‌شوم، از راهرو می‌گذرم و به انتهای واگن می‌رسم. از حرکت قطار پی می‌برم که به ایستگاهی نزدیک می‌شویم. ایستگاه کوچکی است. چند مسافر منتظر سوار شدن هستند مامور ایستگاه کنار در ورودی ایستاده است و مرا به‌طور عجیبی به یاد چک می‌اندازد.

بعضی آدم‌ها به‌طور وصف‌ناپذیری شبیه هم هستند و من این استعداد را دارم که شباهت‌ها را فوراً تشخیص دهم. دستم را کنار پنجره در خروجی، تنها پنجره‌ای که می‌توان پایین و بالا کشید، می‌گذارم و پنجره را پایین می‌کشم و سرم را کمی بیرون می‌برم. مردی جوان که کیفی در دست دارد از جلو مامور ایستگاه می‌گذرد، چیزی از او می‌پرسد. مامور با سر اشاره می‌کند دستش را بالا می‌آورد و ساعتش را نگاه می‌کند و دوباره قطار را نشان می‌دهد. حتی حرکاتش هم مانند چک است. مرد مسافر به طرف دری که من ایستاده‌ام می‌آید. در را باز می‌کند. خودم را کنار می‌کشم، رد می‌شود. دوباره از پنجره بیرون را نگاه می‌کنم. مامور ایستگاه در انتظار حرکت قطار چند قدم به طرف ما برمی‌دارد و به من نگاه می‌کند.

قلبم از جا کنده می‌شود. اگر جای دیگری بود کمترین تردیدی نمی‌داشتم که خود چک است.

دوره کلاسهای زبانمان که تمام شد، درسها و زندگی متفاوت دیگر مجال دیدارهای هر روزه را با چک و لیانا نمی‌داد. گاهی که در راهروهای دانشگاه به هم برمی‌خوردیم اگر وقت کافی داشتیم قهوه‌ای با هم می‌نوشیدیم.

یک هفته پیش از آن که فرانسه را ترک کنم برای خداحافظی، در کافه‌ای نزدیک دانشگاه با هم قرار گذاشتیم. هوا آفتابی و روز گرم و روشنی بود. پشت یکی از میزهایی که بیرون کافه چیده بودند نشستیم و برای خداحافظی شراب سفارش دادیم. چک گفت شراب قرمز می‌نوشیم که باز یکدیگر را ببینیم. گیلاسهایمان را بهم زدیم.

از آن پس تنها خبری که از آنها داشتم کارتهای تولد و کریسمس بود. تنها باری که چک را دیدم چند سال بعد بود، در سفری با جهان از پاریس گذر می‌کردیم. از جلو دانشگاه رد می‌شدم که او را دیدم. با چند تا از دوستانش بود. باور نمی‌کردم خودش باشد. رویش را که برگرداند و مرا دید، لحظه‌ای مکث کرد، کمی اخم کرد بعد لبخندی زد و به طرفم آمد. با خوشحالی دست‌هایم را گرفته بود و تکان می‌داد و می‌پرسید که آن جا چکار می‌کنم و چقدر می‌مانم. با کنجکاوی یکدیگر را نگاه می‌کردیم. از دیدارش بی‌نهایت خوشحال بودم. و همان شادی را در نگاه او می‌دیدم. داشت دکترایش را می‌گرفت. از لیانا خبری نداشت. به دختری که میان دوستانش ایستاده و توجهش به ما بود اشاره کرد. دوست دختر جدیدش بود. تلفن منزلش را داد و قول گرفت که اگر بار دیگر به آن جا آمدم به او تلفن کنم. کلاس درسش شروع می‌شد و من هم روز بعد باز می‌گشتم.

جهان به مسافرت می‌رفت گفتم من هم با تو می‌آیم. بدون این که حرفی بزند گوشی تلفن را برداشت و بلیتی همراه بلیت خودش برایم سفارش داد.

در ایستگاه همان لحظه که جلو دکه روزنامه‌فروشی ایستاد و یک دست کامل روزنامه خرید، پایم سست شد. از این که پشت پنجره بنشینم و به ابرهای خاکستری که نفس آدم را بند می‌آورد نگاه کنم. این که ندانم چرا آمده‌ام و این که جای دیگری هم نمی‌توانستم بمانم، به وحشتم می‌انداخت. از روزی که از ایران برگشته بودم تاب و تحمل هیچ چیز را نداشتم. دلم می‌خواست تنها باشم، اما تنهایی را هم نمی‌توانستم تاب بیاورم.

دلم می‌خواست تا دنیا دنیا است کسی را نبینم با کسی حرف نزنم و کسی کاری به کارم نداشته باشد. جهان گفت که آن جا هم می‌توانم تنها باشم. می‌توانم هر کار دلم خواست بکنم. می‌توانم تمام روز را ول بگردم وحتی می‌توانم تمام روز را بخوابم، برای این که او تمام روز کار خواهد داشت.

صبح را تا دیر وقت در اتاق هتل گذراندم. نزدیک ظهر به شهر رفتم و بدون هدف خیابانها را گشت زدم. هیچ چیز توجهم را جلب نمی‌کرد. خسته و بی‌حوصله به هتل بازگشتم. جهان تلفن کرد و گفت که کارش تا غروب ادامه دارد پس از آن یک جلسه دارند و بعد هم مهمانی شام است. حوصله مهمانی‌های آن چنانی را هم نداشتم...

روی تخت دراز کشیدم. نه جایی را در آن شهر می‌خواستم ببینم نه دیگر کسی را آن جا می‌شناختم. لیانا دیگر در آن جا نبود. آخرین خبری که از او داشتم مربوط به چند سال پیش بود که همراه همسرش به استرالیا

رفته بود و پدر و مادر و خواهر و برادرش هم پس از یک سال به آنها ملحق شده بودند. پس از آن یکدیگر را گم کردیم. از چک خبری نداشتم. تلفنی را که داده بود نمی‌دانستم چه کرده‌ام. پیدا کردن شماره‌اش مشکل نبود. اسمش مشخص بود، می‌توانستم در دفتر تلفن نگاه کنم یا از راهنمای تلفن بگیرم.

به شعاع آفتاب که به‌طور مورب از پشت توری پنجره به اتاق افتاده بود نگاه کردم. نمی‌دانستم با ساعت‌های بی‌انتها و دلگیری که در مقابلم بود چه کنم. سایه پرده که باد گوشه‌های آن را آهسته تکان می‌داد روی دیوار افتاده بود. سرم را کج کردم و گردن کشیدم تا آسمان را ببینم. روز روشن و زیبایی بود، بدون لکه‌ای ابر اما سایه پرده، اتاق را تاریک می‌کرد و مرا غمگین.

همین‌طوری تلفن را برداشتم، گوشی بی‌هدف در دستم مانده بود. نسیم ملایمی پرده را آهسته تکان می‌داد. گوشی را با سایه پرده بالا و پایین بردم. اگر سایه آن پرده نبود شاید به راهنمای تلفن زنگ نمی‌زدم. اما آن سایه می‌چرخید و به پایه‌های تخت نزدیک می‌شد و من نمی‌توانستم جلو آن را بگیرم، نمی‌توانستم تحملش کنم. حتی نمی‌توانستم از آن چشم بردارم. مامور تلفن شماره‌ای در اختیارم گذاشت که هیچ چیز را به یادم نمی‌آورد. تردید داشتم تلفن کنم از کجا می‌توانستم مطمئن باشم که شماره اوست. چه‌بسا کسان دیگری با همین نام آنجا زندگی می‌کردند. سالها از آخرین باری که چک را دیده بودم گذشته بود. سال‌هایی که آدم عوض می‌شود، پیر می‌شود.

نه، نه، نه تلفن نخواهم کرد، اما سایه روی گوشه‌ای از دیوار و فرش کشیده می‌شود و آهسته تکان می‌خورد و مرا از خودم دور می‌کند.

گوشی را برمی‌دارد، شماره را می‌گیرد. فکر می‌کند اگر پیام‌گیر باشد پیامی نخواهد گذاشت. روی زنگ سوم می‌خواهد تلفن را قطع کند که کسی گوشی را برمی‌دارد. چک است، قبل از آن‌که حرفی بزند خودش را معرفی می‌کند.

تردید دارد. فکر می‌کند گوشی را سر جایش بگذارد، نمی‌داند چه بگوید. سپس آهسته می‌گوید: چک من هستم، شورا.

مکثی می‌کند، دوباره می‌گوید: هنوز مرا به یاد داری؟ نمی‌دانستم این‌جا هستی یا نه. تلفنت را از راهنمای تلفن گرفتم.

چک با خوشحالی می‌گوید: معلوم است که تو را به یاد دارم. کی آمدی؟

ـ دیروز، هتل من نزدیک دانشگاه است.

برای یک ساعت بعد جلو دانشگاه قرار گذاشتند.

به طرف کافه کوچکی که پشت دانشگاه بود و سالها پیش شراب خداحافظی را آن جا نوشیده بودند می‌رود. از آن کافه خبری نیست. به جایش یک پیتزا فروشی دو دهنه از آن رستوران‌های زنجیره‌ای که در هر گوشه و کنار سبز شده، قرار دارد. لحظه‌ای جلو آن می‌ایستد دیگر جایی برای میز و صندلی بیرون مغازه نیست. بدون توجه، به آن تغییرات نگاه می‌کند و زود می‌گذرد. قدم‌زنان آهسته و نامطمئن به طرف دانشگاه می‌رود. چک را می‌بیند که از آن طرف خیابان می‌آید. از دیدنش یکباره موجی از شادی وجودش را فرا می‌گیرد. آن لحظه ناب بازگشت به گذشته، زمانی که زندگی شادتر بود. لحظه‌ای که انسان تصور می‌کند همه چیز در خواب و خیال گذشته و می‌شود بار دیگر از همان‌جا که سالها پیش رها کرده شروع کرد. شروعی دوباره.

شادی را از آن فاصله می‌تواند در چهره چک نیز ببیند. زمانی روبه‌روی هم می‌ایستند لحظه‌ای کوتاه تا یکدیگر را بجا آورند و اثر گذشت زمان را در چهره یکدیگر بیابند. چک چندان فرقی نکرده، از نوجوانی آن سالها درآمده، اما می‌دانست که همیشه می‌توانست بشناسدش، برای گذشت همه آن سالها تنها همین چند لحظه کافی بود. انگار بار دیگر دانشجوی کلاس زبان بودند.

روبه‌روی او ایستاده بود و نمی‌توانست حضورش را در آن‌جا باور کند.

به رستوران پیتزافروشی اشاره می‌کند: یادت هست این جا یک کافه تریا بود که شراب خداحافظی‌مان را نوشیدیم، لیانا هم بود.

ـ وقتی کافه را عوض می‌کردند من شاهدش بودم. تقریباً هر هفته از این جا رد می‌شدم. دیگر جایی نمانده که یکی از این پیتزافروشی‌ها درست نکرده باشند. شهر را از شکل و قیافه انداخته‌اند.

در حالی که در اتومبیل را برایش باز می‌کند می‌گوید: حالا می‌توانیم به جایی برویم که آن روزها حتی نمی‌توانستیم از کنارش رد شویم.

در لحن صدایش غروری آشکار حس می‌شود. سر و وضع و اتومبیلش نشان می‌دهد که زندگی‌ای کاملاً متفاوت با روزهای دانشکده دارد.

از این که به او تلفن کرده است خوشحال است. در رستوران با آسودگی به صندلی تکیه می‌دهد و حس می‌کند همه وقت دنیا در اختیارشان است. دیگر یاد آن سایه پرده روی دیوار اتاق هتل غمگینش نمی‌کند.

آن‌قدر حرف برای گفتن دارند که نمی‌دانند از کجا شروع کنند. شامشان را به تانی و با بازگو کردن خاطرات و شرح زندگی دورانی که دور

و بی‌خبر از هم بوده‌اند می‌گذرانند. گذشت زمان را حس نمی‌کنند. به زمان فکر نمی‌کنند. دیروز و امروز گویا در جهانی بسیار دور و فراموش شده قرار گرفته است.

خودش را در آرامش صدا و خاطرات دوست و شراب رها می‌کند. بعد از شام چک می‌گوید: برویم منزل من و او مخالفتی نمی‌کند.

باور نمی‌کرد هنوز هم باور نمی‌کند که در برابر پیشنهاد چک سکوت کرده باشد. در آن لحظه و لحظه‌های بعد که به خانه او رسیدند، به هیچ چیز فکر نمی‌کرد. برای اولین بار در زندگی در زمان حال زندگی کرده بود، نه به گذشته نه به آینده و نه به کسی اندیشیده بود. به هیچ چیز، مطلقاً به هیچ چیز فکر نکرده بود.

نمی‌دانست چه می‌کند، از خودش می‌پرسید به کجا می‌رود، اما قبل از این که سؤالش را کامل کند، آن را رها می‌کرد.

دردی که دلش را پر کرده بود، روحش را از هر اندیشه‌ای خالی می‌کرد. آرزوی بودن او که می‌دانست دیگر هرگز برآورده نخواهد شد، او را به جایی می‌کشید تا لحظه‌ای، لحظه‌هایی از آن رها شود. از آن رها می‌شد؟ در دیگری حل شود. سؤالی در دوردست‌های ذهنش تکرار می‌شد. سؤال را ناتمام رها می‌کرد تا خود را به تنی بسپارد که او را به خودش می‌فشرد و در خود حل می‌کرد. می‌خواست در دیگری حل شود، نابود شود، بمیرد، دیگر نباشد.

این آغوش او را به جایی می‌برد که نه سؤالی بود نه جوابی. سقوط و بیهوش شدن بود در میان دست‌هایی قوی، قوی‌تر از مرگ که او را می‌گرفت و از آن تاریکی بیرون می‌کشید. می‌ترسید. شرمنده بود، مغرور بود. چه لذتی، چه اضطرابی. چه لذتی، چیزی را حس نکردن بجز آن که

تن که تمامی وجودش را در برگرفته بود.

دلش نمی‌خواست از آن توفان که سرش را به دوار می‌انداخت هرگز رها شود. کاش هرگز به آن پرتاب نشده بود، کاش هرگز از آن رها نمی‌شد. کاش تا ابد در آن گردباد می‌چرخید.

می‌چرخید، می‌چرخید و می‌مرد. موج بود روی موج که می‌بردش. دریا بود، دریا شده بود.

نمی‌توانست چیزی را به یاد بیاورد، اما می‌دانست که چیزی را فراموش نخواهد کرد، می‌دانست.

زمان و مکان را تشخیص نمی‌داد. می‌دانست کجاست اما نمی‌توانست آن را مجسم کند. مانند کسی بود که نمی‌تواند بدون عینک خطی را بخواند، اما می‌داند که خواندن می‌داند. به یاد پینه‌دوز عزیزش بود. به یاد او که بیش از همه دوستش داشته بود و هرگز حتی دستش را هم نبوسیده بود. ای کاش دستهایش را، تمام وجودش را غرق بوسه کرده بود، اما کجا بود او؟ در لایه‌های تاریک ذهنش این پرسش می‌آمد که دیگر هرگز چنین چیزی برایش روی خواهد داد؟ نه، دیگر خودش را نمی‌شناخت. خودش را نمی‌شناخت؟ آه، برای اولین بار بود که خودش را می‌شناخت.

می‌دانست که برای اولین بار و آخرین بار لحظه‌هایی را زندگی کرده است که هرگز تکرار نخواهد شد. می‌دانست در برابر آن چه پیش آمده بود، جز آن که زندگیشان کند، کار دیگری از دستش برنمی‌آمد. از آن نه سرافراز بود نه سرافکنده. واقعی‌ترین، ملموس‌ترین لحظه‌های عمرش را گذرانده بود. هرگز چنین در زمان حال زندگی نکرده بود. آن زن درونش را بجا نمی‌آورد، او را نمی‌شناخت، اما بیش از همه می‌پسندید.

به‌خود می‌گفت که چطور می‌تواند بار دیگر پیوندش را با خود، با

زندگی، با جهان از سر گیرد. اگر می‌دانست به کجا کشیده خواهـد شـد نمی‌آمد. نمی‌آمد؟

از همان لحظه که از دفتر تلفن را باز کرده بود همهمه‌ای نامفهوم و ناآشنا تنش را درهم پیچیده بود. در اعماق دلش که با شور عشق آشنا بود گردبابی می‌چرخید و او را با خود می‌برد. دهانش دهان او را بلعیده بود و ناگهان در فضایی خالی از خود و رنج‌های خود پرتاب شده بود.

چشم که باز کند آدم دیگری خواهـد بـود. گـویی در چشـمه‌ای از بی‌نیازی، سرشار از زندگی‌ای که از او گرفته شده بود آب تنی کرده بود، گویی انتقام گرفته بود. ملافه را تا روی شانه‌هایش بالاکشیده و بدنش را از او پوشانده بود. چک به سویش می‌چرخد و می‌گوید که چرا به کشورش باز نگشته است.

می‌گوید: پس از انقلاب دیگر نمی‌توانستیم، دیگر راهی نداشتیم که به آن جا برگردیم. انقلاب همه چیز را دگرگون کرده بود.

می‌گوید: چقدر همه چیز شبیه هم است، چقدر انقلاب‌ها شبیه هـم هستند. ارتش روس که به چکسلواکی هجوم آورد، همه چیز در آن‌جا تغییر زیادی کرد. زندگی مردم یک‌باره از هم پاشید. من فکر می‌کردم بعد از تمام کردن درسم به پراگ برمی‌گردم. اما همه چیز آن‌قدر عوض شده بود که دیگر امکان بازگشت نبود. من هم آلوده فرانسه شده بـودم. تـنها کسانی از ماکه از رنج‌های اشغال مملکت و مهاجرت درمان نیافتند، پدر و مادرم بودند. مادرم بیست سی سال کمتر از آن چه مـی‌توانست زندگی کند، زندگی کرد. مرگ او پایان رؤیا بود. پیش از آن در فکر بازگشت بودیم. پدرم امیدوار بود، اما مادرم با هوش بود، می‌دانست که دیگر بازگشتنی در کار نیست، دست کم برای بچه‌هایش بازگشتنی وجود ندارد. او یک‌بار

همه کسانش را، پدر و مادر و خواهر و برادر و دوست و آشنا را گذاشته و آمده بود. مادرم معلم مدرسه بود، و این بدترین شغل در مهاجرت است. در این جا او هیچ کس نبود. و می‌دانست که هرگز نخواهد توانست سرکلاسی برود.

می‌گفت حاضر نیست بچه‌هایش را بگذارد و برگردد. نمی‌خواست ما را ترک کند. اما ما او را ترک کردیم، به‌ناچار. من سال آخر دانشگاه بودم که برادرم وارد دانشگاه شد و نزدیک دانشگاه اتاقی اجاره کرد مانند من. مادر من گذاشت که ما به دنبال سرنوشت و زندگی خودمان برویم اما برای خودش دیگر انگیزه زندگی نماند. مهاجرت باعث مرگ زودرس او شد. من هرگز کشورم را برای مرگ او نمی‌بخشم. خودم را هم نمی‌توانم ببخشم.

مرگ او مرا بیشتر به این‌جا آلوده کرد. کشور من تغییرات زیادی کرده بود، مردم دیگر آن کسانی نبودند که ما می‌شناختیم. برگشت من یک مهاجرت دیگر می‌شد. من نمی‌خواستم آن را تکرار کنم. خیزشها همه شبیه به هم هستند حالا می‌توانم اخبار روز بعد و روزهای آینده را پیشگویی کنم. انگار یک نفر با پیش دانسته‌هایش آینده را در فیلم نامه‌ای می‌نویسد.

مکثی می‌کند، نفس بلندی می‌کشد، می‌گوید: سالها طول می‌کشد تا وضع سر و سامانی بیابد. آن هم سر و سامانی که دیگر با وضع ما جور درنمی‌آید. ما مثل حیوانات دریایی از آب بیرون افتاده می‌شویم. به زندگی در خشکی خودمان را عادت می‌دهیم، اگر چه دیگر بدنمان با زندگی در آب سازگار نیست، اما ریشه‌هایمان هنوز در آب است و از آن تغذیه می‌کند. اگر آب خشک شود ما نیز خشک می‌شویم. پایمان را که در

آب می‌گذاریم، طاقت سرمای آن را نداریم، آن را که پس می‌کشیم طاقت آفتاب را هم نمی‌آوریم. یاد خنکی مطبوع آب ذهنمان را مشغول می‌کند و به این ترتیب نیمی از زندگی‌مان را در این بازی نیمه‌کاره و دوطرفه از دست می‌دهیم. مادر من از همه ما بیشتر و زودتر بازنده شد. این چیزی است که همیشه مرا رنج می‌دهد. به‌خاطر اوست که نمی‌توانم برگردم. نمی‌توانم مهاجمان تانک‌سوار را ببخشم. نمی‌خواهم آن واقعه را بپذیرم. حتی نمی‌توانم ازدواج کنم. روزنامه‌نگاری را نیمه‌کاره رها کردم هنوز تز دکترایم در کشوی میزی در خانه پدرم قرار دارد. برای خبرنگار شدن احتیاجی به درس خواندن نداشتم. رشته‌ای را انتخاب کردم که در این دور و زمانه به دردم بخورد.

اکنون که آن لحظه ناب هم‌آغوشی گذشته بود، لحظه‌هایی که دیگر هرگز جایی، با کسی تکرار نخواهد شد، می‌توانستند از عمیق‌ترین رازها و آرزوها و دردهایشان حرف بزنند.

چک می‌گوید: من هنوز هم دلم برای کلاغی که روزی با هم دوست بودیم تنگ می‌شود. هنوز هم تصور می‌کنم او جایی در میان درختهای پراگ زندگی می‌کند. نمی‌دانم آیا مرا به یاد می‌آورد. من تصوری از حافظه پرنده‌ها ندارم. نمی‌دانم چه چیز را و تا چه مدت می‌توانند به‌خاطر بسپارند. این داستان مربوط به زمانی می‌شود که به مدرسه می‌رفتم. روبه‌روی پنجره اتاقم درختی بود که آن کلاغ رویش می‌نشست. او شاهد رفت و آمدها و درس خواندن‌های من بود و در طول سال‌ها با هم انس گرفته بودیم. از مدرسه که می‌آمدم، کنار پنجره می‌نشستم و تماشایش می‌کردم تا این که متوجهم شد. کم‌کم ترسش ریخت. پنهان از مادرم برایش غذا و گاهی صابون لب پنجره می‌گذاشتم. کلاغ نگاهی پر از

قدردانی به من می‌انداخت، قار و قار آهسته‌ای می‌کرد، مانند گفتگوی خودمانی دو نفر. آن قدر آهسته که فقط من می‌شنیدم. انگار می‌دانست باید رازمان را حفظ کند. بعد آهسته پر می‌زد و طعمه را به دندان می‌گرفت و می‌رفت. روزی که می‌خواستیم از آن خانه برویم، نمی‌دانستم چطور به او بفهمانم که دارم از آن جا می‌روم. پرنده تمام روز روی درختی دورتر نشسته بود و شاهد رفت و آمد و اسباب‌کشی ما بود. می‌دانم که رفتنمان را حس می‌کرد. از این که نمی‌توانستم با کسی از او حرف بزنم، غصه‌دار بودم. می‌دانستم مسخره و سرزنشم خواهند کرد. از میان دست و پای باربرها مرتب به طبقه بالا می‌رفتم و برمی‌گشتم. پیش از این که خانه را ترک کنیم به بهانه این که چیزی را جا گذاشته‌ام به اتاقم رفتم، لب پنجره نشستم. کلاغ آهسته پر زد آمد کنار پنجره و با فاصله‌ای کوتاه آن‌جا نشست. هیچ‌وقت این قدر نزدیکم نیامده بود. از جیبم تکه‌ای صابون درآوردم، با پرشهای کوچک به من نزدیک شد. صابون را گرفت و دو قدم عقب رفت و همان جا ماند. مادرم دوباره صدایم کرد، چاره‌ای نداشتم باید می‌رفتم. تا مسافتی صدای قارقار شکوه‌آمیز او را می‌شنیدم. چندین بار از راه مدرسه به آن محله رفتم. دنبالش گشتم، اما دنبال یک کلاغ گشتن آسان نیست. نمی‌توانستم به کسی هم چیزی بگویم. نمی‌خواستم توجه و کنجکاوی همسایه‌ها را جلب کنم. فقط یک بار دیدمش، انگار سرگشته و پر از تردید بود. لب دیوار نشست. بال‌هایش را آهسته تکان داد و سرش را اندکی کج کرد. نگاهش غمگین بود. شاید به‌خاطر همین بود که دیگر آن طرفها نرفتم. حالت غمگین یک کلاغ خیلی غصه‌آور است.

دستش را میان موهایش فرو می‌کند و می‌گوید: به چه کسی می‌توانستم بگویم که دلم برای کلاغم تنگ می‌شود. هنوز هم گاهی دلم

برایش تنگ می‌شود، کسی باور می‌کند؟ آیا او هم دلش برایم تنگ می‌شود؟

لبهایم را به هم فشار می‌دهم. می‌گویم: دوست بودن با یک کلاغ را می‌شود فهمید، اما عاشق پینه‌دوز بودن را چه؟

چک لبخندی می‌زند و با کنجکاوی نگاهم می‌کند. می‌گویم: من عاشق همه کفش‌دوزهای عالم هستم که پشتشان قرمز و خال خال است. هر جا یکیشان را ببینم با احتیاط برش می‌دارم و جای امنی می‌گذارم که صدمه‌ای نخورد.

احساس می‌کنم دستی در اتاق تاریکی را که تا به حال بسته بوده باز می‌کند، می‌گویم: همه کودکیم با او گذشته. از آن روزها که روی زمین دراز می‌کشیدیم و برای ابرها قصه می‌گفتیم، از آن روزها زمان زیادی گذشته. آن روزها تنها چیزی که فکرمان را مشغول و مشوش نمی‌کرد مرگ بود، همه چیز سالم بود. همه جوان بودند و انگار تا ابد جوان می‌ماندند. اما ناگهان چیزی تمام می‌شود که جانشینی ندارد. وقتی بچه هستی و یک آب‌نبات چوبی داری، آن را با احتیاط به دهان می‌گذاری و لیس می‌زنی و باور نمی‌کنی که ممکن است تمام شود. خیال می‌کنی تا ابد می‌ماند، اما ناگهان یک چوب خشک و خالی توی دستهایت می‌ماند که انگار نماینده همه سردرگمی‌ها و سرخوردگی‌هایت است. آن روزها حتی عشق هم فکرمان را مشغول نمی‌کرد. اما یک حادثه چنان می‌تواند از درون نابودت کند که دیگر نتوانی کمر راست کنی.

چشمهایم را می‌بندم. نمی‌خواهم گریه کنم.

دستش را دراز می‌کند و حلقه مویی را از پیشانیم کنار می‌زند. می‌پرسد: چه وقت بود؟

در اتاق تاریک کاملاً باز شده. انگار کسی مرا به داخل آن هل می‌دهد. هر قدر سعی می‌کنم خودم را کنار بکشم نمی‌شود.

می‌گویم: نمی‌دانم چطور می‌شود رنج و خشم آدمی را توضیح داد که هیچ کاری از دستش برنمی‌آید؟

هجوم بی‌امان اشک را حس می‌کنم که روی گونه‌ام می‌غلتد، اهمیتی نمی‌دهم. می‌گویم: کسی که مطلقاً برایت از همه کس عزیزتر است، مطلقاً.

می‌خواهم بگویم: و ناگهان دستش را به پشتت می‌گذارد و به عمق یک دره پرتابت می‌کند. اما لب‌هایم را به هم فشار می‌دهم و چیزی نمی‌گویم.

چک انگشتش را روی شیار اشکی که از گونه‌ام به پایین می‌غلتد می‌کشد.

می‌گویم: دردناک‌تر این که مجبوری به زندگی ادامه بدهی، در حالی که می‌دانی هیچ چیز، مطلقاً هیچ چیز تو را پای‌بند نمی‌کند. خیلی سخت است و سخت‌تر این که کسی هم آن را نمی‌فهمد. مثل یک آدم...

می‌خواهم بگویم وانهاده، اما فرانسه‌اش را نمی‌دانم و حرفم را نیمه‌کاره رها می‌کنم. می‌گوید: این چیزی است که بسیاری از ما مجبور به تحملش می‌شویم. فلسفه‌اش را نمی‌دانم. جوابی هم برایش نمی‌دانم.

ـ جوابش را می‌دانست. او فیلسوف بود. جواب همه چیز را می‌دانست. انگار فقط جواب زندگی خودش را نمی‌دانست.

ـ از کجا می‌دانی نمی‌دانست، شاید بهتر از من و تو می‌دانست. آنهایی که زندگی‌شان را می‌شناسند از آن کمتر حرف می‌زنند.

فکر می‌کنم چرا چک که هیچ‌وقت او را ندیده، او را بهتر از من درک می‌کند؟ نگاهش می‌کنم چقدر شبیه رستم است، جا می‌خورم.

می‌گویم: من هم مثل مادر تو که نتوانست در مقابل مهاجرت درمان یابد، نمی‌دانم چطور می‌توانم دوام بیاورم.

چشمهایش را می‌بندد و با لب‌های بهم فشرده می‌گوید: مادر من خودکشی کرد، اگر نمی‌توانم چیزی را ببخشم، مقصر اوست. من او را هم نمی‌توانم ببخشم. خیلی بد کرد، هیچ کس نمی‌تواند بفهمد که چقدر بد کرد.

می‌ترسم اگر چشمهایش را باز کند اشکش سرازیر شود.

دستش را روی پیشانی‌اش می‌کشد و می‌گوید: پس از مادرم چک بودن خودم را از دست دادم. سال‌ها طول کشید تا به آن پی بردم.

به ذهنم می‌آید من چه وقت ایرانی بودن خودم را از دست داده‌ام؟

می‌گوید: ما هیچ وقت به یک زندگی طبیعی مثل آنها که در وطنشان هستند باز نمی‌گردیم، حتی اگر از آنها بهتر و موفق‌تر زندگی کنیم. چیزی درون ما هست که هیچ کس نمی‌فهمد.

نگاهش می‌کنم و در حالی که ملافه را روی شانه‌هایم بالاتر می‌کشم، می‌پرسم: نمی‌خواهی هیچ‌وقت برگردی؟

ـ جواب این سؤال را نمی‌دانم. تو اولین کسی نیستی که این را از من می‌پرسی. پیش از همه، خودم پرسیده‌ام.

می‌گویم: من هم فکر می‌کردم باید رفت.

می‌گوید: آبهای ساکن را نباید برهم زد.

ـ حالا آن را هم نمی‌دانم.

فرانسه او را بلعیده بود و از او یک فرانسوی غیرفرانسوی ساخته بود. در او دیگر اثری از آن افسون چک بودن وجود نداشت.

می‌گوید: نه، خیال بازگشت ندارم. اما حالا دست کم می‌دانم کلاغ من

تنها نیست، پینه‌دوز تو و کلاغ من مثل دو همزاد هستند.

- هر بار به او می‌گفتم پینه‌دوز می‌خندید و می‌گفت، من پینه‌دوز بلندپروازی هستم که دلم می‌خواهد بال‌های بلندی داشتم. او مانند پرنده‌ها آزاد بود.

می‌پرسد: چه وقت بود؟

- نمی‌دانم، هزار سال پیش بود، ده سال پیش بود، دیروز بود، همین امروز صبح بود.

> از جا بلند می‌شوم ملافه به خود پیچیده به حمام می‌روم و لباس می‌پوشم. در زندگی همان چند ساعت را بدون ترس گذرانده بودم. ملاحظه کسی را نکرده بودم. از هیچ چیز نترسیده بودم. آن شب را به تلافی همه شب‌های بی‌عشقی که تو گذرانده بودی. همه شب‌های بی‌عشقی که خودم گذرانده بودم، انتقام همه عمر تو و خودم را گرفته بودم...

سالها گذشته است. چک را دیگر ندیده‌ام. چندین بار به مناسبت تولد و کریسمس برایم کارت فرستاد. جوابش را بارها و بارها در فکرم نوشتم، اما هرگز چیزی برایش پست نکردم، نمی‌توانم. شاید او بتواند جواب‌های فرستاده نشده مرا حس کند. دیگر دیدن و ندیدن برایم تفاوتی ندارد.

> جایی هست، بیرون از این محدوده انسانی، جایی که می‌توانیم با هم دیدار کنیم. گاه کناری می‌نشینم و دوستی شما را تماشا می‌کنم. شما با هم هستید، پسرهای من، فرزندان واقعی‌ام...

مامور قطار سوت می‌زند و دستش را بلند می‌کند. قطار به راه می‌افتد. سرم را به کنار پنجره تکیه می‌دهم. از برابرش که می‌گذریم، نگاهمان به

هم می‌افتد. لبخند می‌زند، انگار چک است که به رویم می‌خندد. بی‌اختیار دستم را برایش تکان می‌دهم. دوباره می‌خندد. به سر جایم برمی‌گردم. جهان روزنامه را کناری گذاشته و سرش را به پشتی صندلی تکیه داده است. وقتی می‌نشینم بوی ادکلن‌اش را حس می‌کنم، بوی آشنایی که با وجودم درآمیخته است. او همیشه بهترین ادکلن‌ها را می‌زند. از همان اولین روز که دیدمش. آن وقت‌ها لاغر بود و بلندتر از حالا به‌نظر می‌آمد از این که در کنار او دیده شوم احساس غرور می‌کردم.

جواب کنکور فاجعه‌بار بود. فاخته می‌گفت: از تو خُل‌تر در عمرم ندیده‌ام. تو به قبول شدن در رشته داروسازی می‌گویی فاجعه؟

ـ آخر چرا باید درست در همان رشته‌ای قبول شوم که ازش بیزارم؟

ـ بیزارم دیگر چیست؟ من که خیال دارم مراسم شکرگزاری برپا کنم. تو هم دعوت‌خواهی داشت.

ـ مثلاً می‌خواهی چه کار کنی؟

ـ مامان نذر کرده که اگر قبول شوم یک سفره بیندازد.

ـ چه دل خوشی داری؟

ـ عشق زندگی به همین است. اگر قرار باشد مثل تو هی از این و از آن بیزار باشم که امور دنیا نمی‌گذرد.

می‌گویم: خدا را شکر که کسی در خانه ما در بند من نیست.

ـ خیال می‌کنی. قول می‌دهم مادر تو هم هزار تا نذر و نیاز کرده.

ـ خیالت راحت که از سفره خبری نیست.

ـ یک چیز دیگر هست.

می‌گویم: برای آرزوهای بر باد رفته که نمی‌توانند نذر و نیاز کنند. نمی‌دانم با مامان و خاله پری چه کار کنم؟

چشم‌هایش را تنگ می‌کند: این همه دکتر توی شهر ریخته.

از روزی که صحبت دانشگاه رفتن و احتمالاً طب خواندن یکی از ما شده بود، مادرم و خاله پری خوابها دیده و نقشه‌ها کشیده بودند که پس از سالها در خانه ماندن و جان کندن بیهوده، حالا وقت آن رسیده که به یک کار درست و حسابی بپردازند. یعنی به عهده گرفتن کارهای مطب، که با منشی شدن برای یکی از ما، هم درآمدی خواهند داشت و هم استقلالی پیدا می‌کنند و هم می‌توانند سرانجام از زیر بار تحقیر خاله ماهم بیرون بیایند. البته کمکی هم برای ما خواهند بود که پولمان را به آدم غریبه ندهیم.

وقتی اعتراض می‌کردیم که هنوز تکلیف هیچ یک از ما و درس و دانشگاهمان معلوم نیست، آنها دستی به علامت رد کردن حرف ما و این که عقلمان هنوز به مسائل مهم زندگی نمی‌رسد، تکان می‌دادند و با هم برای شغلی که حتی در هوا هم نبود، بحث و بگو مگو می‌کردند. مادرم می‌گفت که وقت او بیشتر است و حق اوست که در مطب بچه‌اش کار کند. خاله پری می‌گفت که او بیشتر به کار کردن نیاز دارد چون دست کم مادرم پدرم را دارد. مادرم لبش را کج می‌کرد و می‌گفت: واه واه، دکتر... و باقی حرفش را می‌خورد. گاهی هم که حس می‌کرد از پس خاله پری نمی‌آید و یا این که احساس خطر می‌کرد که مبادا او برای منشی‌گری مناسب‌تر باشد و بچه‌هایش او را ترجیح بدهند، می‌گفت: خب، خودت که پسر داری. انشاءالله وقتی آنها دکتر شدند.

خاله پری هم شکلکی در می‌آورد و می‌گفت: ای بابا، خواهر اگر شانس من است که اینها هیچ‌کاره می‌شوند.

پاپا هم همیشه می‌گفت: اینها خیلی هنر کنند مثل باباشان یک مطربی

بیش نخواهند شد. خاله ماهم می‌گفت: با این همه تشویق که شماها از بچه‌هایتان می‌کنید، نباید انتظار دیگری داشته باشید.

برادرهایم اما هیچ یک نتوانسته بودند آرزوی آنها را برآورده کنند. پس از یکی دو سال در جا زدن پشت کنکور، برادر بزرگم توانسته بود داروسازی بخواند و برادر دیگرم هم مجبور شده بود، رشته‌ای را که قبول شده بود، انتخاب کند. به این ترتیب تمام امید مادرم و خاله پری به من بود و برای من نیز فرصتی از این طلایی‌تر پیدا نمی‌شد که سرخوردگی‌هایم را در مقابل خوشگلی خواهرم که هرگز از آن در امان نبودم، جبران کنم و خودی نشان بدهم.

فاخته می‌گوید: برو خدا را شکر کن که قبول شده‌ای. مرا بگو که باید دامپزشکی بخوانم.

ـ آخر با دامپزشکی خواندن می‌خواهی چه کار کنی؟

ـ بی‌خیالش، هیچ کار نکنم، می‌توانم شوهر و بچه‌هایم را معالجه کنم.

پدرم به شدت با تصمیم من برای سال دیگر امتحان دادن مخالفت کرد و گفت: اسم‌نویسی نکنم یعنی چه؟ تا سال دیگر صبر کنی که دوباره سر کنکور بنشینی؟ این شانس را نباید از دست داد. در غیر این‌صورت اجازه نداری سال دیگر هم امتحان بدهی. از کجا معلوم که قبول شوی. اگر نمی‌خواهی این رشته را بخوانی بهتر است اصلاً دور درس و دانشگاه را خط بکشی. برای دختر این قدرها هم درس لازم نیست. مگر خواهرت زندگی بدی دارد؟

جهان گفت: چه خوب که حکومت نظامی تمام شد. راستی کدام یک از اسمهایت را اعلام کردند پرتو، شیرین، شورا؟

بعد لبخندی می‌زند و می‌گوید: باید شوریده را اعلام کنند.

می‌گویم: هان؟

سرش را جلو صورتم می‌آورد و می‌گوید: این هم انتخاب من است. مگر من سهمی ندارم؟

و به این ترتیب اسم چهارمم را پیدا می‌کنم. تازه متوجه می‌شوم که چرا هر وقت به منزل فاخته می‌روم جهان هم آن‌جا است.

تو گفتی: من می‌دانستم قبول می‌شوی. بارک‌الله به تو.

ـ اما آخر داروسازی؟ کجاش بارک‌الله دارد رستم؟

ـ در عوض شاید بتوانی دواهایی پیدا کنی که بو نداشته باشند و دل آدم را بهم نزنند.

لوسی را که در درگاه پنجره خوابیده بود و زیر چشمی ما را می‌پایید بغل کردم و صورتم را میان موهایش که بوی خاک می‌داد فرو بردم و تن گرمش را به خودم چسباندم، تقلا کرد که در برود، تو آهسته نازش کردی، اما او خودش را از بغلم بیرون کشید و ناپدید شد...

دلم می‌خواهد برای عید به تهران بروم و سال نو را با خاله ماهم باشم. بی‌شک روزهای سختی را می‌گذراند و کسی دل و دماغ عید گرفتن ندارد. دلم می‌خواهد در تهران و کنار او باشم. لحظه‌ای بعد فکر می‌کنم بهتر است بعد از عید بروم و نوروز را با ستاره و جهان بگذرانم. تصمیم می‌گیرم برای جبران غفلت‌های گذشته کاری کنم و در خیالم تدارک مفصلی می‌بینم.

به ستاره خبر می‌دهم که برای سال تحویل برنامه‌ای نگذارد. می‌گوید: اصلاً فرصت خانه آمدن ندارم.

پرهایم می‌ریزد، از خودم بیزارم و در تحقیر خود، با او هم داستان می‌شوم. سعی کرده بودم فاصله‌ها را کمتر کنم و هر بار بیشتر شده بود. زندگی‌مان از هم جدا شده بود. فرهنگمان دو چیز متفاوت بود. از خود می‌پرسم چرا غفلت‌هایم بازده داشته‌اند، اما کوشش‌هایم و عشقم نه. به‌نظر نمی‌آید جهان چیزی از این رویدادها حس کند. مردها در دنیای واقعی‌تری زندگی می‌کنند. کسی به من حق نمی‌دهد. مانند میز شامی است که چیده و در انتظار مهمان‌هایی مانده باشد که عجله‌ای برای آمدن

ندارند و سرانجام قبول می‌کنی که دعوتت را فراموش کرده‌اند. میز عیدم را نچیده جمع کردم. جهان در برابر رنجشم گفت: چه حوصله داری.

حق با او بود، من زیادی حوصله به خرج داده بودم. نگاهش می‌کنم، هنوز همه چیز را با او تقسیم می‌کنم بی‌آن که دیگر چندان دوستش داشته باشم. متحیرم چگونه می‌توانم آن شیدایی علاج‌ناپذیرم را به آن مرد اروپایی منش به یاد بیاورم؟ حس می‌کنم توی ابرها فرو می‌روم. ابر از پاهایم شروع شده و آرام آرام بند بند تنم را می‌پوشاند. هر یک در میان تکه‌ای از ابر برای دیگری نامرئی و غریبه می‌شدیم. سرم را بلند می‌کنم و او را می‌بینم که از اتاق بیرون می‌رود و سراپایش را ابری سفید پوشانده است.

بلیتم را می‌گیرم، باید می‌رفتم. برای نفس کشیدن به هوایی غیر آن چه احاطه‌ام کرده بود نیاز داشتم.

> باید می‌آمدم و برایت می‌گفتم که در این جهان جایی هست که ابرهایش داستانی ندارد. جایی که ابرهایش همه آسمان را می‌پوشاند و از هر شکل و اندازه‌ای تهی است و آن‌قدر سنگین است که نگاهشان که کنی سنگینی آن همه وجودت را فرا می‌گیرد، در آن گم می‌شوی و از دیگران پنهان. باید می‌آمدم تا با تو به ابرها نگاه کنم و بار دیگر فصلها را همراه تو بیایم.
>
> دلم می‌خواهد عید را در خانه تو بگذرانم. دلم می‌خواهد به جایی در این جهان تعلق داشته باشم و آنجا فقط خانه تو است رستم...

در فرودگاه جهان پرسید: کی برمی‌گردی؟

لحظه‌ای مکث می‌کنم، به برگشتن فکر نکرده بودم، با هم خداحافظی کردیم. دلم نمی‌خواست برگردم. می‌آمدم که بمانم.

> ناهید و شوهرش به فرودگاه آمده‌اند از جلو داروخانه پدرم رد می‌شویم، به خانه تو که بالای داروخانه است نگاه می‌کنم. پنجره‌های خانه‌ات خاموش‌اند. اگر خانه بودی می‌آمدم آن جا. دلم می‌خواست می‌آمدم آن جا. می‌دانم که برای عید، طبق معمول هر سال، رفته‌ای ده پهلوی خواهرت. اگر می‌دانستی می‌آیم نمی‌رفتی. دست کم تا آمدنم می‌ماندی و روز بعد می‌رفتی. تو موضوع‌ها را با هم مخلوط نمی‌کردی. یکی را فدای دیگری نمی‌کردی. هر چیز برایت جای خودش را دارد. خانه تو تنها جایی است که دلم می‌خواست بروم و تو تنها کسی هستی که دلم می‌خواست می‌دیدم. فقط به تو می‌توانستم بگویم که از چه غربتی آمده‌ام. که چه صحرای خاموش و تاریکی را پشت سر گذاشته‌ام. گفته بودی بد نیست بیایم و به داروخانه پدرم سر و صورتی بدهم. می‌توانستم در داروخانه و کنار تو کار کنم، چه عیبی داشت؟ کار کردن در داروخانه پدرم انسانی‌تر است. از سرنوشت هم گریزی نیست. می‌آمدم که این را به تو بگویم...

آپارتمان بالای داروخانه را از مسیوخان پیراهن‌دوز خریده بود. اول آن جا خیاط‌خانه مسیوخان بود. پیراهن همه مردهای خانواده ما را مسیوخان می‌دوخت. خاله پری اولین کسی بود که رفته بود و گفته بود برایش بلوز

بدوزد. مسیوخان گفته بود: خانم ما خیاط زنانه نیستیم.

خاله پری هم گفته بود: عیبی ندارد چشمهایت را ببند و فکر کن داری پیراهن مردانه می‌دوزی.

به این ترتیب برای ما هم بلوز می‌دوخت. من و فاخته انواع و اقسام بلوزهای رنگ و وارنگ سفارش می‌دادیم.

مسیوخان مرد چاق و خوش‌اخلاقی بود که لهجه شیرین ارمنی داشت. پدرم به او می‌گفت مسیوجان. و او از ته دل قاه قاه می‌خندید. از آن خنده‌ها که یک دنیا سرزندگی پشتش قرار دارد، آدم به آن معتاد می‌شود. پدرم پس از سالها، یاد خنده‌های مسیوخان می‌کند و می‌گوید که چقدر جایش و جای خنده‌هایش خالی است.

مسیوخان روزی که می‌خواست کار خیاطی‌اش را تعطیل کند، به پدرم گفته بود که خیال دارد آپارتمانش را بفروشد. رستم به پدرم می‌گوید اگر قیمتش برایش مناسب باشد دلش می‌خواهد آن جا را بخرد.

برای پدرم موقعیتی بهتر از آن نمی‌شد. دیگر نگران این نمی‌بود که مبادا آدم نااهلی بیاید و بالای داروخانه‌اش بنشیند. رستم هم می‌توانست شب و روز مواظب داروخانه باشدو سرانجام رؤیای شبانه‌روزی کردن آن‌جا امکان‌پذیر می‌نمود.

در خانواده ما هر خبری می‌تواند به جنجال بیانجامد. مسبب آن اغلب پاپا است و آتش بیارش هم خاله پری است. خاله ماهم خودش را داخل ماجراجویی‌های خاله پری نمی‌کند. مادر ساکت است اما بی‌تقصیر هم نیست. زیر زیرکی کارهایی می‌کند و همدست خاله پری است. خانم خانم اما رفع و رجوع کن است. گاهی فکر می‌کنم اگر خانم خانم نبود وضع ما چه صورتی می‌داشت.

خانه خریدن رستم هم جز این نبود. در واقع باید بگویم خانه فروختن مسیوخان سرآغاز این جنجال شد.

پاپا که خبردار شد گفت خودش آن‌جا را می‌خرد و اگر رستم خواست به او اجاره می‌دهد. پاپا فکر می‌کرد می‌تواند همه دنیا را بخرد و آن را به مردم اجاره بدهد. رستم گفته بود حاضر نیست آن‌جا را اجاره کند. گفته بود: آقابزرگ صاحب اختیار است، اما اگر قرار خانه باشد، این جا نشد جای دیگری می‌خرم. روی حرف آقا هم حرف نمی‌زنم.

پدرم که اصلاً حاضر نبود رستم را از دست بدهد و دلش هم نمی‌خواست پاپا خانه را بخرد. به مادرم گفته بود. پدرت صاحب اختیار همه اهل محل که نمی‌تواند باشد.

خانم خانم که باخبر شده بود به پاپا گفته بود: حالا این یک وجب خانه به چه دردت می‌خورد؟

پاپا که نمی‌تواند تصور کند کسی بالای حرفش حرفی بزند می‌گوید: همه این آتشها را دکتر به پا کرده .

خانم خانم می‌گوید: زندگی پری را به هم زدی بس نیست، حالا به زندگی این یکی پیله کرده‌ای؟ اگر هم دکتر کرده باشد که نکرده، بد نکرده. دواخانه‌اش است و بالای دواخانه‌اش. رستم هم همه کاره‌اش. می‌خواهد بالای سرش باشد. حرف ناحسابی که نزده. اگر تو بودی نمی‌کردی؟

پاپا هم لج می‌کند که اگر این‌طور است بهتر است رستم هر چه زودتر جل و پلاسش را جمع کند و از این خانه برود.

خانم خانم می‌گوید: همینم مانده که جلو در و همسایه بگویند پسره را از خانه‌شان بیرون کرده‌اند. آن هم برای یک بالاخانه.

پاپا گفته بود: دکتر فکر کرده بالای سر خودش بهش جا بدهد که مواظب دواخانه‌اش باشد. آقای دکتر کور خوانده. خانه که خرید پس فردا هم یک زنیکه را می‌گیرد و چند تا توله راه می‌اندازد. آن وقت دیدنی می‌شود و چشم ما روشن.

خانم خانم می‌گوید: این هم به ما مربوط نیست. پسره را که اجیر نکرده‌ایم.

البته خبر به گوش من هم رسید. برای رستم نوشتم که اگر پولی لازم دارد من می‌توانم برایش بفرستم. اگر هم می‌خواهد خودش را لوس کند و آن را قبول نکند بهتر است فکر کند که قرض است و هر وقت توانست پسم بدهد.

به خاله ماهم نوشتم که هر کار می‌تواند برایش بکند و هر خرجی باشد من می‌دهم. اما آنها حواسشان بود. خاله ماهم و غلام‌خان و پدرم فوراً برایش یک وام بانکی جور کردند که ماهانه از حقوقش می‌پرداخت.

خانم خانم یک فرش به او داد و از طرف پاپا هم پولی برای خرید وسایل خانه. خاله پری می‌خندید و می‌گفت: آن پول آقا جان خیلی مزه دارد. به به اگر خودش بفهمد.

خانم خانم هم لبخندی می‌زده و می‌گفته: امان از دست این پری. خب معلوم است که می‌داند. من که پسه او پولش را نداده‌ام.

خاله پری هم می‌گفته: خدا شانس بدهد.

البته پاپا می‌دانست، اما بروی خودش نمی‌آورد.

رستم از آن پس هم هر روز سری به خانم خانم می‌زد و همه کارهای بیرون از خانه‌شان را انجام می‌داد. و با زمانی که در آن جا زندگی می‌کرد فرقی نکرده بود و به پاپا هم همان احترام را می‌گذاشت.

در خانه، پدر و مادر منتظرم هستند. خاله ماهم هم هست. برای اولین بار است که پس از مرگ غلام‌خان می‌بینیمش. انتظار نداشتم آن وقت شب آن جا باشد. غلام‌خان هفت هشت ماه است که فوت کرده. خاله ماهم خسته و شکسته به‌نظر می‌آید. انگار ده سال پیرتر شده. چادرش را روی شانه انداخته و موهایش یک دست سفید هستند. بسویش می‌روم و محکم بغلش می‌کنم. تنهایی او پس از غلام‌خان برایم غیرقابل تصور است. نمی‌دانم چطور می‌تواند بدون او زندگی کند. پای تلفن زار می‌زدم و او با صدایی خسته می‌گفت: مردک بیچاره‌ام راحت شد. خیلی درد می‌کشید. راحت شد.

وقتی گفتم: پس خاله ماه، شما...

گفت: دیگر وقتی نبود که من به خودم فکر کنم. حاضر بودم بجای او درد بکشم و او بماند اما اینها همه فقط آرزوهای بیهوده ما است.

بیماری غلام‌خان از اول تا آخر یک سال بیشتر طول نکشید. پنج شش ماه آخر دکترها قطع امید کرده بودند.

مادرم می‌گفت: خاله ماهت دیگر آن خاله‌ای نیست که می‌شناختی، ساکت شده. حرف نمی‌زند. همه‌اش می‌خواهد تنها باشد. می‌ترسم بلایی سرش بیاید. غصه آبش کرده.

راست می‌گفت غصه آبش کرده بود. می‌گویم: امشب می‌آیم پهلوی شما.

با بلاتکلیفی نگاهم می‌کند. مادرم با شتاب می‌گوید: نه نه خاله‌ات هم این جا می‌ماند. پدرم با سر اشاره‌ای به او می‌کند که متوجه نمی‌شود. حس می‌کنم چیزی در هوا موج می‌زند. یک چیز مزاحم که حسش می‌کنم. می‌پرسم. چه خبر شده؟ می‌پرسم رستم کجاست؟

پدرم زیر لب فحشی می‌دهد و لعنتی می‌فرستد که از آن سر در نمی‌آورم.

مادرم می‌گوید: حالا بخواب.

با بلاتکلیفی باقی حرفش را می‌خورد و به ناهید نگاه می‌کند. ناهید که انگار بی‌تاب است، چیزی را بگوید، سرش را به طرف او تکان می‌دهد و می‌گوید: او نمی‌خوابد، بهتر است بداند.

حس می‌کنم چیزی را خواهد گفت که طاقت تحملش را ندارم، سعی می‌کنم به میان حرفش بپرم تا او را از گفتن باز دارم. می‌گوید:

تو مرده‌ای...

لذتی پنهان در صدایش است که باور نمی‌کنم. می‌خندم و می‌گویم از این شوخی‌ها خوشم نمی‌آید.

می‌خواهم فرار کنم. از چیزی که می‌دانم نمی‌توانم تحملش کنم. رنگم به شدت پریده و آن را نه از نگاه دیگران بلکه از حالت عضله‌های صورتم حس می‌کنم. مادرم بهت‌زده نگاهم می‌کند. پدرم روی یک صندلی می‌نشاندم و دستش را روی شانه‌ام می‌گذارد. دستش را کنار می‌زنم. از اتاق بیرون می‌رود و با یک لیوان برمی‌گردد آب قند است و می‌گوید: این را بخور.

نمی‌توانم. لیوان را به دهانم نزدیک می‌کند و مجبورم می‌کند آن را بنوشم. و باز همان فحش را زیر لب تکرار می‌کند. نمی‌فهمم فحش است یا لعنت، نمی‌دانم.

به جهان گفته بودم که هرگاه در خواب دچار کابوس شدم و تقلا می‌کردم، فوراً بیدارم کند. اما هر چه دست و پا می‌زنم کسی بیدارم نمی‌کند. توی آبی سرد که لحظه به لحظه سنگین‌تر و تاریک‌تر می‌شود

فرو می‌روم. موج‌هایی عظیم با صدایی کرکننده می‌چرخاندم. احساس خفگی می‌کنم، می‌کوشم خودم را به سطح آب برسانم، اما نمی‌توانم، تقلا می‌کنم، دست و پا می‌زنم، بیهوده است به عمق تاریکی فرو می‌روم.

به من می‌گویند تو مرده‌ای، مثل این است که به آدم بگویند
تو که رفته بودی سفر، وطنت را آب برد. و من دیگر جایی
را ندارم که بروم...

خستگی شدیدی بر تنم می‌نشیند، چشمهایم را می‌بندم و توی تاریکی می‌غلتم. به ته آبی که سنگین و تاریک است می‌رسم سرم را روی سنگی می‌گذارم، چشمهایم را با رضایت‌خاطر می‌بندم. جهان فراموش کرده بیدارم کند. به او گفته بودم، او می‌دانست. اما بهتر، بگذار بخوابم، بگذارید بخوابم. بگذارید برای همیشه بخوابم.

آپارتمانش یک راهرو دارد با دو اتاق در سمت راست. یک آشپزخانه ته راهرو و سمت دیگر توالت و دستشویی است که بعداً یک دوش هم در آن کار گذاشت. آپارتمان کوچکی است که به اندازه یک دنیا وسعت دارد.

خاله ماهم کلید را از کیفش در می‌آورد و در را باز می‌کند. هنوز در را باز نکرده که مامی از زیر پایمان خودش را به داخل خانه می‌اندازد. خاله‌ام می‌گوید: آخ این هم مامی. و دست زیر شکم گربه می‌اندازد و بلندش می‌کند و می‌گوید: کجا بودی، ببین خودش را چقدر کثیف و خاکی کرده. زبان بسته گرسنه است. یک هفته است که پیدایش نبود. غیبش زده بود.

مامی بی‌تاب از این اتاق به اتاق دیگر می‌رود و میو میو می‌کند. خاله ماهم صدایش می‌کند و به آشپزخانه می‌رود تا به او غذا بدهد. مامی دوان دوان دنبالش می‌دود و همچنان میو می‌کند. به غذایی که خاله‌ام برایش گذاشته نگاهی می‌اندازد، مشغول خوردن می‌شود اما زیرچشمی مواظب

ما است و دائم سرش را از غذا برمی‌گرداند. خاله‌ام می‌نشیند و نازش می‌کند و می‌گوید: بخور، زبان بسته بخور، ببین خودت را چه کرده‌ای.

بالای سرشان ایستاده‌ام و نگاهشان می‌کنم. مامی دست از خوردن می‌کشد. دور و برش را نگاه می‌کند. خاله‌ام بار دیگر آهسته نازش می‌کند تا بقیه غذایش را بخورد. مامی رویش را برمی‌گرداند. بغلش می‌کنم. صورتم را به موهایش که خاکی است نزدیک می‌کنم. تقلا می‌کند و از بغلم پایین می‌پرد. به اتاقها سرک می‌کشد و میو می‌کند. می‌گویم: من همین جا می‌مانم...

ـ من هم پهلویت می‌مانم.

ـ نه، می‌خواهم تنها باشم. شما بروید خانه، خیالتان راحت باشد.

پا به پا می‌کند و دنبال بهانه می‌گردد. می‌گویم: خواهش می‌کنم. با قدم‌های سنگین به طرف در می‌رود و دم در می‌ایستد، برمی‌گردد که چیزی بگوید. التماس می‌کنم: هیچ چیز نمی‌خواهم بدانم. فقط می‌خواهم تنها باشم.

لبهایش را به هم فشار می‌دهد و آهسته از در بیرون می‌رود. بار دیگر برمی‌گردد و نگاهم می‌کند، انگار التماس می‌کند بگذارم بماند. دستم را روی بازویش می‌گذارم لحظه‌ای دیگر مکث می‌کند و سپس به سوی پله می‌رود. در را پشت سرش می‌بندم.

> در خانه‌ات هیچ چیز دست نخورده. مامی دوباره به آشپزخانه می‌رود که باقی غذایش را بخورد، همراهش می‌روم. کنار آشپزخانه در دستشویی نیمه‌باز است. حوله‌ات به میخ کنار آینه آویزان است، آن را برمی‌دارم و به‌صورتم می‌چسبانم. بوی دستهایت هنوز روی آن است. مامی دور و

برم می‌گردد و سرش را به پایم می‌مالد، خم می‌شوم و نازش می‌کنم. در اتاق نشیمن همان میز گرد و دو تا مبل سر جایشان قرار دارند. تلویزیونت هم هست. همه جا تمیز و مرتب است.

می‌گویند خانه آدمهای تنها یا خیلی تمیز است یا خیلی کثیف. خانه تو تمیزترین خانه‌ها است. تنها چیزی را که نمی‌توانستی عوض کنی، بوی دارو بود...

خانه به هم ریخته و خالی است، بدون این که به هم ریخته و خالی باشد، گرد نازکی روی میز نشسته است. زیر میز مجله‌ها رویهم ریخته شده‌اند. یک جعبه شکلات هم کنار آنها است. دست دراز می‌کنم که آن را بردارم، اما نمی‌توانم. اولین بار که بیش از نیمی از شکلاتهای یک جعبه شکلات را گاز زده و سر جایش گذاشتیم همین جا بود. کنار همین میز در همین اتاق. همان روزی که خانم خانم صبحش مرده بود.

فقط به خاطر تو بود که توانستم خانم خانم را در آخرین روزهای حیاتش ببینم و خاطره‌ای از آغوش گرم آن زن بی‌همتا و غرورانگیز به یادگار داشته باشم. این خاطره را به هیچ کس جز تو مدیون نیستم...

انگار به فکر هیچ کس نرسیده بود که من هم حق دارم در آن لحظه‌های آخر کنارش باشم. به تهران که رسیدم آخرین روزهای عمرش را می‌گذراند. پیر و شکسته و بیمارتر از آن چه تصور می‌کردم، شده بود. به زحمت می‌توانستم آن زن با نشاط و سرزنده را در وجود او باز شناسم. حتی نمی‌توانست از جایش بلند شود. اطرافیانش را به‌جا نمی‌آورد. ما را با هم اشتباه می‌کرد. گاه لحظه‌هایی پیش می‌آمد، لحظه‌های زودگذری که

چیزی به یاد می‌آورد. ناگهان چهره‌اش باز می‌شد، گویی خاطره‌ای تاریکی ذهنش را روشن می‌کرد. در آن لحظه‌های زودگذر خنده‌ای به همان شیرینی سابق صورتش را می‌پوشاند. دستهایش را می‌گرفتم و تکان می‌دادم بلکه بتوانم آگاهیش را نگه دارم. اما جرقه خاموش می‌شد و او بار دیگر در تاریکی فرو می‌رفت. نگاهم می‌کرد گویی کوشش می‌کرد مرا به یاد بیاورد. بعد با خستگی چشمهایش را می‌بست. تنها کسانی را که کاملاً می‌شناخت پاپا و رستم بودند. پاپایی که خودش هم پیر و شکسته شده بود و کمتر به اتاق خانم خانم می‌آمد. طاقت دیدن او را در آن حال نداشت.

بجز خانم خانم و پاپا که دیگر به هیچ چیز خانه کاری نداشت، همه در حال رفت و آمد و انجام کارها بودند. ننه‌ها، علی‌خان، آقاوردی، رستم، غلام خان و خاله‌هایم هر یک به نوبت می‌آمدند و کارها را انجام می‌دادند. رستم همه‌جا بود، انگار به همه کارها می‌رسید. یک پایش داروخانه پدرم بود و یک پایش خانه پاپا. هر چه می‌گفتند و می‌خواستند برای انجامش آماده بود.

از روز رسیدنم به تهران تا فوت خانم خانم چند روز بیشتر طول نکشید. آخرین روزهایش در سکوتی کامل و خوابی طولانی گذشت. محیط خانه چنان ساکت و سنگین بود که نفس آدم می‌گرفت. بیش از یکی دو ساعت نمی‌توانستم آن‌جا بمانم. به ننه ددری نگاه می‌کردم و دلم آرزوی غش غش خنده‌هایش را داشت. اما او نیز لبها به هم فشرده غرق در فکر و مشغول کار بود.

سرانجام مادربزرگم یک روز صبح در حالی که فقط ننه بزرگه پایین پایش خوابیده بود، زندگی را بدرود گفت و خانه‌اش را ترک کرد. خانه‌ای

که آن همه سال در آن زندگی کرده، مهمانی‌ها داده و گلها کاشته بود. خانه‌ای که از خنده‌ها و عشق‌هایش لبریز بود، هر گوشه‌اش را آرایش کرده و دوست داشته بود.

چیزی نگذشته بود که خانه پر از رفت و آمد شد. نمی‌توانستم باور کنم کسی که بیش از هر کس به آن‌جا تعلق داشت و یک عمر در آن فرمانروایی کرده و بچه‌ها و نوه‌هایش را بزرگ کرده بود، نباشد و عده دیگری همه سعی‌شان آن باشد که هر چه زودتر او را از آن جا ببرند.

ننه‌ها در آشپزخانه حلوا درست می‌کردند. مادرم و خاله پری از همان صبح لباس سیاه پوشیده و بالای اتاق نشسته بودند و با مهمانهایی که مرتب وارد می‌شدند سلام و علیک می‌کردند. شبکه خبررسانی منظم و سریع کار خود را انجام داده بود.

خاله ماهم چادرش را روی شانه انداخته بود و به هزار کار می‌رسید. غلام‌خان و رستم هم گوش به فرمان او نزدیکهایش می‌چرخیدند. هنوز ظهر نشده بود که چند نفر از ده آمدند که کار خرید و غیره را انجام دهند.

جنازه را که از خانه می‌بردند همه زار می‌زدند. رستم زیر بغل پاپا را گرفته بود و او را به طرف اتومبیل می‌برد. پشت پاپا خم بود و به بازوی رستم تکیه داشت. رستم در اتومبیل را برایش باز کرد و کمکش کرد سوار شود. همین که نشست دست رستم را پس زد و با تندی اشاره کرد که در را ببندد.

بچه که بودیم می‌دانستیم زورمان به او نمی‌رسد. اما آن روز
چه آسان می‌توانستی دستش را رها کنی...

مادرم و خاله پری از آن طرف سوار شدند و کنارش نشستند. من همراه خاله ماهم و غلام خان با اتومبیل آنها رفتم. برادر غلام‌خان هم با ما

بود. خاله ماهم آهسته اشکهایش را با پشت دست پاک می‌کرد و ساکت بود. غلام‌خان از توی آیینه نگاهش می‌کرد اما چیزی نمی‌گفت. سر خاک گوشه‌ای ایستاده بودم و به جمعیتی که دور قبر باز جمع شده بودند نگاه می‌کردم. صدای گریه و شیون توی سرم می‌پیچید. سرم درد می‌کرد و از این که در میان آن جمع حتی یک قطره اشک نمی‌توانستم بریزم شرمنده بودم، اما نمی‌توانستم. رستم گوشه‌ای ایستاده بود، وقتی دید گیج و سرگردان جدا از دیگران ایستاده‌ام، به طرفم آمد. گفتم: کاش می‌شد اینها را ساکت کرد. چرا این‌قدر سر و صدا راه انداخته‌اند؟

زیر گوشم گفت: با رسم و رسوم این‌جا نمی‌شود در افتاد. کاری نمی‌توانی بکنی به خانه که برگشتیم حال بدی داشتم. فکر کردم بهتر است به خانه خودمان بروم. رستم پرسید کجا می‌روم، سپس کلید خانه‌اش را از جیب درآورد و گفت: آن‌جا هم فرقی با این جا ندارد، بیا برو خانه من، اگر مامی آن جا بود یک کمی غذا بهش بده. من نرسیده‌ام چیزی برایش بگذارم.

ـ دلت برای من می‌سوزد یا مامی؟

ـ هر دو.

کلید را گرفتم و بی‌آن که کسی متوجه شود، رفتم. مامی دم در، روی پادری خوابیده بود. مرا که دید فوراً از جا بلند شد و کش و قوسی به خودش داد و منتظر ایستاد تا در را باز کنم. فوراً راه آشپزخانه را در پیش گرفت. برایش غذایی گذاشتم. به اتاق نشیمن رفتم روی یک صندلی نشستم صندلی دیگری پیش کشیدم پایم را روی آن گذاشتم سرم را به پشتی صندلی تکیه دادم و اشکهایم سرازیر شد. بعد از آن خوابم برد. از آن خوابهای آرامی که در زندگی فقط گاهی به سراغ آدم می‌آید. خوابی که

وقتی از آن بیدار می‌شویم انگار زندگی دوباره‌ای از سر گرفته‌ایم.

نمی‌دانم چقدر گذشته بود که از صدای تلفن آپارتمان پهلویی بیدار شدم. خواستم بلند شوم و پیش از آن که غیبتم جلب توجه کند به خانه خانم خانم برگردم. اما با تنبلی روی صندلی راحتی لم دادم، که زنگ آپارتمان را زدند، رستم بود. گفتم: من داشتم می‌آمدم.

گفت: فعلاً آن جا خبری نیست. من هم آمده‌ام یک چایی بخورم.

ـ اگر می‌دانستم درست می‌کردم.

در حالی که می‌گفت: الان درست می‌کنم، کاری ندارد. به آشپزخانه رفت.

پرسیدم: مامان سراغ مرا نگرفت؟

گفت: آن‌قدر سر همه شلوغ است که... یکی دو بار از پری خانم پرسید که تو کجا هستی اما بعد انگار یادش رفت. فعلاً برای یک چای خوردن وقت هست. هنوز شام را نداده‌اند.

مامی میومیو کنان دنبالش به آشپزخانه دوید. چای را که روی میز می‌گذاشت گفتم: چه مراسم خسته‌کننده و پرزحمتی.

گفت: کاری نمی‌شود کرد. خانم بزرگ باید احترامش حفظ می‌شد.

ـ مگر احترام آدم به این چیزها است؟

ـ البته.

گفتم: نمی‌توانم باور کنم که خانم خانم دیگر نباشد. رفتن آدمها چقدر سخت است. تا آخرین لحظه هم باور نمی‌کنی که داری از دستشان می‌دهی.

در حالی که دستش را روی پشت گربه می‌کشید گفت: خانم بزرگ از آن کسانی بود که آدم دلش می‌خواست همیشه زنده می‌ماندند.

بلند شد، به اتاق خوابش رفت و با کتابی برگشت، آن را چند بار ورق زد و صفحه‌ای را که می‌خواست پیدا کرد و گفت: گوش کن، می‌گوید: «من نمرده‌ام. منزل عوض کرده‌ام، در تو که مرا می‌بینی و بر من اشک می‌ریزی زنده می‌مانم.»

جلد کتاب را برگرداندم، اسمش را ببینم. گفتم: اما کافی نیست.

- چاره‌ای نیست.

- دیدن ناتوانی کسی که روزی برایمان مثل قهرمان بود، دردناک‌ترین حادثه زندگی است. در جعبه شکلاتی را که برایش آورده بودم باز کرد، جلو من گرفت یکی برداشتم، خودش هم یکی برداشت. گوشه شکلات را گاز زدم، دوست نداشتم. شکلات را سر جایش گذاشتم و یکی دیگر برداشتم. رستم شکلاتش را خورد و یکی دیگر برداشت، گوشه‌اش را گاز زد و شکلات گاز زده را سر جایش گذاشت.

مامی کنار پایش خوابیده بود و او گاهی دستی روی سرش می‌کشید. چایمان را که خوردیم به ساعتش نگاه کرد. وقت شام بود، بلند شدیم. در جعبه شکلات را که بیش از نیمی از آنها را دندان زده و سر جایش گذاشته بودیم بستم و گفتم: همه شکلات‌ها را دندان زده‌ایم.

خندید و گفت: چه عیبی دارد.

جهان نمی‌تواند بفهمد که هیچ جعبه شکلاتی را در خانه باز نمی‌کنم. اگر در مهمانی کسی شکلاتی تعارفم کند او خنده‌ای می‌کند و می‌گوید: شوریده شکلاتهای توی جعبه را دوست ندارد. زن من فقط شکلاتهای بسته نشده را، شکلاتهای آزاد را دوست دارد.

آخ، آزاد، آزاد.... نمی‌دانم کدام یک از ما مفهوم آزادی را درک می‌کنیم؟

دفعه بعد که برایت شکلات آوردم، با خنده گفتی،
بازرسی شده‌اند...

گفتم: آن شب اصلاً حواسمان نبود داریم چکار می‌کنیم.

ـ خب، چه عیبی دارد آدم حواسش نباشد؟ بد که نیست.

ـ بد نیست؟ کجایش خوب است؟ اگر خوب بود پس چرا فراموش نکرده‌ای؟

ـ من خوبی و بدی در آن نمی‌بینم. تازه چرا فکر نمی‌کنی برای خوبی‌اش بوده که فراموش نکرده‌ام.

ـ بیشتر از خوب بودن غیرعادی بودنش بود. یک بازی ممنوع برای همین، هم یاد تو مانده هم من و در جای دیگری هم ممکن نبود از ما سر بزند.

انگار از این بحث لذت می‌برد، گفت: خوب و بد کارها را چه کسی تعیین می‌کند؟

ـ اجتماع، خانواده. اجتماع همیشه به یک چهارچوب از قبل شکل گرفته وابسته است و آن را به‌عنوان اخلاق و قانون به جامعه تحمیل می‌کند.

ـ و آدمها هم تا آن جا که بتوانند آنها را می‌شکنند.

ـ تقریباً، نه صد درصد.

ـ گاز زدن به شکلات در کجا قرار می‌گیرد؟

ـ راستش نمی‌دانم، فقط می‌دانم برای من یک جور آزادی بود، رهایی بود. رهایی در یک جعبه شکلات آن هم در خانه تو.

ـ و ما فکر می‌کردیم این چهارچوب‌ها را با گاز زدن شکلات شکسته‌ایم.

گفتم: آره.

ـ آن هم دور از چشم دیگران.

ـ برای شکستن چیزهای دست و پاگیر نمی‌دانم چه چیزی لازم است. بعضی‌ها می‌گویند عشق، اما من در این هم شک دارم.

گفت: عشق اگر کافی نیست، پس به چه درد می‌خورد؟

گفتم: شاید به این درد که آدم را رنج بدهد.

گفت: یا این که آدم را به بند بکشد.

ـ شاید....

از صدای پنجه‌ای که به در می‌خورد از جا بلند شد و در حالی که به طرف در می‌رفت گفت: این مامی است. پشت در مانده.

ـ الان که این جا بود.

در را باز نکرده گربه پرید تو. به دور و برش نگاهی کرد و آمد و پوزه‌اش را به گوشه میز مالید. گفت: مامی هم مثل تو است. خیلی وابسته به آزادی‌اش است. صد دفعه می‌رود و می‌آید، هیچ دری را نمی‌شود روی او بست.

گربه را صدا کردم با بی‌اعتنایی نگاهی به من انداخت، یک قدم به طرفم آمد، اما نگاهش به رستم بود. گفتم، برای همین، من این قدر دوستش دارم.

ـ شاید برای همین پیش من مانده. و به گربه که بلندبلند خرخر می‌کرد و خودش را به پای او می‌مالید نگاه کرد.

گفتم: لوسی را یادت می‌آید؟ چه گربه پرافاده‌ای بود. آرزو به دل ما مانده بود که یک دفعه بغلش کنیم. چقدر خانم خانم دوستش داشت.

ـ لوسی یکی از خوشگلترین گربه‌هایی بود که دیده‌ام.

ـ این مامی هم دست کمی از او ندارد. دست کم می‌شود بغلش کرد.

ـ مامی به خوشگلی لوسی نیست، اما خوش‌اخلاق است.

گفتم: مثل مسیوخان. یادت هست چه قاه قاهی می‌زد؟

ـ یعنی اگر مامی هم می‌توانست بخندد مثل مسیوخان می‌خندید؟

ـ می‌دانستی که دوستی تو با لوسی، ما بچه‌ها را خیلی حرص می‌داد. همه به تو حسادت می‌کردیم.

ـ در عوض مامی تا دلت بخواهد بی‌رو درواسی است. هر که نازش کند، می‌رود بغلش.

ـ ندزدندش؟

ـ مامی را همه می‌شناسند. آن قدرها هم بی‌وفا نیست که بگذارد کسی ببردش.

در اتاق خواب، تخت کوچک چوبی‌اش کنار دیوار قرار دارد. روی میز کنار تخت یک چراغ و رادیو ضبط صوتش است. مامی به کنار تخت می‌آید و دستهایش را به لبه تخت می‌گذارد لحظه‌ای مرا نگاه می‌کند و روی تخت می‌پرد و خودش را گوشه‌ای که احتمالاً همیشه می‌خوابیده جابه‌جا می‌کند. نواری را که در ضبط صوت است در می‌آورم. باید سونات مهتاب باشد. همان نوار قدیمی خودمان. نوار دیگری است که آن را نمی‌شناسم. ضبط صوت اما نو است.

به دور و بر اتاق نگاه می‌کنم. تنها باری که به اتاق خوابت
آمدم تازه قفسه‌های کتابت را درست کرده بودی و
می‌خواستی آنها را نشانم بدهی...

قفسه‌ها از کتاب خالی است. کنار دیوار چند جعبه مقوایی قرار دارد که کتابها را تویش ریخته‌اند. کتابهای خودش، کتابهایی که من برایش

خریده بودم. آنها را زیر و رو می‌کنم. «ژان کریستف» در چهار جلد با نوشته شانزده سالگی‌ام: بزرگترین کتاب قهرمانی جهان، تقدیم به بهترین پهلوان دنیا. کنارش کتاب «زندگانی بتهوون» در صفحه اول آن نوشته‌ام: بزرگترین هنرمند جهان و بهترین قصه‌گوی ابرها.

به قفسه‌های خالی که یکی دو کتاب این گوشه و آن گوشه افتاده نگاه می‌کنم. برهوتی است که هیچ چیز را القاء نمی‌کند. مدت‌ها نگاه متعجب و خالی‌ام به آن دوخته می‌شود.

سرمای غیرمنتظره‌ای روی مهره پشتم می‌دود. دستهایم را به دورم حلقه می‌کنم.

> گوشه دیگر، کمد لباسهایت است. دلم می‌خواهد در آن را باز کنم، اما نمی‌توانم.
>
> می‌ترسم به دنیایی وارد شوم که برایم ناآشنا است. به در کمد تکیه می‌دهم و آهسته سُر می‌خورم و روی زمین می‌نشینم. همه جا بوی دوا می‌دهد.
>
> از بوی دوا حالت بهم می‌خورد و حالا این بو با همه جانت درآمیخته است....

مامی گوشه تخت گرد شده و دستش را طوری روی چشمهایش گذاشته است که فقط نیمی از آنها را پوشانده است و با نیمه دیگر حرکات مرا را زیر نظر دارد. کتابی را از لابلای کتابها در می‌آورم و به تصادف ورق می‌زنم. زیر جمله‌ای خط کشیده است، بقیه آن را ورق می‌زنم و جمله‌های خط‌کشیده را می‌خوانم. نمی‌دانم خط‌ها به کدام یک از ما تعلق دارد. هر دو زیرجمله‌هایی که دوست داشتیم خط می‌کشیدیم. هر چه دقت می‌کنم تفاوتی پیدا نمی‌کنم، نمی‌دانم کدام مال او کدام مال من است.

کتابها را یکی یکی برمی‌دارم و ورق می‌زنم. کتاب «رابینسن کروزو» اثر «دانیل دوفو» را ته یک جعبه پیدا می‌کنم. از روی جلدش آن را می‌شناسم. کتاب مورد علاقه‌اش بود. من برایش خریده بودم. او چندین بار و من یک بار آن را خوانده بودم. داستانی که هرگز جذابیتش را برایمان از دست نداد. صفحه‌های کتاب زرد رنگ شده و گوشه‌هایش برگشته و اثر انگشتهایمان در هر ورقش پیدا است.

می‌توانم نفسهایمان را در میان آن حس کنم. یک بار به او گفتم کتابهای کهنه را به کتابهای نو ترجیح می‌دهم. هم خواندنش راحت‌تر است و هم این که یک جور زندگی همراهشان است که آدم حس می‌کند.

در جوابم خندید و گفت: خدا را شکر کتابهای ما همه قدیمی و کهنه هستند و هر که ببیند فکر می‌کند از کتابخانه عمومی دزدیده‌ایم.

کتاب را ورق می‌زنم، جا به جا جمله‌هایی از آن را می‌خوانم. ناگهان در گوشه صفحه‌ای چشمم به جمله‌ای می‌افتد که با دست نوشته است. می‌خوانم و نمی‌فهمم. می‌خوانم و قلبم می‌خواهد بایستد. می‌خوانم، می‌خوانم، می‌خوانم و باور نمی‌کنم. دستهایم یخ کرده‌اند و تنم داغ شده. انگار هیچ حسی ندارم، اما سنگینی کوه را روی تنم حس می‌کنم و حس می‌کنم یک مشت شن توی چشمهایم می‌جوشد و اشک از هر گوشه‌اش بیرون می‌ریزد، به زحمت می‌توانم باز نگهش دارم. کتاب از دامنم سر می‌خورد و به زمین می‌افتد. هزار سال طول می‌کشد تا خم شوم، برش می‌دارم و به سینه‌ام می‌چسبانم.

مامی از جا می‌پرد و نیم‌خیز می‌شود. دستم را زیر شکمش می‌اندازم، بغلش می‌کنم و صورتم را توی تن گرمش فرو می‌برم. خرخرهایش قطع و وصل می‌شود، نمی‌داند بماند یا نه، سعی می‌کند از بغلم در آید.

می‌گذارم سر جایش، چرخی می‌زند نگاهی به من می‌اندازد سرش را توی سینه‌اش فرو می‌برد. هنوز خرخرهایش بریده بریده است. کتاب را باز می‌کنم. صفحه سی و هفت، گوشه چپ پایین صفحه خط خودش است.

صدای نفسهای بلند مامی توی اتاق پیچیده. کنار او لبه تخت زانو می‌زنم سرش را بلند می‌کند و خمیازه‌ای طولانی می‌کشد. او اینک تنها نفس زنده این اتاق است و ظاهراً از نبود کتاب و بتهوون دغدغه‌ای ندارد. نازش می‌کنم و او آهسته خرخر می‌کند.

هیچ گربه‌ای به اندازه مامی برای من خرخر نکرده است. رستم می‌گفت: گربه بی‌خیال و خوش‌اخلاقی است. مرده این است که نازش کنند.

گفتم: خیلی هم بی‌خیال نیست. به‌نظر من خر خر او یک‌جور حس انسانی است.

خندید و گفت: هر چه شما بفرمایید.

بعد اضافه کرد: البته به حق چیزهای نشنیده.

از زیر چشم به جهان نگاه می‌کنم، سرش را به پشتی صندلی تکیه داده و چشمهایش را بسته است. نمی‌دانم خواب است یا بیدار.

> تنها چیزی که نمی‌توانم به او ببخشم این است که نمی‌توانم
> از تو با او حرف بزنم...

جهان بسیاری از کارهای مرا نمی‌تواند بپذیرد. عقایدی دارد دور شده از دنیای من. می‌گوید از این که هرگز از خاطراتم چیزی نمی‌گویم، سر در نمی‌آورد.

می‌گویم: خاطره‌ها مانند هوای اتاقهایی است که دورانهای مختلف

زندگیمان را در آن گذرانده‌ایم. در هر چیزی نشانی از وقت و زندگیمان وجود دارد.

به دور و برم که نگاه می‌کنم، همه جا پر از روزهایم است. پرده‌های دوخته شده، پنجره‌های تمیز، رومیزی اتو شده، گلهای توی باغچه، هر یک روزی و ساعتی از زندگی‌ام را در خود دارند، ساعت‌ها و روزهایی که برای همیشه از دستشان داده‌ام و هرگز نمی‌توانم پسشان بگیرم.

تو در همه این خاطرات جا داری. لابه‌لای پرده‌ها، در
یکایک برگها و گلهای باغچه. حتی روی رومیزی صاف اتو
کشیده‌ام جای تو هست. از پنجره که به حیاط نگاه می‌کنم تو
در تمیزی شیشه‌ها نشسته‌ای...

جهان با این گوشه از دنیای من بیگانه است و نمی‌تواند آن را بپذیرد. انگار در زندگیش هیچ خاطره‌ای که آن‌قدر برایش عزیز باشد که نخواهد آن را با کسی در میان بگذارد، وجود ندارد.

می‌گوید: خاطره یعنی گذشته، وگذشته را باید فراموش کرد. یادآوری گذشته وقت تلف کردن است.

می‌گوید که من خواب زده و رؤیایی‌ام. در لحن گفته‌اش سرزنشی احساس می‌کنم. می‌گوید زنها در دنیای خواب و خیال زندگی می‌کنند. تصور می‌کند من بیش از دیگران به این مرض گرفتارم.

از خونسردی مطلق یا به قول خودش از بی‌تفاوتی مطلق من دلخور می‌شود، نمی‌توانم درک کنم که چطور انسان زمانی کسی را بیشتر از جانش دوست داشته باشد و نتواند بدون او زندگی و خوشبختی را باور کند. بعد روزی به زحمت بتواند آن همه شیفتگی را به یاد بیاورد. نگاهش می‌کنم و می‌اندیشم اگر عشق همچون مه بخار شده و آرام و بی‌سر و صدا

محو شده است، چه چیزی جای آن را گرفته؟ این که هنوز هم دوستش دارم چه شکلی از عشق است و چرا هزار علامت سؤال به دنبال دارد؟

چشمهایش را باز می‌کند، گویی سنگینی نگاه مرا حس می‌کند. آهی می‌کشد و می‌گوید: شوریده، شوریده، شوریده.

انگار می‌گوید: آن دختر شوریده مدرسه‌ای که دلش آرام و قرار نداشت کجاست؟

من او را گم نکرده‌ام، نمی‌توانم به یادش بیاورم.

می‌دانم از او رهایی ندارم. تنها کاری که از دستم برمی‌آید فدا کردن عشق است. عشق می‌تواند در رؤیا باشد و در خواب و خیال به زندگی ادامه دهد.

از این که نمی‌توانستم از تو با او حرف بزنم خوشحالم....

خانه پاپا و خانم خانم هنوز پر از مهمان بود. مراسم شام، زمانی دراز و انگار تمام‌نشدنی ادامه داشت. هیچ کس عجله‌ای برای رفتن نشان نمی‌داد. فقط پاپا به اتاقش رفته و برای شام هم بیرون نیامد. گفته بود غذا هم برایش نبرند و کاری به کارش نداشته باشند. احتمالاً در خلوت به ستاره‌اش فکر می‌کرد، به زندگیشان، به قهر و آشتی‌هایشان. دلم می‌خواست پهلویش می‌رفتم و به او می‌گفتم که آیا می‌داند چرا اسم دخترم را ستاره گذاشته‌ام. بی‌گمان می‌دانست. خانم خانم حتماً به او گفته بود. آنها تا سالهای آخر همدلی و همزبانی یگانه‌ای را که با یکدیگر داشتند، حفظ کرده بودند. پاپا همیشه نزدیک خانم خانم می‌نشست و با هم که حرف می‌زدند سرش را به سوی او نزدیک می‌کرد، دستش را آهسته روی خواب قالی می‌کشید و به تأیید سرش را تکان می‌داد. در این طور وقت‌ها آن‌قدر آهسته حرف می‌زدند که کسی چیزی نمی‌شنید. اما

همه می‌دانستند که اسرار همه نزد آن دو است.

روز بعد که او را دیدم، تنهاترین مرد دنیا شده بود. جرأت نکردم خلوتش را به هم بزنم. انگار در دنیا را به روی خودش بسته بود. دیگر به کسی نگاه نمی‌کرد. شکننده شده بود. یک‌باره همه ابهتش را از دست داده بود. نمی‌دانستم چقدر می‌تواند دوام بیاورد یک سال، دو سال، نمی‌دانستم. اما پاپا تحملش به یک سال هم نکشید، شش هفت ماه بعد از خانم خانم از دنیا رفت.

آخر شب بود که خانه نسبتاً خلوت شد. البته عده‌ای مانده بودند که هر یکی دو نفر در اتاقی خوابیدند. خاله پری و مادرم در اتاق خانم خانم خوابیدند. ننه ددری و ننه بزرگه سرگرم آخرین جمع و جورها بودند. من و خاله ماهم در اتاق کوچک نزدیک آشپزخانه نشسته بودیم. ننه ددری گفته بود برایمان همان جا رختخواب می‌اندازد. غلام‌خان قبل از این که برود، دم در اتاق سرک کشید.

خاله‌ام گفت: تو برو خانه. من این جا هستم. همین جا می‌خوابم.

غلام‌خان گفت: صبح می‌آیم. در حالی که چشمکی به من می‌زد اضافه کرد: شما هم زیاد حرف نزنید و بخوابید. امروز همه از خستگی از پا افتاده‌ایم.

گفتم: این گریه و زاری‌ها بیشتر از همه آدم را خسته می‌کند. معلوم نیست برای چه این‌طور شیون می‌کردند. خود ما که ساکت بودیم. خانم خانم خودش به این چیزها اعتقاد نداشت. تازه این‌ها خیلی هم خودی نبودند.

خاله ماهم آهی کشید و چادرش را بیشتر دورش پیچید. غلام‌خان گفت: خب این رسم زندگی است. چاره‌ای نیست.

ننه بزرگه با یک سینی چای آمد و آن را جلو غلام‌خان گرفت. غلام‌خان در حالی که استکانی برمی‌داشت گفت: اینها رسم و رسوم ما است دخترم.

گفتم: بهتر نبود مراسمش با آرامش برگزار می‌شد؟ اینهمه شلوغی و سر و صدا...

می‌خواستم بگویم دلم می‌خواست نوار آهنگی را که دوست داشت می‌گذاشتم، اما دیدم جای این حرفها نیست.

خاله ماه گفت: مرگ به موقع سعادت است. البته مادر آدم هزار سال هم عمر کند باز از دست دادنش سخت است.

غلام‌خان گفت: سختی‌اش برای این است که مرگ را برای ما به‌صورت فاجعه در آورده‌اند که خودش یک فاجعه است.

رستم که به کنار در آشپزخانه تکیه داده بود گفت: گریه و زاری آنها برای خانم بزرگ قدر و منزلت بود. برای این که نگویند کسی را نداشت که برایش گریه کند. بعضی‌ها هم برای خودشان گریه می‌کردند. فرصتی است که هر کس دلش می‌خواهد یک دل سیر گریه کند چون کسی نمی‌پرسد چرا گریه می‌کنی.

غلام‌خان تک‌خنده‌ای کرد: این را می‌گویند یک دل سیر و بی‌دردسر گریه کردن.

گفتم: نمی‌شود این رسمهای کهنه را دور ریخت؟

غلام‌خان گفت: به این راحتی‌ها هم که نیست...

گفتم: بالاخره باید از جایی شروع کرد. پس چه وقت باید معیار قضاوتمان آگاهی‌مان باشد نه آداب و رسوم کهنه شده؟ آن جا مردم مرگ را به صورتی ساده قبول کرده‌اند و مراسم به خاک‌سپاریشان بی‌سر و صدا

و ساده است. حتی لباس سیاه هم نمی‌پوشند و رنگ لباس هیچ ربطی به اندوهشان ندارد.

سکوتی برقرار شد. حس می‌کردم این طرف مرزِ آن سرزمین بی‌نامِ مابین کشورها ایستاده‌ام. سرزمینی که دیگر گذشتن از آن را از یاد برده بودم و نمی‌دانستم چطور می‌توان از آن گذر کرد.

خاله ماهم گفت: آخر همه رسوم قدیمی که بد و دور ریختنی نیست. خیلی از این رسمها به آدم کمک می‌کند تا ناراحتی‌ها را تحمل کند. مثلاً همین رسم عزاداری ما. تحمل مرگ در تنهایی خیلی سخت است. این‌ها به‌خاطر زنده‌ها است.

ستاره گفت: کریسمس که پهلویتان بودم. این عید دیگر چیست؟

فریادم را فرو می‌دهم و می‌گویم: این عید همان عیدی است که ما در کشورمان هزاران سال است جشن گرفته‌ایم درست مثل همه کشورها و همه آدمهای دنیا که به جایی وابسته‌اند.

پوزخندی می‌زند: خوب است خودت هم می‌گویی هزاران سال پیش. این مراسم برای من جالب نیست. چطور نمی‌توانی در دنیای متمدن غرب و در عصر فضا، دست از این عادتها برداری و هم‌چنان به این آداب وابسته‌ای؟

غلام‌خان گفت: آگاه بودن به موقعیت اجتماع و اعتقادات جامعه، به آدم کمک می‌کند که راحت‌تر قبولشان کند.

ـ حتی آنها که دست و پاگیر است؟

ـ حتی آنها که دست و پاگیر است.

آخرین جرعه چایش را سر کشید و گفت: من دیگر باید بروم.

خاله ماهم از جا بلند شد که تا دم در همراه او برود.

مامی در حالی که دهانش را می‌لیسید از آشپزخانه بیرون آمد. معلوم بود که غذای خوبی از ننه‌ها گرفته. به دور و برش نگاه کرد، آمد کنار رستم و خودش را به پای او مالید. رستم روی پله راهرو نشست. رفتم کنارش نشستم. به آسمان نگاه کردم یک لایه ابر نازک و رشته رشته آسمان را پوشانده بود. گفتم: این ابرها هیچ داستانی ندارند.

گفت: امشب داستانی ندارند. وگرنه هیچ ابری بدون داستان نیست.

> تو ابرهای یک تکه و بزرگی را که به نظر من به هیچ چیز شبیه نبودند، به یک فرش بزرگ که می‌شود رویش رنگ پاشید و گل و گیاه کشید، تشبیه می‌کردی و گویی هیچ‌وقت ذهنت از تصورات گوناگون و داستان‌های متفاوت کمبودی پیدا[1] نمی‌کرد...

گفتم: هر وقت به ابرها نگاه می‌کنم یاد خنده‌هایمان می‌افتم که انگار از آسمان سرازیر می‌شدند.

دستهایش را از هم باز کرد سرش را کج گرفت و گفت: این طوری مثل هواپیما چرخ می‌زدیم.

- چقدر زمین می‌خوردیم و زانوها و مچ دستهایمان همیشه پر از زخم بود.

مچ دستم را نگاه می‌کنم و می‌گویم: هنوز جای بعضی از آنها مانده.

دستش را کنار دست من می‌آورد. رنگ پوستمان کاملاً یکی است. همیشه فکر می‌کردم او سیاه‌تر از من است. مثل این که رنگ پوست باید رابطه‌ای با فقر و موقعیت اجتماعی داشته باشد. اگر هم این‌طور باشد. رنگ پوست من و او به طرز شگفت‌انگیزی یکی بود.

بدون این که چیزی بگویم به دستش نگاه می‌کنم، بی‌آن که حتی آن را

لمس کنم.

می‌گویم: جایی که زندگی می‌کنم ابرهایش نه داستانی دارد نه پایانی. آدم آن‌قدر حسرت آفتاب را می‌خورد که گاهی فکر می‌کند آن را از یاد برده. راستی چند سال است که دیگر روی این پله ننشسته‌ایم؟

سینه‌اش را صاف می‌کند و می‌گوید: این اولین چیزی است که از این خانه یادم مانده.

ـ من این‌جا بودم. یادم هست.

ـ من فقط این پله را یادم هست و مرگ مادرم و این که دلم می‌خواست برمی‌گشتم پیش عزیزم.

ـ من آن روز این‌جا بودم.

چشمهایم را که ببندم، می‌توانم آن بچه کوچک را با موهای سیاه و فرفری که صورتش به زحمت پیدا بود، ببینم.

می‌گوید: من کسی را نمی‌دیدم، می‌ترسیدم سرم را بلند کنم. فقط لوسی را یادم هست. تو را بعداً دیدم که می‌خواستی او را ناز کنی.

ـ و تو دستت را روی دست من گذاشتی، تا او فرار نکند.

نمی‌دانم حاضرم چه چیز را بدهم تا بار دیگر سنگینی آن
دست کوچک و عزیز را روی دستم حس کنم. نمی‌دانم،
نمی‌دانم...

گفت: آن روزها فقط دلم می‌خواست مادرم زنده بود. دلم می‌خواست پهلوی خواهرم می‌ماندم.

ـ بزرگترها خیلی بی‌رحمند. فکر نمی‌کنند یک بچه هم احساس داشته باشد.

می‌گوید: من آن روزها معنی مرگ را نمی‌فهمیدم. نمی‌دانستم چرا

دیگر مادرم در خانه نیست. نمی‌دانستم او را کجا برده‌اند. با عزیزم که سرخاکش رفتیم نمی‌فهمیدم چرا او را زیر خاک گذاشته‌اند. بیچاره عزیزم هم نمی‌دانست چه جوابی به من بدهد. فقط می‌گفت: هیس، خواست خدا بوده.

ـ این جوابی است که آنها هم که مثلاً دنیا دیده و درس خوانده هستند به ما می‌دهند. هر جا از جواب می‌مانند پای خدا را پیش می‌کشند.

تک‌خنده‌ای کرد و گفت: من هم به عزیزم گفتم: چرا خدا این کار را کرده، خدا کار خیلی بدی کرده و من دیگر او را دوست ندارم. عزیزم انگشتهایش را از هم باز کرد چند بار به دهانش برد و آن را گاز گرفت و تف تف کرد و استغفرالله گفت و تشرم زد که: بچه این حرفها گناه دارد، توبه کن، توبه کن.

ـ توبه کردی؟

ـ معنی آن را نمی‌فهمیدم، فکر می‌کردم یک چیزی است مثل همان وضویی که می‌گیرد.

ـ همان وقت بود که پاپا تو را آورد.

ـ این جا هم هر شب آن قدر گریه می‌کردم تا خوابم می‌برد. خواب او را می‌دیدم. خواب می‌دیدم که می‌گفت باید مواظب خواهرم باشم و بروم پهلوی او. وقتی به ننه ددری می‌گفتم که خواب مادرم را دیده‌ام، یا می‌گفتم خواب عزیزم را دیده‌ام که می‌خواهد بروم پهلویش، می‌گفت: این حرفها را نزن آقابزرگ عصبانی می‌شود.

یاد پاپا افتادم که دست او را وقت سوار شدن به اتومبیل، کنار زد. می‌گویم: پاپا برای عصبانی شدن دلیل لازم ندارد.

نفس بلندی می‌کشد و می‌گوید: همه‌اش ترس است.

ـ همه‌مان با ترس بزرگ شده‌ایم. این چیزها را که کسی به آدم یاد نمی‌دهد. نه توی مدرسه نه توی کتابها و نه بزرگترها. یک کلمه راست نمی‌گویند. همه‌اش هیس هیس. تا این که آدم خودش یک روز بفهمد. تازه اگر بفهمد.

ـ مثل اخبار.

ـ اخبار؟

می‌گوید: اگر بخواهی از اوضاع دنیا سر در بیاوری فایده‌ای ندارد که اخبار روز را بخوانی کسی در آن حرف سر راستی نمی‌زند. اگر بخواهی چیزی بفهمی باید اخبار چند هفته پیش را بخوانی. برای فهمیدن جهان باید همیشه اخبار ماه پیش را خواند.

از این همه عاقل بودنت حظ می‌کنم...

می‌گوید: آن روزها هر چه از مرگ می‌دانستم از ننه ددری بود.

ـ ددری؟

ـ خیلی مواظبم بود. اگر او نبود هر طور شده بود برمی‌گشتم ده، حتی اگر شده فرار می‌کردم.

رستم در اتاق کوچکی که کنار اتاق ننه ددری و آقاوردی بود می‌خوابید. به من گفته بود که بعضی شبها ننه ددری به اتاق او می‌آید، گوشه‌ای می‌نشیند و چادرش را دور خودش می‌پیچد و آهسته گریه می‌کند.

می‌گفت: اولین دفعه که آمد خیلی ترسیدم. نمی‌دانستم چکار کنم. فکر می‌کرد من خوابم. اما من بلند شدم و رفتم و گوشه چادرش را کشیدم. جا خورد. بعد تند تند اشکهایش را با گوشه چادرش پاک کرد، رفتم توی بغلش و او مرا توی چادرش پیچید تا خوابم برد. بعضی شبها

هم از اتاقشان صدای ناله او را می‌شنیدم. مثل این که در خواب گریه می‌کرد. صدای آقاوردی را هم می‌شنیدم. اما نمی‌فهمیدم چه می‌گویند. هر شب منتظرش بودم. دلم می‌خواست می‌آمد و می‌توانستم توی بغلش بخوابم. اما او می‌آمد که برای بچه‌اش گریه کند. آن وقت نمی‌فهمیدم، می‌ترسیدم.

به یاد آن روز افتادم که پاپا خانم خانم را بوسید و من هیچ‌وقت به او نگفته بودم، می‌ترسیدم.

می‌گویم: وقتی خانم خانم می‌گفت: از ددری بی‌خیالی‌تر کسی را ندیده‌ام. باید بهش می‌گفتیم.

ـ مگر جرأتش را داشتیم.

می‌گویم: وقتی غش غش می‌خندد آدم سر درگم می‌شود که گریه‌اش را باور کند یا خنده‌هایش را، یا گفته خانم خانم را.

ـ باز هم خدا را شکر که ددری بود. او مرگ را هم با خنده‌هایش قابل تحمل می‌کند.

ـ نمی‌دانی این روزها چقدر دلم برای غش غش خنده‌اش تنگ شده.

ـ می‌خواهی صدایش کنم؟ کافی است ببیند ما این جا نشسته‌ایم.

ـ این روزها خیلی توی هم بود.

ـ خانم بزرگ را خیلی دوست داشت.

ـ خانم خانم را چه کسی دوست نداشت؟

از جا بلند شد به طرف آشپزخانه رفت و آهسته ننه ددری را صدا کرد و پرسید که هنوز چای دارد و می‌تواند یک استکان دیگر به ما بدهد؟

ننه ددری گفت: اما هنوز استکان قبلی را خالی نکردی که.

از آشپزخانه سرک کشید، وقتی دید ما کنار هم روی پله نشسته‌ایم

گفت: وا، خاک به سرم، چرا توی تاریکی روی پله نشسته‌اید؟

اولین غش خنده‌اش را سر نداده بود که ننه بزرگه از توی آشپزخانه ساکتش کرد و او خنده‌اش را فرو خورد و گفت: الساعه چای می‌آورم، خدا را شکر که سماور همیشه می‌جوشد، اما شما هم این‌جا ننشینید، رستم برای این که به حرفش بیاورد پرسید: چرا، اگر بنشینیم چه می‌شود؟

دستش را جلو دهانش گرفت: برایتان حرف در می‌آورند.

و به اتاقی که مادرم و خاله پری خوابیده بودند نگاه کرد. بعد هم دستش را تکان داد و گفت: خوابند. دنیا را آب ببرد آنها را خواب می‌برد. محبوب خانم خیلی خسته بود. پری خانم هم چشمش دیگر بنده خدا باز نمی‌شد.

آه‌کشان به آشپزخانه برگشت.

سینی چای را که جلوی من گرفت گفتم: ننه ددری چرا برای خودت نیاوردی.

ـ خانم شورا اگر چای بخورم که تا حالا یک سماور خورده‌ام دیگر شب تا صبح باید بیدار بمانم.

ننه بزرگه از همان جا گفت: آره شب تا صبح پشت چشمهایش باز می‌ماند.

ننه ددری دستش را تکان داد که یعنی محلش نگذار و آهسته گفت: این یک چای را هم نمی‌تواند به من ببیند. از صبح تا حالا قوت از گلویم پایین نرفته. اصلاً اشتها ندارم.

ننه بزرگه گفت: نترس فردا اشتهایت باز می‌شود.

ننه ددری به جای جواب آهی کشید که دنباله آن را ننه بزرگه از توی آشپزخانه ادامه داد. بعد گفت: بروم جای شما و خاله خانم را بیندازم.

بنده خدا هم امروز همه‌اش روی پا بوده.

گفتم: حالا دیر نمی‌شود. برو یک چای برای خودت بریز. نه بیا بنشین من می‌روم برایت چای می‌آورم.

گفت: وا ننه فدات شوم، خودم می‌آورم.

ننه بزرگه یک استکان چای از آشپزخانه به طرف او دراز کرد: بیا این هم چای.

یک پله پایین‌تر از ما نشست و در حالی که به من نگاه می‌کرد، به رستم اشاره کرد: خانم شورا، نمی‌گذارد برایش زن بگیرم. شما نصیحتش کن. الان اگر زن گرفته بود بچه‌اش مدرسه می‌رفت.

رستم گفت: حالا وقت این حرفها نیست ننه ددری جان.

ننه ددری آهی کشید و گفت: خودم بزرگت کرده‌ام. آرزو دارم.

ننه بزرگه که آمده بود و کنار در آشپزخانه نشسته بود گفت: ددری پاشو پاشو. دوباره شروع نکن. او بخواهد زن بگیرد....

ننه ددری حرف ننه بزرگه را قطع کرد و زیر لبی گفت: گاسم مرد نیست.

رستم هم آهسته گفت: امتحانش مجانی است.

ننه بزرگه گفت: بسه ددری. توی یک همچین شبی.

ننه ددری آهی کشید، در حالی که از جا بلند می‌شد با چادرش چشمهایش را مالید و گفت: قربون خانم بزرگ بروم که چقدر جایش خالی است. الان پیش فرشته‌ها است خوشا به سعادتش.

رستم در حالی که با نگاهش او را دنبال می‌کرد گفت: می‌دانی چند وقت پیش خانم بزرگ چه به من گفت؟

ـ هان؟

ـ یک روز که حالش بهتر بود و فقط من پهلویش بودم پرسید: تو و شورا
بچه که بودید یک چیزی می‌گفتید، از ابرها حرف می‌زدید. روی تخت
می‌خوابیدید و به آسمان نگاه می‌کردید و می‌خندیدید. قضیه چه بود؟
وقتی برایش گفتم، خنده‌ای کرد و سرش را به طرف پنجره چرخاند و
گفت: کاش حالا هم می‌شد ببینم روی تخت دراز کشیده‌اید و به آسمان
نگاه می‌کنید و می‌خندید. معلوم بود دلش برای تو خیلی تنگ شده. گفتم:
دلتان می‌خواهد به شورا تلفن کنم تا بیاید؟ آهی کشید و چیزی نگفت.
همان وقت بود که به تو تلفن کردم. یک بار دیگر هم پرسید: امروز ابرها را
در آسمان دیدی، چه شکلی بودند. گفتم: نه، خانم بزرگ، من خیلی وقت
است برای ابرها قصه‌ای نگفته‌ام. باز آهی کشید و چشمهایش را بست.

اشک روی صورتم می‌غلتد، رودخانه‌ای روان، آرام و بی‌صدا.

بـرمی‌گردد و آهسـته دسـتش را دور شـانه‌ام مـی‌اندازد و زیـر لب
می‌گوید: معلوم می‌شود که خیلی هم از ما غافل نبود.

کاش هیچ‌وقت بزرگ نمی‌شدیم. کاش هرگز بـه سنّی
نمی‌رسیدم که عاشق شوم و همه چیز را بگذارم و بـروم و
نگاهم همیشه به پشت سرم باشد و ذهنم با آنها که به جـا
گذاشته بودم. چه خوب بود اگر همیشه بچه می‌ماندیم، با
هم دور حیاط می‌دویدیم و غم چیزی را نمی‌خوردیم...

دوباره به آسمان نگاه کردم ابرها کم و کمتر شده بودند، آسمان صاف
بود و رنگی از مهتاب وسط شب هنوز روشنش می‌کرد، همچون هزاران
رودخانه نقره‌ای که از هر گوشه روان باشد.

گفتم: ببین آسمان چه صاف است، همه ابرها رفته‌اند و به قول تـو،
کسی خانه نیست.

دنبال نگاهم را گرفت و گفت: درست است، امشب کسی خانه نیست.

اضافه کرد: هر وقت آسمان را این‌طوری می‌بینم فکر می‌کنم آیا بتهوون برای این آسمان مهتاب را نوشته، یا به هر جا که روی آسمان همین رنگ است؟

دستش را از دور شانه‌ام برداشته است.

گفتم: همه جا آسمان همین رنگ است. یک ذره هم فرق ندارد. این را از من که همه آسمان‌ها را دیده‌ام حتی آسمان بتهوون را، قبول کن.

می‌گوید: بتهوون برایمان خیلی سنگین بود.

-بتهوون یک دنیا است سبکی و سنگینی ندارد، مثل حافظ، برای همه هست، برای هر کسی یک طوری.

می‌گوید: برای من خیلی سنگین بود. جرأتش را نداشتم.

-جوانی‌مان بود که کمکمان می‌کرد.

-و تو که دسترسی به این چیزها داشتی.

-یادت هست که می‌گفتی می‌شود مریض‌ها را با موسیقی شفا داد.

-هنوز همین اعتقاد را دارم. اما این جا این حرفها خریدار ندارد.

-می‌دانی که در این باره تحقیقاتی شده. بچه‌هایی را که مشکل رفتاری دارند با موسیقی درمان می‌کنند. در یک برنامه تلویزیونی دیدم. کاشکی آن را برایت ضبط می‌کردم.

-پس حرف من پر بیجا هم نبوده.

-هیچ‌وقت حرفهایت بیجا نبوده، چطور شده این‌قدر خودت را دست کم می‌گیری؟

مردی جوان از راهروی قطار می‌گذرد. دنبال جا می‌گردد و به صندلی‌ها نگاه می‌کند. از کنار ما می‌گذرد. موهای سیاه فرخورده و

پرپشتی دارد. اگر چشمهایش را می‌دیدم، می‌توانستم بگویم ایرانی است یا نه. در آسیایی بودنش شک ندارم. بی‌آن‌که برگردم و نگاهش کنم، ذهنم را با خود می‌برد. سر و وضعش به آدمهای تحصیل‌کرده می‌آمد. احتمالاً شغل مناسب و زندگی خوبی دارد.

رستم همه امکانات را برای یک زندگی خوب و موفق داشت. امکاناتی که آدمهای دور و برش هر طور که ممکن بود سعی می‌کردند مانع از به ثمر رسیدن استعدادش شوند. مسلماً نابغه نبود. اما هوش و استعدادی در حد من و برادرها و پسرخاله‌هایم داشت، خودش هم می‌دانست. اگر در خانواده‌ای متفاوت به‌دنیا آمده بود می‌توانست برای خودش کسی بشود. پدرم مانند پاپا عقیده داشت که اگر از دیپلم بالاتر برود یا اگر پیراهنش دو تا بشود دیگر سرش به آنها و خدمت به آنها فرود نمی‌آید. پاپا با مدرسه رفتنش مخالف بود، پدرم با دیپلم گرفتنش.

خاله ماهم وقتی به مادرم پیغام داده و بفهمی نفهمی تهدید کرده بود که اگر نگذارد رستم درسش را بخواند به بهداری خبر خواهد داد.

می‌گوید: خواهرم بچه‌هایش را می‌زد. هر چه هم می‌گفتم فایده نداشت. نمی‌دانم دست بزن را از کی یاد گرفته.

ـ حتماً از شوهرش.

ـ نه، نه. او بچه‌ها را نمی‌زد از این کار نازی هم دل‌خوشی نداشت.

ـ خب.

ـ آن‌وقت برایش یک رادیو ضبط بردم با چند تا نوار قصه. گفتم هر وقت زیادی شیطانی می‌کنند بنشانشان و برایشان این نوارها را بگذار. خودت هم گوش بده. بچه‌ها را نزن. می‌گفتم من به اندازه کافی کتک خورده‌ام که بدانم یعنی چه. قول دادم اگر بچه‌ها را نزند برایش یک ماشین

رختشویی بخرم. حالا خودش یک پا طرفدار نوارهای قصه شده.

پس از مکثی می‌گوید: البته آسان نبود. اگر بچه‌ها دست به ضبط می‌زدند می‌گرفتشان به کتک. یک دفعه مجبور شدم بهش بگویم اگر بچه‌ها را بزند می‌آورمشان پهلوی خودم و نمی‌گذارم آنها را ببیند. پدرشان هم نشسته بود. اول خندید و گفت که بچه‌هایش مگر بابا ندارند. اما وقتی دید که چقدر جدی و عصبانی هستم، ترسید. تقصیری هم ندارد. توی در و همسایه اگر کسی بچه‌هایش را نزند، یک عیبی دارد. خیلی فکر کردم تا راهی پیدا کنم.

گفتم: و راهی پیدا کردی. تو همیشه می‌توانستی راهی پیدا کنی برای هر کاری.

زیر لب گفت: جز راه خودم.

پسر بچه‌ای همراه پدرش در حالی که دستش در دست اوست، از قطار پیاده می‌شود. مرد دست بچه را می‌کشد و پسرک دنبال او می‌دود. مرد اخم کرده است و قدمهای بلند و شتاب‌زده‌ای دارد. بچه به طرف قطار برمی‌گردد، ظاهراً از پیاده شدن راضی نیست و هنوز دلش با قطار است. مرد بار دیگر دست او را می‌کشد بچه به حالت دو با او همراه می‌شود. سرک می‌کشم، فقط نیمرخ بچه را می‌بینم. نیمرخی که معلوم نیست چند بار سیلی خورده و دستش را برای محافظت روی صورتش گذاشته است.

به آسمان نگاه می‌کند، یک تکه ابر از گوشه‌ای رد می‌شود می‌گویم: انگار هزار سال پیش بود که همه خوشی و ناخوشی‌مان در قصّه این ابرها بود.

ـ انگار همین دیروز بود.

می‌گویم: اگر آدم می‌توانست آن سوی مرگ را کشف کند چه خوب بود. راستی تو فکر می‌کنی دنیای دیگری هم وجود دارد؟

سرش را می‌خاراند: بدون هیچی که نیست.

می‌گویم: عده‌ای عقیده دارند آدم بارها و بارها می‌میرد و باز به دنیا می‌آید تا به حد تعالی برسد.

ساکت است. می‌گویم: اگر می‌توانستیم یک بار دیگر به دنیا بیاییم، تو دلت می‌خواست کجا به دنیا بیایی و چه کاره باشی؟

دستی روی سرش می‌کشد و می‌گوید: تو چی؟

ـ من دلم می‌خواست در جایی به دنیا بیایم که مجبور به ترک آن جا نباشم.

ـ مگر خودت نمی‌خواستی بروی؟

ـ آدم که همیشه از انتخاب‌هایش راضی نیست. یک راهی یک وقتی جلومان قرار می‌گیرد. یکی از مشکل‌ترین کارها در زندگی این است که انسان بتواند تصمیم بگیرد در کجا ماندگار شود و زندگی کند. آن که می‌رود. نه این جا است نه آن جا. همیشه طرف دیگر است. انگار هاله‌ای دورش را گرفته.

تک خنده‌ای می‌کند: هاله که چیز بدی نیست. مخصوصاً اگر هاله تقدس باشد.

بدون توجه به خنده‌اش می‌گویم: هاله نیست. یک حباب است. آدم همیشه و همه جا با یک حباب از بقیه جدا است. گاهی آن را فراموش می‌کنی، اما حتی در این وقتها هم به طور ناخودآگاه آن را حس می‌کنی هیچ راهی برای ندیده گرفتنش نیست، هیچ راهی. فقط عادت می‌کنی، همین.

با او می‌توانستم بهتر از هر کسی درددل کنم. بهتر از برادرهایم که هر یک دانشگاه دیده و صاحب شغل و مقامی بودند، بهتر از جهان که دور دنیاگشته و تخصص علمی داشت. بهتر از فاخته که نیمه دیگر جوانیم بود.

می‌گوید: چرا برنگشتی. یعنی هیچ‌وقت نخواستی؟

- مسأله خواستن و نخواستن نبود. ماندگار شده بودیم. اما دفعه دیگر حواسم را جمع خواهم کرد...

- پس داری معامله می‌کنی؟

می‌گویم: آره، چرا نه. زندگی همه‌اش یک معامله است. تو چی؟

- من؟ من چی؟

- اگر قرار بود یکبار دیگر...

- یک سؤال دیگر قبل از این سؤال قرار دارد که اول باید آن را پرسید.

- چه سؤالی؟

- اول آدم باید ببیند اصلاً دلش می‌خواهد و حساب معامله تو...

حرفش را قطع می‌کنم: سؤال این نبود. گفتم که فرض کنیم اگر...

- من دلم می‌خواست پرنده بودم و می‌توانستم پرواز کنم. آزاد و رها.

اخم می‌کنم: من را بگو که می‌خواهم از این جا دور نباشم و تو می‌خواهی دور شوی.

- من کی گفتم می‌خواهم دور شوم. خیالت راحت باشد خیلی دور نمی‌روم. مرا پیدا می‌کنی.

اما، خیلی، خیلی، خیلی دور رفته‌ای...

رو تختی را کنار می‌زنم چراغ کنار تخت را خاموش می‌کنم و زیر پتو می‌خزم. سرم را روی بالش می‌گذارم آن جا هم بوی داروخانه پدرم می‌آید. چشمهایم را می‌بندم، آیا زنی روی آن تخت کنارش خوابیده

است، صدای نفسهای عشقی در آن اتاق طنین داشته است؟ بوی تنش هنوز به رختخواب است.

پتو را روی صورتم می‌کشم و بوی تنت را تا اعماق جانم فرو می‌دهم...

رد اشک را حس می‌کنم که از دو طرف صورتم می‌غلتد و توی موهایم فرو می‌رود. دستی گرم روی تنم کشیده می‌شود. دور شانه‌ام می‌چرخد و مرا به خودش می‌فشارد. شانه‌هایم را در بر می‌گیرد و آهسته پایین می‌لغزد. روی پیراهنم. همه تنم را جستجو می‌کند همه‌جا مکث می‌کند. خودم را به آن دستهای گرم و آشنا که برای اولین بار تنم را لمس می‌کند می‌سپارم و دستهایم را دورش حلقه می‌کنم. دهانی گرم با دندانهای سفید و محکم روی صورتم می‌چرخد. دهانم را باز می‌کنم تا آن نفس تشنه به وجودم راه یابد. چشمهایم را می‌بندم در خانه‌ام هستم تنهای تنها و به اعماق خوابی که دلم نمی‌خواهد بیداری در پی داشته باشد فرو می‌روم. صد سال می خوابم.

خاله ماهم هیچ چیز را در خانه‌اش تغییر نداده است. آدم فکر می‌کند. همین الان در باز می‌شود و غلام‌خان می‌آید تو. صدای او را در آن اتاق حس می‌کنم و جای خالی‌اش را بیشتر. آرزو می‌کنم کاش صدایش را ضبط کرده بودم. به خاله ماهم که گفتم سری تکان داد و گفت: چه حاجتی.

راست می‌گفت مگر می‌شود آن صدا را فراموش کرد.

تنها چیزی که عوض شده نگاه پریشان و خاموش خاله‌ام است که گویی به دنبال او می‌گردد و خسته است. من حرف می‌زنم، بی‌وقفه حرف می‌زنم، از غلام‌خان می‌پرسم: می‌گویم: می‌دانستید چقدر دوستش

داشتم. او خودش می‌دانست؟

خاله‌ام با حسرت آه می‌کشد و سرش را تکان می‌دهد و می‌گوید: غلام تو را مثل بچه خودش دوست داشت. وقتی تو رفتی او بیشتر از من غصه می‌خورد. دلش برایت خیلی تنگ می‌شد.

می‌پرسم نمی‌خواهد خانه را عوض کند، فکر نمی‌کند آن‌جا برایش بزرگ است، تنهایی اذیتش نمی‌کند؟

دوباره آهی می‌کشد و می‌گوید: خیلی‌ها می‌گویند. اما نمی‌توانم از این جا دل بکنم. غلام در هر گوشه‌اش با من است، هر جا بروم تنهاتر می‌شوم. این خانه را با وام بانکی که هر دو گرفتیم خریدیم. همه چیزش را با هم درست کردیم.

خنده‌ای غم‌انگیز روی لبهایش می‌نشیند: با هم در آن عشق‌ها کرده‌ایم و با هم در آن پیر شده‌ایم. خوشی‌ها و ناخوشی‌های زیادی داشته‌ایم که در این چهار دیواری گذرانده‌ایم. کجا بروم که مردک بیچاره‌ام این‌قدر نزدیکم باشد.

من و تو حتی چنین خانه‌ای نداریم...

اشکش را با گوشه چادرش پاک می‌کند. می‌گوید: دلت نمی‌خواهد فاخته را ببینی؟ چند وقت پیش تلفن کرد. می‌گفت که دارد از شوهرش جدا می‌شود، یا جدا شده است.

-بالاخره مصمم شد؟

-چرا، شوهرش که ظاهراً عیبی نداشت.

-همان سالهای اول باید طلاق می‌گرفت نه بعد از چهار تا بچه.

-تلفن کرده بود که تسلیت بگوید.

-تسلیت؟

ـ برای غلام.

می‌گوید: خیلی سخت بود. برای هر دویمان سخت بود. بیست و چهار ساعت درد داشت. خدا می‌داند که مردک بیچاره‌ام چـقدر درد می‌کشید. آدم از کارهای خدا سر در نمی‌آورد. آن آخری‌ها حتی حرف زدن هم برایش دشوار بود، گاهی آهسته حرف می‌زد. از این دنیا و از آن دنیا. می‌گفت دلش نمی‌خواهد مرا تنها بگذارد، اما تلخ شده بود. می‌گفت که دلش می‌خواهد تا آخر دنیا با من باشد پهلوی من. تا من رضایت ندادم نرفت. حقیقتش این است که هیچ‌کس مرگ را دوست ندارد.

می‌گویم: چطور؟

ـ شبها پایین تختش می‌خوابیدم. یک شب حالش خیلی بد بود. خسته شده بود. انگار التماس می‌کرد. دستش را گرفتم و بوسیدم و روی صورتم گذاشتم. نفس بلندی کشید و تمام کرد. وقتهایی هست که فکر می‌کنم اگر رضایت نمی‌دادم تا کی می‌توانست بماند. اما طاقت زجرکشیدنش را نداشتم.

اشکی را که روی گونه‌اش غلتیده، با پشت دستش پاک می‌کند.

می‌گوید: رستم توی اتاق دم دری خوابیده بود. اگر او نبود. آن طفلک بیچاره هم...

انگار دستی سینه‌ام را می‌شکافد. دکمه‌های ژاکتم را روی هم فشار می‌دهم و دستم را روی لبهایش می‌گذارم.

هر مرگی داستانی دارد جز مرگ تو. دیگران در گفتن داستان
مرگ بسیار دست و دلبازند. اما برای من مرگ تو داستانی
ندارد...

دستم را می‌گیرد و به‌گونه‌اش فشار می‌دهد. لحظه‌ای نگاهم می‌کند.

لبهایش تکان می‌خورد می‌خواهد چیزی بگوید. به چشمهای من که التماسش می‌کنم، نگاه می‌کند، حرفش را مزه مزه می‌کند تا عاقبت می‌گوید: گریه کن. اگر گریه کنی حالت بهتر می‌شود.

سرم را تکان می‌دهم.

می‌گوید: گریه آدم را سبک می‌کند.

می‌گویم: اگر گریه کنم باید همیشه گریه کنم. تا ابد باید گریه کنم. اگر اشکم سرازیر شود دیگر بند نمی‌آید.

دست‌هایم را میان دستهایش نگه می‌دارد. می‌گوید: به فاخته تلفن می‌زنم که بیاید این جا تو را ببیند.

ـ بله، خانه مامان همیشه خیلی شلوغ است، من تحمل شلوغی را ندارم.

جهان به ساعتش نگاه می‌کند و می‌گوید: دیگر چیزی به رسیدنمان نمانده و من فکر می‌کنم: به کجا؟

به خاله ماهم می‌گویم: باید بمانم، نمی‌توانم برگردم.

می‌گوید: بمان، هر قدر دلت می‌خواهد بمان.

می‌گویم: اما باید بروم، نمی‌توانم بمانم.

تمام روز با این خیال دست و پنجه نرم می‌کنم. نمی‌دانم با خودم با روزهایم با حرفها با آدمها چه بکنم. فاخته مراحل جدایی از شوهرش را می‌گذراند. یعنی قسمتی از آن را. قسمت مهمش را گذرانده است. سرش را با تأسف تکان می‌دهد و می‌گوید: باید سی سال می‌گذشت تا متوجه بشویم که ممکن است روزی برای بهانه‌هایی بسیار ناچیزتر از مخالفت برادر یا غیبت یکی دو ساعتی در هفته در درس دانشگاه، از خواستهایمان چشم بپوشیم. تازه چقدر فکر می‌کردیم با هوش و زرنگ هستیم. مثلاً ما شاگرد اولهای مدرسه بودیم اما یک جو درس زندگی سرمان نمی‌شد.

ـ تازه ما از آنها بودیم که مثلاً خیلی سرمان می‌شد. کتاب می‌خواندیم...

ـ چه کتابی بابا، باور کن هیچی سرمان نمی‌شد فقط زر می‌زدیم. زر زیادی. آن‌وقت عاشق هم می‌شدیم.

ـ آن هم چه جور.

ـ تو که از دست رفته بودی.

ـ عشق در یک نگاه.

می‌گوید: خنده‌دار هم این جا بود که فکر می‌کردی کسی نمی‌فهمد. اما از یک فرسخی قیافه‌ات داد می‌زد.

ـ تو هم بدت می‌آمد همه جا جار بزنی. اما حالا با این سؤال طرفم که چطور به این جا رسیده‌ام، چرا رفتم، چرا ماندم. چرا بچه‌دار شدم، چرا ازدواج کردم.

می‌خندد و می‌گوید: البته باید جای سؤال‌هایت را عوض کنی. چرا ازدواج کردی چرا بچه‌دار شدی.

از خودم می‌پرسم: این درسها که خواندم به چه دردم خورد؟ به چه درد او خورد؟

می‌گوید: این غربت است که تو را از من گرفت. ما را از هم گرفت.

می‌گوید: اگر بچه نداشتم همان اول از او جدا می‌شدم. وقتی گویندگی را رها کردم باید متوجه می‌شدم. اما با آن همه ادعا حالا می‌فهمم که چقدر دوزاریم دیر افتاده. عشق خودخواهانه عذاب دائمی است.

سه روز در هفته در یک آزمایشگاه کار می‌کرد.

می‌گوید: خیلی دلم می‌خواست کار گویندگی را از سر بگیرم. می‌دانی که عاشق گویندگی بودم.

می‌پرسم: خب چرا نرفتی. از آزمایشگاه که بهتر است.

ـ تنها کاری بود که همیشه دوست داشتم و هیچ‌وقت هم نگذاشتند. حالا هم دیگر فکر نمی‌کنم بتوانم. فکر نمی‌کنم دیگر صدایی داشته باشم.

لبهایش را به هم فشار می‌دهد: آنها که نابودت می‌کنند هرگز دست از سرت برنمی‌دارند. جوانی و شفافیت صدایم از دست رفته. تمرینها را فراموش کرده‌ام. عمر را هم نمی‌شود از سر گرفت. آن که تو را نابود

می‌کند، خوب می‌داند چه کار کند. یادت هست که چه پوست کلفتی داشتم؟ اما دیگر هر چه قسمت باشد همان می‌شود.

می‌خواهم بگویم پس سهم خودت در این میان کجا رفته؟ می‌خواهم بگویم گناه را به گردن این و آن انداختن آسان است، اما وقتی نگاه غمگینش را در صورتی که روزی آن همه زیبا بود و حالا شکسته و پیر شده، می‌بینم، دستم را روی دستش می‌گذارم. فکر می‌کنم: یک مرد می‌تواند به‌طور غیرقابل باوری زنی را منهدم کند، بدون آن که زن هرگز به عمق فاجعه‌ای که در آن به‌سر می‌برد آگاه شود.

می‌گوید: قدر زندگیت را بدان. زندگی بی‌دردسری داری.

می‌خواهم بگویم: از کجا می‌دانی.

اما می‌گذارم حرفهایش را بزند.

می‌گوید: دردسرها و گرفتاریهای ما را نداری.

-...

-شوهرت سر براه است و دوستت دارد.

-...

-یک بچه هم بیشتر نداری. خیالت راحت است که سرش به کار و زندگی‌اش است و این همه فکر و گرفتاری ما را نداری.

-...

-تو خوشبختی، خوشبخت‌تری. من به جایی رسیده بودم که دیگر بود و نبودش برایم فرقی نمی‌کرد می‌توانست بیست سال دیگر هم زنده باشد.

در مقابل نگاه متعجبم، خنده‌ای می‌کند و می‌گوید: زنده و مرده‌اش برایم بی‌تفاوت است. راحتترم که فکر کنم مرده است. می‌تواند باشد،

می‌تواند نباشد. اگر مرده بود بهتر بود. من کی باشم در کار خدا دخالت کنم. البته گاهی از کارهای خدا هم سر در نمی‌آورم. یک همچین آدمهایی می‌مانند که شر دنیا را زیاد کنند، آن وقت کسی مثل رستم...

بار دیگر آن دست نامرئی توی سینه‌ام فرو می‌رود، قلبم می‌خواهد بترکد.

می‌گوید: قدر زندگیت را بدان. من همه زندگی‌ام را از دست داده‌ام. برایم چیزی جز تلخی و تأسف نمانده. من خالی‌ام و بدتر از همه این که گاهی جالی خالی‌اش را حس می‌کنم. اما تو حتی مرده‌هایت هم بهتر از مرده‌های ماست. می‌توانی همه عمر به او فکر کنی و باز هم از فکر کردن به او سیر نشوی. می‌توانی بگویی رستمی داشتی دستان، اما من برای گفتن چه دارم؟

اشکهایش را با پشت دستش پاک می‌کند. می‌گوید: تقصیر از ما بود. مواظبش نبودیم. قدرش را ندانستیم. رهایش کردیم، به خود رهایش کردیم. ما از بالا به او نگاه کردیم.

با تعجب به من که همچنان ساکتم نگاه می‌کند و می‌گوید: بیا با هم برویم مشهد. آن جا می‌توانی دعا کنی. نمی‌دانی چه آرامشی به آدم می‌دهد. من که هر وقت دلم می‌گیرد یکی دو روز هم شده می‌روم زیارت. گاهی صبح می‌روم، عصر برمی‌گردم.

احساس می‌کنم قلبم را از توی سینه‌ام بیرون کشیده است. دلم میان دستهایش می‌تپد. قلبی که جراح با احتیاط از توی سینه بیمار بیرون می‌آورد و قلب همچنان با آهنگ خود در حال تپش است. دستهایش را در دستم می‌گیرم. می‌گوید: همین امروز و فردا ترتیب آن را می‌دهم. می‌رویم یک چند روزی، اگر هم بخواهی یک هفته‌ای می‌مانیم. می‌توانیم خاله

ماهت را هم ببریم، او هم این مدت خیلی زجر کشیده. مامان پیش بچه‌ها می‌ماند. خودم هم چند وقتی است نرفته‌ام. چه بهتر از این. می‌رویم و درد دل‌ها را که جمع شده، خالی می‌کنیم. زیارت آدم را آرام می‌کند.

می‌ترسم دلم در دستهایش مرده باشد.

می‌گوید: با قطار یا هواپیما هر دو راحت است، اما با هواپیما زودتر می‌رسیم. البته قطارها هم نمی‌دانی چه خوب و راحت هستند. اگر بخواهی می‌توانیم با قطار برویم.

قطاری بسیار کهنه و قدیمی دو خط آن طرفتر هن و هن‌کنان از کنارمان می‌گذرد. چند واگون بیشتر ندارد و احتمالاً برای تعمیر برده می‌شود یا در میان شهرهای کوچک و دور افتاده کار می‌کند. از آن قطارهایی که باید در موزه نگهداری شود.

خانم خانم سالی چند بار به مسافرتهای زیارتی می‌رفت. یکی دوبار آنها به مشهد بود. یکی دوبارش با پاپا می‌رفت. باقی را با دوستانش و به قول خودشان زنانه می‌رفتند. در صورتی که مادرم با یکی از خاله‌ها همراهشان می‌رفتند یکی دو تا از بچه‌های بزرگتر را با خودشان می‌بردند. آن‌وقت ما که مانده بودیم حسرت سعادتی را می‌خوردیم که نصیب آنها شده بود. بچه‌ها که برمی‌گشتند بی‌خستگی و با دست‌ودلبازی فراوان از آن چه دیده بودند، تعریف‌ها می‌کردند تمام‌نشدنی. هر چه دیده و هر جا رفته و هر چه خورده بودند را بی‌کم و کاست می‌گفتند. از لحظه‌ای که پایشان را در قطار گذاشته تا لحظه‌ای که در تهران از آن پیاده شده بودند. اگر یکی‌شان چیزی را فراموش می‌کرد دیگری یادآوری می‌کرد. آخرش هم اضافه می‌کردند که نمی‌توانند همه را تعریف کنند، از بس که زیاد است. قیافه‌های ما در برابر تعریفهای آنها دیدنی‌تر بود. مات و مبهوت به

آنها چشم می‌دوختیم. آب از لب و لوچه‌مان سرازیر می‌شد و حسرت دلمان را آب می‌کرد. اگر بزرگتری متوجه ما می‌شد نچ نچی می‌کرد و می‌گفت: دیگر این قدر آب و روغنش را زیاد نکنید. و به دهان از تعجب باز مانده و نگاه از حسرت لبریز ما نگاه می‌کرد و می‌گفت: هر چه را هم این بچه‌ها می‌گویند باور نکنید.

مگر می‌شد باور نکنیم. هیچ چیز زودباورتر از دل یک بچه نیست. بعد به بزرگترها نق می‌زدیم که چه وقت ما را همراه می‌برند. آنها هم برای ختم غائله می‌گفتند: انشاءالله این دفعه بزرگتر که شدید.

آرزوی این که زودتر به سنی برسیم که بتوانیم همراه آنها برویم، خیالی بود که انگار به آن نمی‌رسیدیم.

تا این که یک روز خانم خانم گفت، اگر بچه خوبی باشم مرا همراه رستم و ننه بزرگه و ننه ددری به مشهد خواهد برد.

باور نمی‌کردم. رستم هم باور نمی‌کرد. می‌گفت که من دروغ می‌گویم و می‌خواهم اذیتش کنم یا اصلاً درست نشنیده‌ام.

حرص می‌خوردم که: مگر من تا حالا به تو دروغ گفته‌ام؟

ـ نه، اما از خودت داری در می‌آوری. خانم بزرگ اگر تو را ببرد مرا نمی‌برد.

چشمهایش پر از غصه می‌شد.

ـ قسم می‌خورم. به جان مامانم قسم می‌خورم که خانم خانم خودش گفت که من و تو را با ننه بزرگه و ننه ددری می‌برد مشهد، اگر بچه خوبی باشم.

ـ پس من چه؟

ـ خب، تو هم باید بچه خوبی باشی. گفت با قطار.

- حتماً؟

آن‌قدر گفت و گفت که شک برم داشت. سرش داد زدم که اصلاً نباید به تو می‌گفتم. اصلاً خانم خانم فقط مرا گفته می‌برد.

لبهایش را به هم فشار داد، سرش را پائین انداخت و آهسته گفت: خوش به حالت.

دستم را دور شانه‌اش انداختم: اگر تو را نبرد من هم نمی‌روم.

- دوباره ازش بپرس.

- آخر می‌ترسم اگر بپرسم...

- اگر یادش رفته باشد؟ اگر نپرسی یادش می‌رود.

راست می‌گفت بزرگترها همیشه چیزهایی را که قول می‌دادند فراموش می‌کردند. سرانجام روزی دل به دریا زدم و سر سفره از مادرم پرسیدم: مامان، من بچه خوبی هستم؟

پدرم خنده‌ای کرد و گفت: تا از خوب بودن منظور چه باشد؟

دلم لرزید. مادرم گفت: خب، حالا چه‌طور شده به این خیالها افتاده‌ای؟

برادرم گفت: مگر بچه، خوب هم می‌شود؟

پدرم گفت: ما که ندیدیم.

به زحمت سعی کردم بغضم را فرو دهم و گفتم: آخر خانم خانم گفته که اگر بچه خوبی باشم مرا با خودش می‌برد مشهد.

همه با هم پرسیدند: چی؟

باید سکوت می‌کردم، اما گفتم: آن هم با قطار... من که بچه خوبی هستم مامان، مگر نه؟

نگاهها رد و بدل شد. انگار همه به فکر افتاده بودند که چطور

می‌توانند در حد امکان از این فرصت استفاده کنند.

آن روز سر سفره هیچ کس نگفت که بچه خوبی هستم یا نه. هیچ کس نگفت نگران نباش به مسافرت خواهی رفت. خواهر و برادرهایم از روی حسادت، مادرم برای این که موقعیتی یافته بودند که به فکر تربیت من باشد و پدرم اصلاً تصور نمی‌کرد که حرف بچه را هم می‌شود جدی گرفت.

برای اولین بار مفهوم بی‌عدالتی را حس می‌کردم، بدون این که آن را کاملاً درک کنم.

نمی‌دانستم چه باید بکنم؟ بهتر است خانه خودمان بمانم تا دور از چشم خانم خانم باشم و روز مسافرت برسد و او از این که بچه خوب یا بدی بوده‌ام چیزی نداند. یا این که پیش او بروم و سر به راه و ساکت بمانم که ببیند چه بچه خوبی هستم؟

معیار خوبی و بدی برایم واقعیتی حیاتی پیدا کرده بود. نمی‌دانستم چه وقت به مسافرت می‌رویم، اصلاً می‌رویم یا نه، جرأت هم نمی‌کردم بپرسم. به ما گفته بودند زیادی سؤال کردن فضولی است و بچه‌ها نباید فضول باشند. خواهر و برادرهایم تا مرا می‌دیدند می‌گفتند: اگر این کار را بکنی اگر این کار را نکنی، به مامان، یا به خانم خانم می‌گویم.

از تو می‌پرسم: تو می‌دانی بچه خوب بودن یعنی چه؟

دستت را روی سرت می‌کشی و می‌گویی: خب، تو بچه خوبی هستی و...

- تو چی؟

- من، نمی‌دانم. شاید آنها که خانه پدر و مادرشان هستند خوبند شاید من خوب نبودم که بابام مرا آورده پهلوی

آقابزرگ گذاشته.

ـ تو که کار بدی نکرده‌ای.

ـ من که یادم نیست.

به آسمان نگاه کردم ابرها پشت سر هم صف کشیده بودند
گفتم: اگر روی تخت دراز بکشیم و ابرها را تماشا کنیم
خوب است یا بد؟ و تو سرگردان‌تر از من گفتی که نمی‌دانی
و به این ترتیب ترس من به تو هم راه می‌یافت...

نمی‌دانستم اگر همه غذایم را بخورم خوب است یا بد. پسندیده است اگر شب زود بخوابم و صبح زود بیدار شوم؟ با بچه‌ها بازی کنم یا ساکت گوشه‌ای بنشینم؟ لباسهایم را زود به زود عوض کنم یا آن‌قدر تمیز نگهشان دارم که احتیاجی به عوض کردن نداشته باشد. بروم در آشپزخانه به ننه‌بزرگه کمک کنم یا به کار آن‌ها کاری نداشته باشم و صدایشان را در نیاورم. اگر گرسنه‌ام شد بگویم که گرسنه‌ام یا حرفی نزنم تا وقت غذا برسد؟ نمی‌دانستم، هیچ چیز نمی‌دانستم.

با هم برگهای گلها را دانه دانه می‌کندیم: به مسافرت می‌رویم، نمی‌رویم. با انگشتهایمان فال می‌گرفتیم: به مسافرت می‌رویم نمی‌رویم.

ابرهای آسمان همه قطارهایی بودند که پشت سر هم ردیف در انتظار ما ایستاده بودند. داد می‌زدیم: پس می‌رویم. پس می‌رویم. و قاه قاه می‌خندیدیم. اما فوراً دستهایمان را روی دهان می‌گذاشتیم که صدایمان را کسی نشنود.

خانه خودمان که می‌ماندم می‌ترسیدم خانم خانم فراموشم کند و ما را همراهش نبرد. به رستم سفارش می‌کردم: اگر آنها راه افتادند و من همراهشان نبودم حتماً یادت باشد که به خانم خانم یا ننه بزرگه یا ننه

ددری بگویی که مرا جا نگذارند.

به من اطمینان می‌داد که بدون من نخواهد رفت.

می‌گفتم: یادت نرود مرا یادشان بیندازی. و برای محکم کاری اضافه می‌کردم: اگر مرا نبرند، شاید تو را هم نبرند.

سرش را تکان می‌داد و چشمهایش پر از ترس و سرگردانی بود. دستهای یکدیگر را می‌گرفتیم، به هم نگاه می‌کردیم و می‌خندیدیم.

می‌خواستم بچه خوبی باشم، اما در روز صد دفعه غر غر می‌شنیدم که چرا این قدر سر به هوا هستم، چرا مثل بچه‌های خواب‌زده شده‌ام. و هر بار دلم می‌خواست دستم را جلو دهانشان بگیرم که کسی صدایشان را نشنود. انگار همه فقط یک جمله می‌دانستند آن هم: اگر این کار را بکنی به خانم خانم می‌گویم نبردت.

آن وقت با هم قرار گذاشتیم که از خاله ماهم یا غلام‌خان بپرسیم که بچه خوب بودن یعنی چه. خاله ماه بغلم کرد و گفت: خانم خانم اگر قول داده، می‌بردت.

گفتم: قرار است رستم را هم ببرد.

غلام‌خان بدون این که سرش را از روی کار بردارد زیر لبی گفت: او را می‌خواهد برای دم دست ننه ددری.

خاله‌ام با دست اشاره‌ای به او کرد. و به من گفت: خیالت راحت باشد اگر قول داده شماها را ببرد، می‌برد.

ـ آخر گفته اگر بچه خوبی باشم.

خاله ماه خندید و مرا به خودش چسباند: مگر تو بچه بدی هستی؟ خیالت راحت باشد تو بچه خوبی هستی برای همین هم خانم خانم گفته می‌بردت.

-رستم چی؟

غلام‌خان دوباره زیر لب گفت: این حرفها را می‌زنند و بچه‌ها را سرگردان می‌کنند.

خاله‌ام گفت: هیس، و به من اشاره کرد و اطمینان داد که مواظب خواهد بود که یادشان نرود مرا همراه خودشان ببرند.

-رستم چی؟

-و رستم را.

اما باز هم شبها دچار کابوس می‌شدم خواب می‌دیدم قطار از جلو خانه‌مان می‌گذرد، در حالی که من را در اتاقم زندانی کرده‌اند. هیچ‌کس از بی‌تابی‌های دل کوچک شش هفت ساله من خبر نداشت. برای این که کسی از دستم ناراضی نباشد سعی می‌کردم تنها بمانم.

> برای تو از خوابهای بدی که می‌دیدم می‌گفتم و تو سرت را
> تکان می‌دادی و می‌گفتی که تو هم هر شب از این خوابها
> می‌بینی...

خوش‌ترین روز زندگی‌مان وقتی بود که جلو ایستگاه راه‌آهن از اتومبیل پاپا پیاده شدیم. دست یکدیگر را گرفته بودیم و از پله‌هایی که به سوی سکوی قطار می‌رفت پایین دویدیم. علی‌خان که راننده پاپا هم بود رستم را صدا زد و پاپا هم سرش داد کشید که کجا جلوجلو می‌رود، چرا نمی‌آید به ننه‌ها کمک کند؟

رستم فوراً دستم را رها کرد و دوید و بسته‌ای را از ننه ددری گرفت. قدمهایم را یواش کردم که همراه او باشم. بسته سنگین بود و به زحمت آن را بلند کرده بود. خواستم گوشه‌اش را بگیرم. زیر لبی گفت: ولش کن. آقابزرگ دعوا می‌کند.

از ترس این که مبادا نگذارند او بیاید خودم را کنار کشیدم. پایین پله، قطار با ابهتی باورنکردنی ایستاده بود. باور نمی‌کردم که به این سفر آمده‌ام. دلم می‌خواست دست رستم را بگیرم، اما دویدم و دست خانم خانم را گرفتم. از هیجان می‌لرزیدم و خودم را به او می‌فشردم. پاپا بغلم کرد و صورتم را بوسید. رستم نزدیکش ایستاده بود و نگاهش می‌کرد. با بی‌مهری نگاهش کرد. زد پس گردنش و گفت چرا به ننه‌ها کمک نمی‌کند؟ از بغلش پایین آمدم و پشت سر رستم که بسته‌ای را به داخل قطار هل می‌داد سوار شدم. جایمان را که پیدا کردیم و درها بسته شد زمانی نسبتاً طولانی گذشت، تا این که قطار تکانی خورد و آرام براه افتاد. پاپا که آن طرف پنجره ایستاده بود و غول مهربانی شده بود، برایم دست تکان داد و انگار به عقب کشیده شد. صورتم را به شیشه چسباندم و سعی کردم ببینمش اما او دور می‌شد و لحظه‌ای بعد دیگر پیدا نبود. قطار سرعت می‌گرفت و صدایش بلندتر می‌شد و ما همچنان برای او که دیگر نمی‌دیدیمش دست تکان می‌دادیم و دلمان آرام می‌گرفت. به سفر آمده بودیم، دست هم را گرفته بودیم. از هیجان می‌لرزیدیم و از خوشحالی بالا و پایین می‌پریدیم.

کافی است انگشتهایم را به هم جُفت کنم، چشمهایم را ببندم، دو تا بچه را ببینم که کنار هم صورتشان را به پنجره قطار چسبانده‌اند و خوشبخت‌ترین بچه‌های روی زمین هستند.

هنوز هم دیدن قطاری که در سکوی مخصوص ایستاده و مانند حیوانی در بند له می‌زند و در انتظار آخرین سوت مأمور نفسش را حبس کرده است، در دلم اضطرابی بوجود می‌آورد، کودک نگران درونم بیدار می‌شود. دلهره‌هایی که هنوز هم گاه و بیگاه به سراغم می‌آیند. پایم

را که به ایستگاه قطار می‌گذارم، در میان مردمی کـه هـر یـک بـه سـویی می‌روند. در میان سر و صدایی مبهم و دلهره‌آور، به یاد دو بچه‌ای می‌افتم که دست یکدیگر را گرفته و بهت‌زده ایستاده‌اند، و اگر بـه خـاطر بچه خوب بودن، نبود، با تمام وجودشان از شادی و هیجان فریاد می‌کشیدند.

شب کف کوپه پتویی برای رستم انداختند که آنجا بخوابد. ننه بزرگه می‌خواست مرا کنار خودش بخواباند. گفتم: مـی‌خواهم پهلوی رستم بخوابم.

خانم خانم گفت: برو بخواب. ننه بگذار برود بخوابد. به شرطی کـه بخوابید و حرف نزنید.

رستم با خوشحالی برایم جا کرد. کف کوپه سـخت و سـفت و تاریک بود و صدای چرخ‌ها به طرز ترسناکی نزدیک به‌نظر می‌آمد. مانند دو تا پرنده با ترس به هم نگاه کردیم و به هم چسبیدیم تا کم‌کم گوشمان به صدا عادت کرد. بالش را کنار می‌زدیم، گوشمان را بـه کـف کـوپه می‌چسباندیم و می‌گفتیم که به عوض نگاه کردن به آسمان و قصه گفتن برای ابرها به صدای چرخ‌ها گوش می‌کنیم. صدای چرخ‌هایی که انگار نزدیکتر و نزدیکتر می‌شدند و آهنگی منظم و ترسناک را تکرار می‌کردند.

رستم زیر گوشم گفت: این از قصه ابرها قشنگتر است، مگر نه؟

سعی می‌کردیم برای آن شعری پیدا کنیم کلمه‌ها را تکرار می‌کردیم، صداها را تقلید می‌کردیم، دنبالشان مـی‌کردیم و مـی‌شمردیمشان، یک دو... یک دو. تعجب می‌کردیم، می‌خندیدیم، می‌ترسیدیم و صدایمان اوج مـی‌گرفت. آن‌وقت صـدای بـزرگترها در مـی‌آمد و هیس هیس می‌کردند. چراغ‌های بزرگ را که خاموش کردند کوپه در نور چراغ‌های کوچک و ما که کف آن خوابیده بودیم در تاریکی فرو رفتیم.

چشممان داشت گرم می‌شد که رستم بالش را به طرف خودش کشید. سرم روی پتو افتاد، نیم‌خیز شدم و بالش را کشیدم. او کشید من کشیدم، دوباره کشید، دستم را بلند کردم و محکم زدم توی سینه‌اش، لحظه‌ای مات نگاهم کرد. کف دستم را خاراندم. خام خانم خواب‌آلوده گفت: هیس، بخوابید بچه‌ها.

ننه ددری از روی نیمکت که خوابیده بود چرخی زد، دستش را دراز کرد و بازوی رستم را نیشگون گرفت و آهسته گفت: بخواب ذلیل شده، بگذار آن بچه هم بخوابد. و سعی کرد مرا از کف کوپه بلند کند و کنار خودش بخواباند. دستش را محکم عقب زدم و گفتم: ولم کن، دیگر.

تو دستت را روی بازویت گذاشته بودی و آهسته گفتی: آه... نگاه ترسیده و واخورده ما در تاریک روشن کف کوپه به هم دوخته شده بود. سرم را جلو آوردم و گفتم: درد گرفت؟ سرت را تکان دادی و در حالی که بازویت را می‌مالیدی دوباره گفتی: آه... نه، و دست مشت کرده‌ات را به چشمهایت مالیدی. نپرسیدم کدامیک دردش بیشتر بود. تو هم چیزی نگفتی. بالش را صاف کردیم، سرمان را کنار هم گذاشتیم، خوابیدیم و گوشمان را به حرکت قطار سپردیم و کم‌کم به خواب رفتیم. نیمه‌های شب از خواب بیدار شدم. قطار در ایستگاهی توقف کرده بود. به صداهای گنگ بیرون گوش دادم. صدای خر خر خانم خانم و ننه بزرگه همراه با نفسهای عمیق و آرام ننه ددری توی کوپه پیچیده بود. گوشه آرنج ننه ددری از چادرش بیرون بود. دستش بشکند. تو خواب بودی. دستم را روی بازویت گذاشتم و چشمهایم را بستم. کف دستم می‌سوخت....

هر بار پاپا او را می‌زد بی‌اختیار چشمهایم را می‌بستم و دلم می‌خواست بمیرد. رستم در برابر ضربه‌های او خودش را جمع می‌کرد، نگاهش را از من می‌دزدید. جلو من گریه نمی‌کرد و تا چند روز به چشمهایم نگاه نمی‌کرد.

> به کف نیمه تاریک و کوچک کوپه قطار کشیده می‌شوم. به سوی آن دو کودکی که آن‌جا خوابیده‌اند. می‌دانم که نگاه متعجب و ترسیده و ساکت تو همیشه با من خواهد بود، چه خودت باشی، چه نباشی....

فاخته دستهایش را در دستهایم رها کرده و منتظر جوابم است. می‌دانم وقتی که برگردم حسرت حرفهایی را که باید به او می‌گفتم، خواهم خورد. وقتی که روی پیشخوان داروخانه‌ای خم شوم تا نسخه بیماری را بخوانم، هنگامی که داروها را به دستش می‌دهم و طرز مصرف آنها را توضیح می‌دهم، حسرت آن چه را که باید به او می‌گفتم و نگفتم را خواهم خورد.

هیچ انگشتری به دست ندارد، معلوم است که ناخنهایش را مدتهاست درست نکرده. سرم را خم می‌کنم، دستهایش را در دست می‌گیرم و به‌صورتم فشار می‌دهم و می‌گویم: من باید برگردم.

تصمیم گرفته‌ام در یکی از داروخانه‌هایی که چندان از خانه‌مان دور نباشد کار کنم. در این داروخانه‌ها برعکس داروخانه پدرم کمتر جلو پیشخوان ظاهر می‌شویم. و ارتباط کمی با مشتری‌ها داریم. صداها را می‌شنویم و احتمالاً عده‌ای را با صدا می‌شناسیم. گاهی اگر دکتر اصلی و صاحب داروخانه نباشد. به مشتری‌ها می‌رسیم. اما هرگز ارتباطی با آنها برقرار نمی‌شود. در داروخانه، ما با دارو سر و کار داریم نه با مردم. تصور

من از داروخانه اما همیشه همان تصویری خواهد بود که از محله قدیمی و آشنای کودکیم و از داروخانه پدرم دارم.

باید به رستم می‌گفتم که هر طور شده خودش را به بوی داروها عادت دهد. برای این که من همه جا رفته‌ام، همه‌جا را گشته‌ام و راهی پیدا نکرده‌ام.

می‌گوید: به خدا قسم که یک ذره هم فرق نکرده‌ای همان شورای شور شور هستی و در نهایت درجه بی‌مزه. می‌خواهم برگردم یعنی چه؟ نیامده برگردم. استعفایت را که داده‌ای. پس بهانه کار نداری. هر دو بیعار و بیکار. دیگر از این بهتر چه می‌خواهی؟

می‌گویم: باشد دفعه بعد.

-وعده سر خرمن نده. مرا بگو که دلم را به تو خوش کرده بودم.

-حالا نوبت تو است که بیایی آن طرفها.

-با این بچه‌ها؟

-این‌ها که دیگر بزرگ شده‌اند بگذارشان پهلوی مامانت.

-بزرگ شده‌اند و مسأله‌هاشان هم با خودشان بزرگ شده. نمی‌دانم با آنها چه کنم. راستی تو راهی نمی‌شناسی که آنها را بفرستم آن‌جا؟ برای چه نگهشان دارم. مگر ما چه کردیم که این‌ها بکنند. آخرش یک چیزی می‌شوند مثل ما، مثل من. خرجشان هم مسأله نیست. مردکه آن‌قدر دارد که بدهد. چشمش کور زندگی مرا تباه کرد، نمی‌گذارم زندگی بچه‌هایم را خراب کند. مجبورش می‌کنم تا شاهی آخرش را خرج بچه‌ها کند.

می‌گویم: هر کار از دستم برآید برایت می‌کنم. به شرطی که خودت هم بیایی.

-پس کافی است یکی از این‌ها را ببری آن‌جا. آن وقت سرم را بزنی،

پایم را بزنی، آن جا هستم. این توله سگها که ولم نمی‌کنند.

ـ آنها تو را ول نمی‌کنند یا تو؟

می‌خندد و سایه آن خنده که رنگی از خنده‌های شیرین گذشته دارد بار دیگر زیبایی پنهان شده صورتش را نمایان می‌سازد.

می‌گوید: جانم هست و آنها. بعضی وقتها هم چشم ندارم ببینمشان. مخصوصاً وقتهایی که سراغ پدره را می‌گیرند.

ـ خب، پدرشان است.

آهی می‌کشد: بزرگتر که شدند خودشان می‌فهمند که چه خری پدرشان بوده. من نمی‌گویم که بَده بشوم.

نگاهم می‌کند، انگار از نگاهم چیزی می‌خواند که همدلی‌اش را برمی‌انگیزد: به خدا یک موی رستم به هزار تا مثل این آدمها می‌ارزید. آن طفلک از سرِ ما زیاد بود.

دستم را جلو دهانش می‌گذارم. با تعجب نگاهم می‌کند. می‌گویم: حرفش را نزن. یادِ کتابم هستی صفحه سی و هفت، دست چپ، گوشه پایین.

می‌گوید: شورا؟

اشک روی گونه‌اش می‌غلتد.

تو می‌گفتی: من نمرده‌ام، منزل عوض کرده‌ام. در تو که مرا
می‌بینی و بر من اشک می‌ریزی زنده می‌مانم...

در خانه ما همه در تدارک مراسم عید هستند. نوروز در آن‌جا منتظر دعوت نمی‌ماند، خودش در را باز می‌کند و می آید تو. نمی‌فهمم چطور حال و حوصله عید گرفتن دارند. به‌مادرم که می‌گویم، می‌گوید: چه حرفها. عیدنگرفتن یعنی چه؟ شگون ندارد.

ـ آخر...

ـ آخر ندارد. غلام‌خان، خدا بیامرزدش، عمرش همین‌قدر به دنیا بود دیگر. به‌خاطر خاله ماهت هم شده باید عید گرفت. باید از عزا درش بیاوریم.

می‌خواهم فریاد بزنم: آخ مادر، چطور نمی‌بینی... اما ساکت نگاهش می‌کنم و سرم را تکان می‌دهم.

آخر چه کسی باور می‌کند، چه کسی باور می‌کند، رستم...

سال تحویل را همه منزل پدرم جمع هستیم. خواهرم با شوهر و سه تا بچه. برادر بزرگم و زن و دو تا بچه. برادر کوچکم با زن و مادر زن و پدر زنش. خاله پری با بچه‌ها و عروسهایش. خاله پری از یک هفته پیش آمده منزل ما برای کمک کردن به مادرم. ننه ددری هم دم دستشان می‌پلکد.

ننه بزرگه برگشته ده، نزد پسرش زندگی می‌کند، خیلی پیر شده و می‌گویند چشمش جایی را نمی‌بیند. باید بروم ده و او را ببینم اما نمی‌دانم که می‌توانم یا نه. ننه ددری پهلوی خاله‌ام مانده. او هم پیر شده اما هنوز خنده از یادش نرفته.

تحمل مراسم عید را ندارم. به رغم غرغر کردنهای مادر، پهلوی خاله ماهم می‌مانم به بهانه تنهاییش. مادرم مرتب می‌گوید بهتر است به خانه برگردم. او اصلاً از جایی که ممکن است خانه‌ام باشد تصوری ندارد. برای او خانه همان خانه اوست. از این که سالها است خانه‌اش خانه من نیست بی‌خبر است.

> او نمی‌داند که خانه تو بیشتر از هر خانه‌ای، خانه‌ام بوده. او از ساعتهای پر از همدلی که در خانه تو و یا در خانه خاله ماهم گذرانده‌ام خبر ندارد. او نمی‌داند که خاله ماهم بیش از او مادرم بوده است و تو نزدیکتر از هر کسی به من. تو پدرم نبودی، مادرم نبودی، برادرم نبودی، خویشاوندم نبودی، دوست صمیمی‌ام نبودی. تو تنها دوستی بودی که داشتم، تو کودکی‌ام بودی، وطنم بودی، هویتم بودی، همه چیزم بودی...

شب تا صبح به خود می‌گویم: باید برگردم. این‌جا دیگر کاری ندارم. صبح پشت میز اتاق نشیمن خاله ماهم که او و غلام‌خان هر یک در دو طرف آن می‌نشستند و کارهایشان را انجام می‌دادند، صبحانه می‌خورم. در سکوت محزونی که هیچ مزاحمتی ایجاد نمی‌کند، با خودم کلنجار می‌روم: باید بمانم، باید برگردم. باید بمانم، باید برگردم.

کتابهای رستم را بسته‌بندی می‌کنم و در خانه خاله ماهم می‌گذارم،

برای بچه‌های خواهرش. پدرم می‌گوید که خانه را به شخص مطمئنی اجاره می‌دهد و اجاره‌اش را برای خواهرش می‌فرستد. می‌گوید: خیالت راحت باشد. رستم خیلی به‌گردن من حق دارد. مواظب اموالش هستم.

تنها چیزی را که برای خودم برمی‌دارم همان کتاب است که سرنوشت بر باد رفته‌ام در آن نوشته شده. آن را در کیفم می‌گذارم و برمی‌گردم.

در میان ابرها می‌توانم پنهان شوم و موجودیت زمینی‌ام را فراموش کنم. همه چیز به سرعت از برابرم می‌گذرد. سعی می‌کنم نگاهم را رویشان ثابت نگه دارم اما موفق نمی‌شوم. در تمام طول سفر کتاب روی دامنم باز است.

گوشه پایین سمت چپ، صفحه سی و هفت نوشته‌ای:

سالها می‌گذرد، جز تو کسی نیست مرا...

در ایستگاه کوچکی توقف می‌کنیم. چند نفر پیاده می‌شوند آخرین دو نفری که پیاده شده‌اند زن و مرد مسنی هستند. زن زیر بازوی مرد را گرفته و مرد قدمهایش سنگین است و به زحمت خود را پیش می‌کشاند. شانه‌های درهم کشیده و جثه‌ای نحیف دارد. مرد بدون این که شباهتی به پاپا داشته باشد مرا به یاد آخرین روزهای حیات او می‌اندازد، پاپای من که هرگز به کسی شبیه نبود، در ماههای پایانی عمرش دیگر به زحمت می‌توانست راه برود. در آن روزها او دیگر کوچکترین شباهتی به آن مرد پرهیبت که دل اهل خانه از صدای قدمهایش به لرزه می‌افتاد، نداشت. چقدر دلم برایش تنگ است.

تو زیر بغلش را می‌گرفتی تا از اتاق در آید و روی تخت توی

حیاط بنشیند...

وقتی از دو پله‌ای که به حیاط می‌رسید، پایین می‌آمد، به همه تمرکز

ذهنی‌ام برای پیدا کردن غول قصه‌ها در آن جسم شکننده و تمام شده، نیاز داشتم. غولی که وقتی بغلش می‌رفتم، بازی می‌کردم با بازوهایش که پر از مو بود، سعی می‌کردم یکی از آنها را بکنم و او دستش را پس می‌کشید و می‌گفت: آخ، چکار می‌کنی، پدر سوخته؟

می‌پرسیدم: پاپا، دردت می‌آید؟

خنده‌ای می‌کرد: دردم می‌آید؟ پدر سوخته، معلوم است دردم می‌آید.

با خودم شرط کرده بودم که هر بار تو را بزند یکی از موهای دستش را بکنم.

قطار به حرکت درمی‌آید مرد و زن مسن نزدیک در خروجی رسیده‌اند، صورت مرد را نمی‌توانم ببینم، از ایستگاه می‌گذریم به اسم آن توجهی نکرده‌ام. این اسم‌ها چیزی را برایم تداعی نمی‌کنند. حتی اگر نگاهشان هم بکنم از جلوشان که رد شوم فراموششان می‌کنم. به پشتی صندلی‌ام تکیه می‌دهم، به جهان نگاه می‌کنم، چشمهایش را بسته است. روی پیشانی‌اش دو خط عمیق افتاده. موهایش جو گندمی و در دو طرف شقیقه کم پشت شده است.

در فرودگاه می‌پرسد که چرا این‌قدر کم ماندم.

او نمی‌داند که هزار سال مانده‌ام. نگاهش می‌کنم و چیزی نمی‌گویم. هر کلمه‌ای که بگویم آخرش به اشکهایم خواهد رسید. فقط سرم را تکان می‌دهم. کنجکاو است و دوباره می‌پرسد. انگار دلش می‌خواهد مرا به حرف بیاورد، می‌گویم: خبری نبود آمدم دیگر.

می‌گوید: همه چیز رو به راه بود؟

با سر اشاره می‌کنم که آره.

می‌پرسد: همه خوب بودند.

می‌گویم: همه خوب بودند.

با رضایت سرش را تکان می‌دهد.

تو برای او جز همه کسان نیستی و احتمالاً او تو را اصلاً

کسی حساب نمی‌کند....

به یاد نوشته شاعری می‌افتم: «مرگ معنی ندارد. هیچ چیز عوض نمی‌شود. ما در جای خود قرار داریم و همه چیز به همان منوال سابق ادامه می‌یابد. می‌توانیم مانند گذشته، همان‌طور که عادت داشتیم، به یکدیگر فکر کنیم و با هم به لطیفه‌هایمان بخندیم. تنها جسم است که نمی‌بینیم اما در فکر و ذهنمان آن که رفته همان‌گونه که بوده، هست.»

ناخن‌هایم را کف دستم فرو می‌کنم و به پوچی هر شعر و نوشته‌ای پی می‌برم. کدام شعر می‌تواند آن چیزی را که حس می‌کنم، بیان کند؟

جهان می‌گوید: معلوم است دیگر حوصله آن‌جا را نداری. اصلاً هر سال رفتن بیهوده است. این همه جاهای دیدنی در دنیا است. حیف نیست آدم تعطیلاتش را آن جا بگذراند؟

او رستمش را از دست نداده که بفهمد من چه می‌گویم. او

اصلاً رستمی ندارد که بفهمد من چه می‌گویم...

یک هفته بعد ستاره را می‌بینم. از در نیامده تو، بسته‌ای به طرفم دراز می‌کند و می‌گوید: مال تولدت است.

آه، اصلاً فراموش کرده بودم. می‌گویم: این‌جا که نبودم.

آسمان صاف و بی‌ابر است. تو به آن می‌گفتی: امروز کسی خانه نیست، باید صبر کنیم تا ابرها به خانه‌شان برگردند...

آرام و بی‌تفاوت می‌گوید: من یادم بود.

به او هم نمی‌دانم چه بگویم؟ اما او حرف می‌زند. به آهنگ صدایش

گوش می‌دهم. برایم مهم نیست که چه می‌گوید. بودنش مهم است. فقط بودنش مهم است.

او تو را ندیده و تو را نمی‌شناسد و کوچکترین تصوری از بود
یا نبودت ندارد...

چرا خودش به من نگفت؟ می‌توانست در نامه‌ای برایم بنویسد. می‌توانست در تلفن بگوید. هیچ تاریخی زیر آن ننوشته. حالا می‌فهمم که چرا هنرمندان برای هر کار هنری‌شان تاریخ می‌گذارند. دانستن این که چه وقت چه فکری داشته‌ایم خیلی مهم است.

ستاره می‌گوید: مامی...

بارها به او گفته‌ام مرا مامی صدا نزند. در جوابم خندیده و گفته: چرا؟

می‌گویم: برای این که...

حرفم را قطع می‌کند: مامی هم همان مامان است، چه فرقی دارد؟

لبهایم را به هم فشار می‌دهم.

تاریخ خرید کتاب به سالها پیش باز می‌گردد اما چه وقت آن را نوشته است؟

ستاره می‌پرسد: آر یو ویت می؟ حواست به من است؟

می‌گویم: آف کورس. البته.

در آهنگ صدایش غرق می‌شوم و همچنان نگاهش می‌کنم، از پس آن اندوه ساکت و پنهان.

«آری تمامی اندوه‌ها، اندوه همان کسان، وزن آن کودک
خفته است که تا ابد حمل خواهی کرد.»

لندن اوت ۲۰۰۳

[illegible]
[illegible]
[illegible]
[illegible] ...
[illegible]
[illegible]

[illegible]

[illegible]
[illegible]
[illegible]
[illegible]
... [illegible]
[illegible] / [illegible] / [illegible]
[illegible]

[illegible]
[illegible]
[illegible]
[illegible]
[illegible]
[illegible]
[illegible]
[illegible] / [illegible]

[illegible]

گالاپاگوس

کرت ونه گوت / ترجمهٔ علی‌اصغر بهرامی

مجمع الجزایر گالاپاگوس در اقیانوس آرام نزدیک بدنه‌ی غربی آمریکای جنوبی قرار دارد و همان جایی است که چارلز داروین به سال ۱۸۳۵ بُن‌مایه‌ی نظریه‌ی تکامل خود را پیدا کرد. ونه گوت این پدیده و «سفر دریایی قرن در طبیعت» را، که به مقصد همین جزایر است، با یک بحران اقتصادی ـ سیاسی جهانی درهم آمیخته، و بستر آخرین رمان خود قرار داده است، و به سبک خاص و با طنز تلخ و گزنده‌ی ویژه‌ی خویش اثری آفریده است شگفت و خواندنی و ماندگار. گالاپاگوس از نظری غزل خداحافظی و وصیت‌نامه‌ی ونه گوت نیز هست. گالاپاگوس نگاهی است رندانه و پسامدرنیستی به جهان معاصر و آینده‌ی جهان و آینده‌ی بشریت... چه معلوم که با این همه پرتوهای مسمومِ هسته‌ای و الکترومغناطیسی، آدمی نیز مثل برخی از موجودات ذره‌بینی دُچار موتاسیونِ (جهش بیولوژیک) دارروینی نشود، و در زمانی به کوتاهی یک میلیون سال، که سال ۱۹۸۶ است، تبدیل نشود به...!. طنز ونه گوت فراگیر است، و به هیچ چیز و به هیچ کس ابقا نکرده است.

روش مطالعه ادبیات و نقدنویسی

جان پک و مارتین کویل / ترجمهٔ سرورالسادات جواهریان

هدف کتاب حاضر این است که مهارت تفکر نقد و بررسی کتاب را در خواننده افزایش دهد و راه‌های عملی را برای مطالعه و درک و تحلیل ادبیات پیش روی او قرار دهد. نویسندگان این کتاب کوشیده‌اند دیدگاه گسترده‌تری دربارهٔ متون مورد مطالعه و به طور کلی دربارهٔ ادبیات به شما ارائه دهند، تا دانشجویان بتوانند به‌طور مستقل متنی را نقد و بررسی کنند و دیدگاه خود را برای تحلیل و تفسیر متن به کار گیرند.

جان پک / مارتین کویل

دایرة‌المعارف شیطان

آمبروز بیرس / ترجمهٔ سید ابراهیم نبوی / مهشید میرمعزّی

... تا آن زمان تنها در آثار عبید زاکانی (رسالهٔ تعریفات) دیده بودم که کسی به تفسیر طنزآمیز واژه‌ها پرداخته است. ماه‌ها گذشت تا اینکه یکی از دوستان خوبم که در فرانسه ساکن است با من تماس گرفت و به من نویسنده‌ای به نام «آمبروز بیرس» را معرفی کرد. پرسیدم: این دیگر چه جور جانوری است؟ گفته شد طنزنویسی است که در سال‌های ۱۸۷۰-۱۹۱۰ آثار خود را در ایالات متحدهٔ آمریکا چاپ کرده است... ابراهیم نبوی

شعر و شناخت

دکتر ضیاء موحّد

دفتری است در فلسفهٔ ادبیات، نقد ادبی و معرفی شاعران... در بخش فلسفی از مسألهٔ صدق در شعر و تحوّل نوع و فرد در تاریخ ادبیات و فلسفه بحث می‌شود. در نقد ادبی از شعر بی‌تصویر و سرگذشت شعر سیاسی در غرب و در ایران سخن می‌رود، و نیز شامل تأملاّتی است در شعر شاعران ایران.

بخش شناخت اختصاص به‌معرفی امیلی‌دیکنسون و سیلویا پلات دارد. دراین‌بخش گذشته از بررسی شعر و شاعری این دو، نمونه‌های گوناگونی نیز از شعر آنان ترجمه شده است. در معرفی سیلویا پلات موضوع بحث اهمیت اسطوره و نیز شگردی است که سیلویا پلات در گِره زدن اسطوره با زندگی و زیستن با اسطوره بکار برده است.

خاطرات پس از مرگ

ماشادو دِآسیس / ترجمهٔ عبدالله کوثری

«من نویسنده‌ای فقید هستم، اما نه به معنای آدمی که چیزی نوشته و حالا مرده، بلکه به معنای آدمی که مرده و حالا دارد می‌نویسد.»

ماشادو دآسیس با این تمهید هشیارانه و بی‌مانند، راوی این زندگی‌نامه را آزاد می‌گذارد تا فارغ از همه دغدغه‌های آدمی زنده، زندگی خود را روایت کند و روایت این زندگی فرصتی می‌شود تا نویسندهٔ تیزبین و متفکر با زبانی آمیخته به طنزی شکاکانه زیر و بم وجود آدمی، عواطف و هیجانات، بلندپروازی‌ها و شکست‌ها و پیروزیهای او را از کودکی تا دم مرگ پیش روی ما بگذارد و پرسش‌هایی ناگزیر را در ذهن‌مان بیدار کند.

خاطرات پس از مرگ، بعد از انتشار به زبان انگلیسی در شمار صد رمان بزرگ جهان جای گرفت و نویسندهٔ آن امروز بزرگترین نویسندهٔ امریکای لاتین در قرن نوزدهم و به عقیدهٔ برخی منتقدان، مثل سوزان سونتاگ، بزرگترین نویسندهٔ این قاره در دو قرن اخیر به شمار می‌رود.

فرهنگ گزین گویه شعرای معاصر

اگر عشق عشق باشد... گزین گویه‌های فروغ فرخ زاد، ایلیا دیانوش

این مجموعه پژوهشی است جهت گردآوری گزین گویه‌های برترین شعرای معاصر از میان یادگارهای نثر آن‌ها که یک میراث عظیم فرهنگی است و برای اولین بار در ایران به آن پرداخته می‌شود. پنج جلد نخست این مجموعه به فروغ فرخ زاد، احمد شاملو، سهراب سپهری، مهدی اخوان ثالث، و نیما یوشیج اختصاص دارد و در مجلدات بعدی آن نام نصرت رحمانی، نادر نادر پور، یدالله رویایی فریدون مشیری، حمید مصدق، منوچهر آتشی، سیمین بهبهانی و... به چشم می‌خورد.

یادداشت‌هایی برای دورا

حمید صدر، ترجمهٔ پریسا رضایی

کافکا را همواره از چشم‌اندازی تیره و تلخ نگریسته‌ایم، گویی او تنها و تنها می‌تواند در نقش پیامبر رنج و ناامیدی ظاهر شود.

اکنون حمید صدر در این کتاب وجهی دیگر از سیمای کافکا را پیش رویمان قرار می‌دهد: کافکایی که در فرجامین روزهای زندگی‌اش، چشم‌براه بهار و سلامتی است، کافکایی که با وجود همهٔ بیماری و رنج‌هایش عشق می‌ورزد، زیبایی‌ها را دوست می‌دارد و میل به زندگی دارد. این کتاب که براساس واپسین یادداشت‌های کافکا سامان یافته است، کافکای واقعی را نشانمان می‌دهد، کافکایی از گوشت و پوست و استخوان با همهٔ بیم‌ها و امیدهایش، با همهٔ دلباختگی‌ها و ناکامی‌هایش، بدان‌گونه که دوستداران کافکا را تحت تأثیر قرار می‌دهد و آنانی را که او و آثارش را نمی‌شناسند، علاقه‌مند می‌سازد.

شما در این اثر با تلفیقی از واقعیت و ادبیات روبرو هستید و حسی همچون نسیمی سبک و گذرا بر جهان کافکایی رمان حاکم است.

بودا (در جستجوی ریشه‌های آسمان)

امیرحسین رنجبر

بودا: 'در جستجوی ریشه‌های آسمان' مونوگرافی است که سعی دارد زندگی، اندیشه‌ها، تعالیم و آموزه‌ها و در نهایت شکل‌گیری آئینی را توصیف کند که چیزی در حدود بیست و پنج قرن پیش، مردی پاک‌تبار آن را بنیاد نهاد؛ مردی که به جرأت می‌توان او را از جمله نخستین منادیان تزکیه نفس، صلح‌طلبی، انسان‌دوستی، کف نفس و خویشتن‌داری و تلاش برای رسیدن به فردایی بهتر، نامید.

او در پاسخ به سؤال دوستی که از او پرسیده بود «آیا در جهان چیزی هست که به آن علاقه داشته باشی؟ گفت: آری، باران، چون فکر می‌کنم تنها چیزی که این دنیای خاکی را به آسمان و عوالم بالاتر از آن وصل می‌کند همین رشته‌ها و ریشه‌های خیس و ابریشمینِ باران است و بس. من باران را بسیار دوست دارم.

مجموعهٔ گزینهٔ اشعار

گزینه‌ها، مجموعه‌ای است برای دوستداران شعر که بتوانند در فرصت کوتاه‌تری به بهترین آثار شاعران مورد علاقهٔ خود دست یابند. اکثر این گزینه‌ها به وسیلهٔ خود شاعران برگزیده شده است. و به ترتیب عبارتند از گزینهٔ اشعارِ فروغ فرخزاد / فریدون مشیری / منوچهر آتشی / سیمین بهبهانی / مهدی اخوان ثالث / فرخ تمیمی / نیما یوشیج / حمید مصدق / نصرت رحمانی / م. آزاد / پروین اعتصامی / احمد شاملو / منوچهر شیبانی / علی موسوی گرمارودی / حافظ / قیصر امین‌پور / شفیعی کدکنی / یدالله رویایی / بهار.

زندگی من، پائولو کوئیلو

خوان آریاس / ترجمهٔ خجستهٔ کیهان

در این کتاب کوئیلو از مراحلِ اصلی زندگی خود پرده برمی‌دارد: کودکی‌اش در ریودوژانیرو، پدر مهندس‌اش، تعلیم و تربیت مذهبی و سنّتی‌اش و چندین تجربه در حاشیه ـ شرکت در جنبش‌های شورشی دهۀ ۱۹۶۰ و همچنین مواد مخدّر و جادوی سیاه... او با گفتگو از نوشتن، موفقیت و تأثیر زنان بر زندگی و دیدگاه‌هایش، مسیر درهم و پیچیدهٔ زندگی خود را می‌نمایاند. پائولو کوئیلو از جمله نویسندگانی به شمار می‌آید که آثارش خوانندگانِ فراوان دارد.

شوکران شیرین / طنزآوران امروز جهان

وودی آلن، بوخوالد، تربر.... / ترجمهٔ تقی‌زاده، کوثری، امرایی، سعیدپور، میترا کدخدایان...

در این کتاب پس از مقدمهٔ سیدابراهیم نبوی، داستانهایی از آثار طنزپردازان جهان توسط مترجمین گرانقدری گردآوری شده که هرکدام نوع خاصّی از طنز را در خود بازمی‌تاباند. در این مجموعهٔ، طنز را از دهان دیگران از مکزیک تا گواتمالا و آرژانتین، از امریکا و کانادا تا آلمان و همین بیخ گوش خودمان ملاحظه می‌کنید تا اتفاقاً معلوم شود که همه طنزپردازان جهان به یک زبان حرف می‌زنند: زبان طنز.

اغلب نویسندگان این مجموعه با ما هم‌روزگارند، از معاصران هستند به جز «جلیل محمدقلی‌زاده».

اسرار

کنوت هامسون / سعید سعیدپور

اسرار داستانی است جذاب و پُر راز و رمز از نویسندهٔ بزرگ نروژی و برندهٔ جایزهٔ نوبل ۱۹۲۰. پیچیدگی ملموس شخصیت اصلی، مثلث عشقی او و ارتباط دوگانه‌اش با هنر، طبیعت و ماوراءالطبیعه در صحنه‌هایی زنده برای خواننده مجسم می‌شود، بیهوده نیست که هنری میلر دربارهٔ این کتاب گفته است: آن را بارها و بارها خوانده و هربار بیشتر مسحور شده است. سبک روایی ـ دراماتیک رمان با برخورداری چشمگیر از عناصر مدرن و حتی پُست‌مدرن، دل و جان آدم‌ها را چندان می‌کاود که در پایان چیزی برجای نمی‌ماند جز مشتی اسرار.

هِسه و شادمانیهای کوچک

هرمان هسه، ترجمهٔ پریسا رضایی و رضا نجفی

هسه در شادمانیهای کوچک به ما می‌آموزد، چگونه هستی را شاعرانه بنگریم و چگونه شادمانه زندگی کنیم. شادمانیهای کوچک دعوت اوست برای شاد زیستن و ارمغانی است برای زندگی معنوی ما و گامی به سوی نیک‌بختی و آرامشی که نویسنده، خود در واپسین دورهٔ زندگانیش بدان دست یافته بود.

مترجمان برای پُربار ساختن این اثر، برگزیده‌ای از اشعار، داستانهای کوتاه، نمونه‌هایی از نامه‌نگاریهای هسه با توماس مان و چندین نقد از هسه‌شناسان و ادبای نامدار جهان را دربارهٔ هسه به این مجموعه افزوده‌اند.

اوستا / کهن‌ترین سرودهای ایرانیان

دکتر جلیل دوستخواه

اوستا، میراث مشترک فرهنگی جهانیان و کهن‌ترین نوشتار ایرانیان و نامه دینی مزداپرستان است. گزارنده کوشیده است تا در این مجموعه، تکامل دانش اوستاشناسی را بر بنیادهای پژوهشهایی که درخودِ اوستا و یا در ادبیات پارسی میانه در چند دهه اخیر در ایران و جهان صورت پذیرفته استوار ساخته و تا آنجا که امکان یافته، برداشتهای نو را در برابر خواننده بگذارد.

گزینهٔ شعر جهان (دوزبانه)

والت ویتمن / ترجمهٔ دکتر سیروس پرهام
هنری لانگ فِلو / ترجمهٔ دکتر محمدعلی اسلامی ندوشن
امیلی دیکنسون / ترجمهٔ سعید سعیدپور
رابرت فراست / ترجمهٔ دکتر فتح‌الله مجتبائی
رؤیا و کابوس / گزینهٔ شعر معاصر عرب / دکتر عبدالحسین فرزاد
آفتاب نیمه شب / گزینهٔ اشعار ژاک پرِوِر / ترجمهٔ محمدرضا پارسایار
در کسوت ماه / سیلویا پلات / سعید سعیدپور
گزیده اشعار لرمانتف / زهرا محمدی
عاشقانه‌های شعر آلمان / علی عبداللهی

[illegible]

[illegible]
[illegible]
[illegible]
[illegible]
[illegible]
[illegible]

[illegible]
[illegible]
[illegible]
[illegible]
[illegible]
[illegible]
[illegible]
[illegible]
[illegible]
[illegible]
[illegible]
[illegible]

[illegible]

[illegible]
[illegible]
[illegible]
[illegible]
[illegible]
[illegible]
[illegible]
[illegible]

جام شکسته (بازیافتن)

آلن رب‌گری‌یه / ترجمهٔ خجستهٔ کیهان

انتشار رمان جام شکسته در اکتبر ۲۰۰۱ از جمله رویدادهای مهم ادبی آن سال در فرانسه بود. آلن رب‌گری‌یه این کتاب را در آستانهٔ هشتادسالگی و پس از هشت سال سکوت منتشر کرد. این رمان دربرگیرندهٔ عناصر بسیاری از رمان‌های پیشین اوست.

رب‌گری‌یه فرم پلیسی را برای رمان‌هایش انتخاب کرده است. وجود معما در رمان‌های پلیسی با شکل معمایی آثار او همخوانی دارد؛ نپرداختن به شخصیت افراد و شناخت آنها از طریق دیالوگ و رفتار، ایجاد تردید در خواننده و تعلیق در داستان از ویژگی ژانر پلیسی است که رب‌گری‌یه در رمان‌های خود به کار می‌برد. او با ایجاد انتظار، تردید و هراس در خواننده او را در حالتی پر رمز و راز فرو می‌برد.

حقیقت و آزادی

دکتر ریمون آرون

ترجمهٔ دکتر مهرداد نورایی

این اثر مقایسه‌ایست تحلیلی میان مفهوم آزادی سیاسی، فردی و آزادی اندیشه در جهان سوسیالیسم و جهان غرب.

آیا آزادی سیاسی، فردی و آزادی اندیشه که شهروندان جوامع لیبرال از آن برخوردارند، نتیجه‌ای به همراه داشته است؟

آیا یک انقلاب، با تغییر مالکیت ابزار تولید، به تنهایی قادر به تأمین آزادی واقعی و تضمین استمرار آن می‌باشد؟ بر پایهٔ این بحث همواره مطرح، ریمون آرون پژوهش دیرینهٔ خود در زمینهٔ تمدن مدرن را پی می‌گیرد.

اولین تپش‌های عاشقانهٔ قلبم

نامه‌های فروغ فرخزاد به همسرش پرویز شاپور

به کوشش کامیار شاپور / عمران صلاحی

کامی جان، من سی و سه سال با پدرت دوست بودم، اما برخلاف خیلی‌ها هیچ‌وقت دربارهٔ فروغ از او نپرسیدم. اما خودش بعضی شب‌ها حرف‌هایی می‌زد و حتی به سلامتی او اقداماتی می‌کرد. فروغ برای شاپور همیشه زنده بود. هنوز صدای شاپور در گوشم است: صلاحی‌جان! به فروغ چند نمره می‌دهی و به من چند نمره. شاپور خیلی فروغ را دوست داشت، فروغ هم به شدت عاشق شاپور بود. فروغ در نامه‌هایی که بعد از جدایی از پرویز برای او نوشته عاشق‌تر از همیشه است.

برگرفته از مقدمهٔ کتاب